2ᵉ CHANCE

James Patterson
avec Andrew Gross

2ᵉ CHANCE

ÉDITIONS FRANCE LOISIRS

Titre de l'édition originale : *Second Chance*
publiée par Little, Brown and Company.

Traduit de l'anglais par Yves Sarda.

Édition du Club France Loisirs,
avec l'autorisation des Éditions J.-C. Lattès.

Éditions France Loisirs,
123, boulevard de Grenelle, Paris.
www.franceloisirs.com

Prologue

Les Enfants du chœur

Aaron Winslow ne devait jamais oublier les minutes à venir. Il reconnut ces sons terrifiants dès qu'ils crépitèrent dans la nuit. Tout son corps en fut transi. Il ne pouvait croire qu'on tire avec un fusil à grande puissance dans ce quartier.

K-pow, k-pow, k-pow... k-pow, k-pow, k-pow.

Son chœur quittait l'église de La Salle Heights. Quarante-huit jeunes enfants défilaient devant lui en direction du trottoir. Leur dernière répétition avant le concert de San Francisco venait de se terminer et ils s'étaient montrés excellents.

Puis vinrent les coups de feu. En nombre. Une fusillade. Un mitraillage en règle. Une attaque.

K-pow, k-pow, k-pow... k-pow, k-pow, k-pow.

— Couchez-vous! hurla-t-il à pleins poumons. Tout le monde par terre! Les mains sur la tête. Tous aux abris!

Qu'il dise ces mots-là, il avait du mal à le croire.

Au début, personne ne parut l'entendre. Les enfants, en chemises et corsages blancs, avaient dû confondre les coups de feu avec des pétards. Puis une salve grêla le magnifique vitrail de l'église. *Le Christ bénissant un enfant à Capharnaüm* explosa en mille éclats de verre; certains tombèrent sur la tête des choristes.

— Quelqu'un nous tire dessus! hurla Winslow.

Et peut-être pas qu'une seule personne. *Comment était-ce possible?* Il courut comme un fou entre les enfants en criant et en agitant les bras pour en obliger le maximum à se coucher dans l'herbe.

Les choristes finirent par s'accroupir ou plonger par terre, mais Winslow repéra deux fillettes, Chantal et Tamara, pétrifiées sur la pelouse, alors que les balles volaient autour d'elles.

— Chantal! Tamara! Couchez-vous! leur cria-t-il.

Mais elles restaient là, agrippées l'une à l'autre en poussant des gémissements affolés. C'étaient les meilleures amies du monde. Il les connaissait depuis qu'elles étaient toutes petites et qu'elles jouaient à la marelle sur l'asphalte.

Il n'hésita pas un seul instant. Il courut vers les deux petites filles, les attrapa fermement par le bras, les plaqua au sol. Et leur fit un rempart de son corps.

Les balles sifflaient à quelques centimètres au-dessus de sa tête. Il en avait mal aux tympans. Tout son corps tremblait à l'unisson de celui des fillettes dont il se faisait le bouclier. Il était quasiment certain que l'heure de sa mort avait sonné.

— Tout va bien, les enfants, leur murmura-t-il.

Puis, aussi soudainement qu'elle avait commencé, la fusillade cessa. Une chape de silence resta suspendue en l'air. D'une étrangeté effrayante, comme si le monde entier tendait l'oreille.

En se relevant, Winslow jeta les yeux sur un spectacle incroyable. Lentement, un peu partout, les enfants se remettaient sur pied tant bien que mal. Certains pleuraient, mais il ne vit ni sang ni blessé.

— Tout le monde est d'aplomb ? leur cria-t-il, en se frayant un passage entre eux. Rien de cassé ?

« Ça va bien... ça va bien... », lui répondait-on. Il regardait autour de lui avec incrédulité. Ça tenait du miracle.

Puis il entendit un enfant se plaindre. Un seul.

En se retournant, il aperçut Maria Parker, qui n'avait que douze ans. Maria se trouvait sur les marches blanchies à la chaux du perron en bois de l'église. Elle paraissait perdue. La bouche ouverte, étouffée par les sanglots.

Puis le regard de Winslow se posa sur ce qui bouleversait la fillette. Il eut un serrement de cœur. Même pendant la guerre, même en ayant grandi dans les rues d'Oakland, il n'avait jamais rien connu d'aussi affreux, triste et dénué de sens.

— Ah, mon Dieu ! Ah non. Comment pouvez-vous permettre une chose pareille ?

Tasha Catchings, onze ans à peine, était affalée, tassée sur elle-même, dans un massif de fleurs près des fondations de l'église. Son corsage blanc d'écolière était trempé de sang.

Finalement, le révérend Aaron Winslow se mit à pleurer.

Women Murder Club
Le retour

1

Un jeudi soir, je me suis retrouvée à jouer au huit américain avec trois résidents de la Maison des Jeunes de Hope Street. J'adorais ça.

Me faisant face sur le canapé déglingué, étaient installés Hector, un gamin du *barrio*, sorti depuis deux jours d'un centre d'éducation surveillée, Alysha, silencieuse et jolie, dont mieux valait ne pas connaître les antécédents familiaux, et Michèle qui, à quatorze ans, avait déjà vendu ses charmes une année durant dans les rues de San Francisco.

— Cœur, ai-je annoncé en abattant un huit et changeant de couleur, au moment où Hector s'apprêtait à se débarrasser de sa dernière carte.

— Et merde, m'dame le flic, s'est-il plaint. Comment ça se fait que chaque fois que je vais conclure, vous me poignardez dans le dos ?

— Ça t'apprendra qu'il faut jamais faire confiance à la police, imbécile, lui a balancé Michèle en riant et en me lançant un sourire complice.

Depuis un mois, je passais une soirée ou deux par semaine à la Maison de Hope Street. Après l'horrible affaire des jeunes mariés de l'été précédent, je m'étais sentie complètement perdue. J'avais pris un mois de congé de la criminelle, je courais le long de la marina, je contemplais la baie depuis mon appartement refuge de Potrero Hill.

Rien n'y fit. Ni une psychothérapie, ni le soutien sans défaillance des filles – Claire, Cindy, Jill. Pas même de reprendre le boulot. J'avais vu, sans pouvoir lui venir en aide, la vie de l'être que j'aimais se retirer. Je me sentais encore responsable de la mort de mon coéquipier dans l'exercice de ses fonctions. Rien ne paraissait pouvoir combler ce vide.

Alors je venais ici... à Hope Street.

Et la bonne nouvelle, c'était que ça semblait me faire un petit peu d'effet.

Par-dessus mes cartes, j'ai jeté un coup d'œil à Angela, une nouvelle arrivante : assise sur une chaise métallique de l'autre côté de la pièce, elle pouponnait son bébé de trois mois, une fille. La pauvre gosse, seize ans à tout casser, n'avait pas dit un mot de toute la soirée. J'essaierai de lui parler avant de m'en aller.

La porte s'est ouverte et Dee Collins, l'une des psy-conseils, est entrée, suivie d'une femme noire à l'air rigide, en tailleur gris classique. Tout en elle dénonçait la bureaucrate de service.

— Angela, ton assistante sociale est là.

Dee s'est agenouillée près d'elle.

— Chuis pas aveugle, a répondu l'adolescente.

— Il faut qu'on emmène le bébé maintenant, l'a coupée l'assistante sociale, comme si parachever sa mission était tout ce qui l'empêchait de prendre le prochain train de banlieue.

— Non !

Angela a serré plus fort son enfant contre elle.

Vous pouvez me garder dans ce trou, vous pouvez me renvoyer à Claymore, mais vous me prendrez pas mon bébé.

— Je t'en prie, ma chérie, c'est seulement l'affaire de quelques jours, a tenté de la rassurer Dee Collins.

L'adolescente a entouré de ses bras protecteurs le bébé qui, inquiet, a commencé à pleurer.

— Pas de scène, Angela, l'a avertie l'assistante sociale. Vous savez comment ça se passe.

Au moment où la femme s'approchait d'elle, j'ai vu Angela se lever de sa chaise d'un bond. Elle agrippait le bébé d'un bras, tenant de l'autre main le verre de jus de fruit qu'elle était en train de boire.

D'un mouvement brusque, elle a brisé le verre contre une table, le réduisant à un tesson dentelé.

— Angela.

J'ai abandonné la table à jeu.

— Pose ça. Personne n'emmènera ton bébé nulle part, sauf si tu le veux bien.

— *Cette salope*, elle essaie de me détruire.

Elle fusillait l'assistante sociale du regard.

— D'abord, elle me laisse pourrir à Claymore trois jours après la date, puis elle veut pas que je rentre chez ma mère. Et maintenant, elle essaie de me prendre ma petite, mon bébé.

J'ai acquiescé, ne quittant pas l'adolescente des yeux.

— Primo, faut que tu poses ce verre, lui ai-je ordonné. Tu sais ça, Angela.

La femme a fait un pas, mais je l'ai retenue. Je me suis avancée lentement vers Angela. Je lui ai pris le verre cassé des mains, puis j'ai retiré doucement l'enfant d'entre ses bras.

— Elle, c'est tout ce que j'ai, a murmuré l'adolescente, avant d'éclater en sanglots.

— Je sais, lui ai-je dit en acquiesçant. C'est pour ça que tu vas changer de vie et on te la rendra.

Dee Collins a pris Angela dans ses bras et, d'un linge, bandé sa main blessée qui saignait. L'assistante sociale tâchait sans succès de calmer le bébé en pleurs.

Je me suis approchée d'elle en lui expliquant :

— Ce bébé sera placé dans le quartier avec un droit de visite quotidien. Au fait, je n'ai assisté à rien qui vaille la peine de figurer dans un dossier... et vous ?

La femme m'a jeté un œil mécontent et s'est détournée.

Soudain, mon pageur a sonné ; trois bips ont ponctué de leur dissonance l'atmosphère tendue. Je l'ai sorti et j'ai lu le numéro affiché. *Jacobi, mon collègue de la criminelle. Que me voulait-il ?*

Je me suis excusée et suis passée dans le bureau du personnel. Je l'ai joint dans sa voiture.

— Un truc grave vient d'arriver, Lindsay, m'a-t-il dit d'un ton lugubre. J'ai pensé que t'aimerais être prévenue.

Il m'a mise au courant d'une terrible fusillade à l'église de La Salle Heights. Une fillette de onze ans avait été tuée.

— Bon Dieu..., ai-je soupiré, le cœur serré.

— J'ai pensé que t'aurais peut-être envie d'en être, a ajouté Jacobi.

J'ai respiré un bon coup. Ça faisait plus de trois mois que je n'avais pas mis les pieds sur une scène de crime. Pas depuis la fin de l'affaire des jeunes mariés.

— Ben alors, j'ai pas entendu, m'a pressée Jacobi. Vous z'en êtes, lieutenant?

C'était la première fois qu'il me donnait mon nouveau grade.

J'ai compris que ma lune de miel touchait à sa fin.

— Ouais, ai-je marmonné. J'en suis.

2

Une pluie froide s'est mise à tomber à l'instant où j'ai garé mon Explorer devant l'église de La Salle Heights sur Harrow Street; elle se trouvait dans le quartier de Bay View, dont la population était noire en grande majorité. Un attroupement s'était formé, où la colère le disputait à l'anxiété; aux mères affligées du coin se mêlait la racaille habituelle, l'air renfrogné, engoncée dans des blousons de couleur vive, se bousculant contre une poignée de flics en uniforme.

— Bordel, c'est pas le Mississippi, ici, a beuglé quelqu'un tandis que je me faufilais dans la cohue.

— Combien encore? se lamentait une vieille femme. Combien encore?

J'ai avancé en montrant mon badge à quelques agents nerveux. Ce que j'ai vu ensuite m'a littéralement coupé le souffle.

La façade blanche de l'église était balafrée grotesquement d'impacts de balles et de fissures plombées. Un énorme trou béait dans l'un des murs à la place d'un grand vitrail. Des tessons de verre coloré tremblotaient tels des glaçons au bord d'un toit. Des enfants étaient encore éparpillés sur la pelouse, en état de choc; des infirmiers s'occupaient de certains.

— Ah, mon Dieu, ai-je murmuré.

J'ai aperçu les membres d'une équipe médicale en coupe-vent noirs, penchés sur le corps d'une petite fille près des marches du bâtiment. Quelques flics en civil se trouvaient dans leurs parages. L'un d'eux était Warren Jacobi, mon coéquipier.

Je me suis surprise à hésiter. J'avais connu ce genre de situation une bonne centaine de fois. Il y avait à peine quelques mois, j'avais résolu la plus grande affaire criminelle de la ville depuis des lustres, mais tant de choses s'étaient passées depuis. J'éprouvais une impression bizarre, comme si tout ça était nouveau pour moi. J'ai serré les poings, respiré profondément et rejoint Jacobi.

— Bon retour dans la réalité, lieutenant, m'a salué ce dernier, faisant un sort à mon nouveau grade.

Le terme me provoquait toujours des sortes de décharges électriques dans le corps. Prendre la tête de la crime avait été le but que je m'étais fixé depuis le début de ma carrière : d'abord être la première inspectrice de la brigade criminelle de San Francisco, puis être maintenant le premier lieutenant de sexe féminin du département. Après que Sam Roth, mon ancien lieutenant, eut choisi la bonne planque, à Bodega Bay, le DG Mercer m'avait fait venir. *De deux choses, l'une,* m'avait-il dit, *soit je vous maintiens en disponibilité prolongée afin que vous jugiez si vous avez le courage de reprendre le collier, soit je vous donne ça, Lindsay.* Il a poussé vers moi un écusson doré portant deux chevrons à la surface de son bureau. Jusqu'à cet instant-là, je ne me souvenais pas d'avoir vu Mercer sourire.

— Le grade de lieutenant ne te facilite pas la tâche, pas vrai, Lindsay ? m'a fait Jacobi, signifiant par là que nos trois ans de partenariat comme coéquipiers avaient vécu.

— Qu'est-ce que ça donne ? me suis-je renseignée.

— Le tireur semble avoir opéré en solo, depuis ces buissons-là.

Il m'a désigné un épais fourré près de l'église, une quinzaine de mètres plus loin.

— Cet enculé a chopé les gosses à la sortie. Il a ouvert le feu avec tout ce qu'il avait sous la main.

J'ai repris mon souffle en observant les enfants commotionnés qui pleuraient, un peu partout sur le gazon.

— Quelqu'un a vu ce type ? Quelqu'un l'a vu, je me trompe ?

Il a fait non de la tête.

— Tout le monde s'est plaqué au sol.

Près de l'enfant abattue, une femme noire, l'air égaré, sanglotait sur l'épaule d'une amie qui la réconfortait. Jacobi a surpris mon regard qui se fixait sur la fillette morte.

— Son nom, c'est Tasha Catchings, m'a-t-il marmonné. Élève de CM2, là-bas, à Sainte-Anne. Une gentille petite. La plus jeune du chœur.

Je me suis rapprochée et penchée sur le corps ensanglanté. Peu importe le nombre de fois où l'on a vécu la même chose, c'est toujours un spectacle déchirant. La blouse d'écolière de Tasha, trempée de sang, se mélangeait à la pluie qui tombait. À quelques pas de là, un sac à dos aux couleurs de l'arc-en-ciel gisait dans l'herbe.

— C'est la seule? ai-je demandé avec incrédulité.

J'ai jeté un regard alentour.

— C'est l'unique à avoir été touchée?

Il y avait partout des impacts de balles, du verre brisé et des éclats de bois. Des dizaines de gamins se dirigeaient vers la rue quand... *Autant de coups de feu et une seule victime.*

— C'est notre jour de chance, pas vrai? a ricané Jacobi.

3

Paul Chin, un de mes équipiers de la crime, questionnait un grand et beau Black en jean et pull à col roulé noir sur le parvis de l'église. Je l'avais déjà vu aux infos. Je connaissais même son nom : Aaron Winslow.

Malgré le choc et sa consternation, Winslow conservait un maintien racé – visage lisse, cheveux d'un noir de jais coupés ras et carrure de *running back.* Tout le monde à San Francisco savait ce qu'il faisait pour ce quartier. Il était censé être un héros de la vie de tous les jours et je dois dire que ce rôle lui allait bien.

Je me suis avancée.

— Révérend Aaron Winslow, m'a dit Chin en faisant les présentations.

— Lindsay Boxer, me suis-je annoncée en lui tendant la main.

— *Lieutenant* Boxer, a rectifié Chin. Elle va chapeauter l'affaire.

— Je connais votre travail, ai-je dit au révérend. Vous avez beaucoup apporté à ce quartier. Je regrette énormément ce qui vient de se passer. Les mots me manquent.

Les yeux de Winslow ont glissé vers la fillette assassinée. Sa voix était d'une douceur inimaginable.

— Je la connaissais depuis qu'elle était petite. Sa famille est digne de confiance, respectable. Sa mère... elle a élevé toute seule Tasha et son frère. Ce n'étaient que de petits enfants. Une répétition du chœur, lieutenant.

Je ne voulais pas être importune, mais devoir oblige.

— Je peux vous poser quelques questions, s'il vous plaît?

— Bien entendu, m'a-t-il fait en opinant, le regard vide.

— Avez-vous aperçu quelqu'un s'enfuir? Une silhouette que vous auriez entrevue?

— J'ai vu d'où partaient les coups de feu, a répondu Winslow en me montrant les mêmes taillis où avait disparu Jacobi. J'ai reconnu un tir nourri. Je m'activais pour que tout le monde se mette à plat ventre. C'était de la folie.

— Quelqu'un a-t-il proféré récemment des menaces contre vous ou votre église? lui ai-je demandé.

— Des menaces?

Winslow a fait la grimace.

— Il y a des années de ça, peut-être, quand on a commencé à collecter des fonds pour reconstruire certaines de ces maisons.

Non loin de là, la mère de Tasha Catchings a poussé une plainte déchirante quand on a hissé le corps de sa fille sur une civière. C'était tellement triste. La foule présente a montré des signes de nervosité. Et sarcasmes et accusations de s'élever.

— Pourquoi vous restez tous plantés là ? Allez rechercher son assassin !

— Il est préférable que j'aille là-bas, s'est excusé Winslow, avant que ça ne tourne au vinaigre.

Il a esquissé un mouvement de départ puis s'est retourné, l'air résigné, les lèvres serrées.

— J'aurais pu sauver cette pauvre enfant. J'ai entendu les coups de feu.

— Vous ne pouviez pas les sauver tous, lui ai-je dit. Vous avez fait votre possible.

Il a fini par acquiescer, avant de dire quelque chose qui m'a complètement sidérée.

— C'était un M-16, lieutenant. Avec un chargeur de trente balles. Ce salopard a rechargé deux fois.

— Comment le savez-vous ? ai-je interrogé, surprise.

— Opération Tempête du Désert, m'a-t-il répondu. J'étais aumônier sur le front. Impossible pour moi d'oublier ce son abominable. Personne ne peut l'oublier.

4

J'ai entendu quelqu'un crier mon nom dans le vacarme de la foule. C'était Jacobi. Il se trouvait dans le petit bois derrière l'église.

— Eh, lieutenant, viens voir ça.

Tout en me rendant dans sa direction, je me suis demandé quel genre d'individu pouvait accomplir un acte aussi horrible. J'avais bossé sur une centaine d'affaires criminelles : la drogue, l'argent, le sexe en étaient d'habitude le mobile. *Mais ça... c'était dans le but de choquer.*

— Regarde, m'a dit Jacobi en se penchant vers le sol.

Il avait découvert une douille.

— M-16, je parie, ai-je lancé.

Jacobi a acquiescé.

— La p'tite dame a révisé pendant son congé ? C'est une cartouche d'un Remington 223.

— La p'tite dame, c'est ton *lieutenant*, d'abord.

Je lui ai décoché un sourire narquois. Avant de lui apprendre d'où venait ma science.

Des dizaines de douilles vides étaient éparpillées

autour de nous. On avait avancé entre les arbres et les broussailles, invisibles depuis l'église.

Les cartouches jonchaient le sol en deux amas distincts, à cinq mètres d'écart.

— On peut voir d'où il a commencé à tirer, m'a fait Jacobi. J'imagine que c'est d'ici. Puis il a dû se déplacer.

Du premier tas de douilles, on donnait directement sur le flanc de l'église. Le vitrail était en plein dans la ligne de mire... et tous ces gosses qui se précipitaient vers la rue... Je comprenais pourquoi personne ne l'avait repéré. Sa cachette était indétectable.

— Quand il a rechargé, il a dû aller là-bas, m'a dit Jacobi en me désignant l'endroit.

Je m'y suis rendue et me suis accroupie près du second amas de cartouches. Il y avait là quelque chose d'illogique. La façade de l'église était encore visible, les marches où Tasha Catchings avait été fauchée aussi. Mais à peine.

J'ai visé à travers une lunette imaginaire, amenant mon regard là où avait dû se trouver Tasha quand on l'avait touchée. Il était même difficile de fixer l'endroit. Impossible qu'il ait pu la mettre en joue intentionnellement. On l'avait atteinte selon un angle de tir des plus improbables.

— Sacré coup de bol, a murmuré Jacobi. À ton avis, la balle a ricoché?

— Qu'est-ce qu'il y a là-bas derrière? ai-je demandé.

J'ai regardé autour de moi avant de me frayer un chemin dans l'épais fourré en m'éloignant de l'église. Personne n'avait vu le tireur s'enfuir, donc il n'avait évidemment pas emprunté Harrow Street. Le taillis avait une profondeur de six mètres environ.

Au bout, on trouvait une clôture grillagée d'un mètre cinquante de haut qui séparait le périmètre de l'église du voisinage. La clôture n'était pas très haute. Une fois bien plantée sur mes talons, je me suis hissée par-dessus.

Je me suis retrouvée devant une succession de jardinets et de petites maisons attenantes. Quelques personnes s'étaient rassemblées pour regarder le spectacle. À droite se trouvait le terrain de jeux de la cité Whitney Young.

Jacobi a fini par me rejoindre.

— Mets la pédale douce, lieutenant, m'a-t-il soufflé. On a un public. Tu me fais passer pour un naze.

— C'est par ici qu'il s'est échappé, Warren.

On a regardé dans les deux sens : d'un côté, ça donnait sur une ruelle, de l'autre sur un alignement de maisons.

— Quelqu'un a vu quelque chose ? ai-je crié à un groupe de badauds sur une véranda. On a tiré sur l'église, ai-je continué. Une petite fille a été tuée. Aidez-nous. On a besoin de votre concours.

Tous restaient plantés là, conservant le silence méfiant de ceux qui ne parlent pas à la police.

Puis une femme d'une trentaine d'années s'est avancée lentement. Elle poussait devant elle un petit garçon.

— Bernard a vu quelque chose, a-t-elle dit d'une voix étouffée.

Bernard avait dans les six ans, des yeux ronds au regard prudent et un sweat-shirt violet et or.

— Une fourgonnette, a lâché Bernard. Comme celle de l'oncle Reggie.

Il a montré du doigt le chemin de terre qui menait à la ruelle.

— Elle était garée là.

Je me suis agenouillée et j'ai souri au petit garçon effrayé.

— Elle était de quelle couleur, cette fourgonnette, Bernard ?

— Blanche, m'a répondu le gamin.

— Mon frère a une Dodge blanche, a précisé la mère de Bernard.

— Elle était comme celle de ton oncle, Bernard ? lui ai-je demandé.

— Ouais, un peu. Pas tout à fait, quand même.

— Tu as vu l'homme qui la conduisait ?

Il a fait non de la tête.

— Je sortais la poubelle. Je l'ai vue qui s'en allait.

— Tu crois que tu la reconnaîtrais si tu la voyais ? ai-je insisté.

Bernard a acquiescé.

— Parce qu'elle ressemble à celle de ton oncle ?

Il a marqué une hésitation.

— Non, parce qu'il y avait un dessin derrière.

— Un dessin ? Tu veux dire comme un insigne ? Ou un genre de publicité ?

— Hum-hum.

Ses yeux grands comme des soucoupes fouillaient les environs. Puis son regard s'est illuminé.

— Comme ça, j'veux dire.

Il nous a désigné un pick-up dans l'allée d'un voisin. Il y avait un autocollant sur le pare-chocs arrière.

— Tu veux dire une décalcomanie ? ai-je précisé.

— Sur la portière.

J'ai pris doucement le petit garçon par les épaules.

— Elle ressemblait à quoi cette décalcomanie, Bernard?

— À Mufasa du *Roi Lion*, a-t-il répondu.

— À un lion?

Mon esprit a parcouru à la vitesse grand V tout ce qui s'en approchait de près ou de loin : équipes sportives, logos d'université, sociétés commerciales...

— Ouais, on aurait dit Mufasa, a répété Bernard. Sauf que ça avait deux têtes.

5

Moins d'une heure plus tard, je me frayais un passage à travers une cohue déferlante, attroupée sur les marches du palais de justice. Je me sentais vidée et terriblement triste, tout en sachant que je ne pouvais pas me payer le luxe de le laisser paraître, surtout ici.

Le hall – semblable à un tombeau – du bâtiment de granit où je travaillais était bondé de journalistes et d'équipes télé, brandissant leurs micros vers tout nouvel arrivant porteur d'un badge. La plupart des journalistes me connaissaient, mais je les ai repoussés d'un geste afin de pouvoir gagner l'étage.

C'est alors que deux mains m'ont agrippée aux épaules et qu'une voix familière a retenti à mon oreille.

— Il faut qu'on parle, Linds...

En pivotant, je me suis retrouvée face à Cindy Thomas, l'une de mes amies les plus proches, même s'il se trouvait qu'elle travaillait à la rubrique criminelle du *Chronicle.*

— Je vais pas t'ennuyer maintenant, m'a-t-elle dit par-dessus le vacarme. Mais c'est important. On se voit *Chez Susie* à dix heures ?

C'était Cindy, végétant au service Métropole du journal, qui s'était faufilée au cœur de l'affaire des jeunes mariés et avait contribué à la faire éclater au grand jour. Cindy qui, autant que chacune d'entre nous, était responsable de mon badge doré d'aujourd'hui.

J'ai esquissé un sourire.

— On se voit là-bas.

Au deuxième, je suis entrée à grands pas dans la pièce exiguë éclairée au néon, que les douze inspecteurs de la crime surnomment « La Maison ». Lorraine Stafford m'y attendait. Elle avait été la première que j'avais intégrée à mon équipe, après six années couronnées de succès dans le service Crimes sexuels. Cappy McNeil était présent lui aussi.

— Qu'est-ce que je peux faire ? m'a demandé Lorraine.

— Vérifier auprès de Sacramento si on a signalé des fourgonnettes blanches volées. N'importe quel modèle. Immatriculées en Californie. Puis lancer un avis de recherche concernant un autocollant de pare-chocs arrière représentant une espèce de lion.

Après avoir opiné, elle s'éloignait déjà.

— Lorraine, l'ai-je arrêtée. *À deux têtes*, le lion.

Cappy m'a suivie pendant que je me préparais une tasse de thé. Il faisait partie de la crime depuis quinze ans et je savais qu'il m'avait soutenue quand le DG Mercer l'avait consulté avant de me proposer le poste de lieutenant. Il avait l'air triste, totalement abattu.

— Je connais Aaron Winslow. J'ai joué au foot avec lui à Oakland. Il a consacré sa vie à ces gosses. C'est vraiment un juste, s'il en existe, lieutenant.

Tout à coup, Frank Barnes, du service Vols de véhicules, a pointé le nez dans notre bureau.

— Tête haute, lieutenant. Poids Plume est à l'étage.

Poids Plume, dans le jargon du Département de la police de San Francisco (le SFPD), signifiait Earl Mercer, le DG de la police.

6

Mercer est entré en trombe, avec ses cent vingt-cinq kilos, suivi de Gabe Carr, un sale petit fouinard, attaché de presse du département, et de Fred Dix, qui dirigeait les relations intercommunautaires.

Le chef arborait ses sempiternels costume gris foncé, chemise bleue et boutons de manchette en or rutilant qui constituaient son image de marque. J'avais observé Mercer gérer nombre de situations tendues – attentats à la bombe, arnaques à l'IGS, tueurs en série – mais je ne lui avais jamais vu les traits aussi tirés. Il m'a fait signe de gagner mon bureau et, sans un mot, a refermé la porte derrière lui. Fred Dix et Gabe Carr étaient déjà à l'intérieur.

— Je viens d'avoir Winston Gray et Vernon Jones au téléphone – il s'agissait des deux édiles de la municipalité qui ne mâchaient pas leurs mots. Ils m'ont assuré qu'ils plaideront pour une certaine retenue, qu'ils nous donneront du temps pour découvrir de quoi il retourne. Je vais être clair : par *retenue*, ils veulent dire qu'il faut qu'on livre l'individu ou le groupe responsables de la chose, sinon ils auront deux mille citoyens scandalisés faisant le siège de la mairie.

Il s'est à peine radouci en me regardant bien en face.

— Par conséquent, lieutenant, j'espère que vous avez quelque chose à me communiquer...?

Je l'ai mis au courant de ce que j'avais trouvé à l'église ainsi que du témoignage de Bernard Smith concernant la fourgonnette blanche en fuite.

— Fourgonnette ou pas, est intervenu Fred Dix, le représentant de l'hôtel de ville, vous savez par où il faut commencer. Fernandez, notre maire, tombera à bras raccourcis sur quiconque opère dans le secteur en revendiquant un message raciste ou anti-mixité. Il faut leur mettre la pression.

— Vous m'avez l'air bien sûr de ce que nous recherchons, lui ai-je répondu avec un regard neutre. Un raciste qui n'a pas une vision colorée de l'existence?

— Mitrailler une église, assassiner une enfant de onze ans? Par où et par quoi commenceriez-vous, lieutenant?

— Le visage de la fillette va ouvrir tous les bulletins d'infos, a renchéri Carr, l'attaché de presse. L'expérience tentée dans le quartier de Bay View est l'une des réussites dont le maire s'enorgueillit le plus.

J'ai acquiescé.

— Le maire verrait-il un inconvénient à ce que je termine d'abord l'interrogatoire des témoins oculaires?

— Ne vous souciez pas du maire, m'a fait Mercer. Pour l'instant, le seul dont vous ayez à vous soucier, c'est moi. J'ai grandi dans ces rues. Mes parents habitent encore à West Portal. Je n'ai pas besoin de la télé pour avoir le visage de cette petite devant les yeux. Vous mènerez l'enquête là où elle vous conduira. Menez-la vite, c'est tout. Et Lindsay... que rien ne vous barre le passage, compris ?

Il allait se lever.

— Ah, le plus important, je veux un black-out complet là-dessus. Je n'ai pas envie de voir cette enquête publiée en première page.

Et tout le monde d'opiner. Mercer, imité par Dix et Carr, s'est levé en lâchant un gros soupir.

— Pour l'instant, faut qu'on se coltine une conférence de presse pas piquée des hannetons.

Les deux autres ont quitté la pièce, mais Mercer s'est attardé. Ses mains puissantes posées sur mon bureau, il me dominait de sa masse imposante.

— Lindsay, je sais que vous avez laissé beaucoup de plumes dans cette dernière affaire. Mais c'est fini. De l'histoire ancienne. J'ai besoin de toutes vos capacités pour cette nouvelle enquête. L'une des choses que vous avez abandonnées derrière vous en acceptant ce badge, c'est la liberté de permettre à vos chagrins personnels d'interférer avec le boulot.

— Vous n'avez pas d'inquiétudes à avoir.

Je lui ai décoché un regard ferme. J'avais eu mon lot de différends avec ce bonhomme au fil des années, mais je me sentais prête à donner tout ce que j'avais. J'avais vu le cadavre de la fillette. Et les dégâts subis par l'église. Le sang bouillait dans mes veines. C'était la première fois que je ressentais une chose pareille depuis mon congé.

Le DG Mercer m'a lancé un sourire de compréhension.

— Heureux que vous soyez de retour parmi nous, lieutenant.

7

À l'issue d'une conférence de presse explosive, donnée sur le perron du palais de justice, j'ai retrouvé Cindy *Chez Susie*, comme convenu. Après la scène d'hystérie au palais, l'atmosphère détendue, cool, de notre lieu de rendez-vous préféré constituait un soulagement. Cindy sirotait une Corona à mon arrivée.

Bien des choses avaient eu lieu ici – et à cette même table. Cindy, Jill Bernhardt, l'adjointe du procureur, Claire Washburn, médecin légiste éminente, mon amie la plus intime, et moi, avions commencé à nous réunir l'été précédent : il semblait que le destin s'était plu à nous rassembler en nous liant toutes à l'affaire des jeunes mariés. Au cours de ce processus, on était devenues les meilleures amies du monde.

J'ai fait signe à Loretta, notre serveuse, pour qu'elle m'apporte une bière, puis me suis plantée en face de Cindy avec un sourire épuisé.

— Salut...

— Salut à toi.

Elle m'a rendu mon sourire.

— Ça fait du bien de te voir.

— Et ça fait du bien d'être vue.

Une télé beuglait au-dessus du bar, diffusant la conférence de presse du DG Mercer. « Nous pensons qu'il s'agit d'un tireur isolé », affirmait Mercer sous les flashes.

— Tu as assisté à ça ? ai-je demandé à Cindy, en prenant une gorgée bienfaisante de bière glacée.

— J'y étais, m'a-t-elle répondu. Stone et Fitzpatrick aussi. Ils se sont chargés de l'article.

Je lui ai jeté un regard interloqué. Tom Stone et Suzie Fitzpatrick étaient ses concurrents directs de rubrique.

— Tu perds ton flair ? Il y a six mois, je t'aurais trouvée en train de sortir de l'église à notre arrivée.

— J'ai un autre angle d'attaque, m'a-t-elle répliqué en haussant les épaules.

Une poignée de clients se pressaient autour du bar, tâchant de grappiller les dernières nouvelles. J'ai descendu une autre gorgée de bière.

— Tu aurais dû voir cette pauvre petite, Cindy. Onze ans. Elle chantait dans le chœur. Son sac à dos aux couleurs de l'arc-en-ciel gisait avec tous ses livres sur le sol, à deux pas.

— Tu connais tout ça, Lindsay, m'a-t-elle dit avec un sourire réconfortant. Tu sais bien comment c'est. Ça craint.

— Ouais, ai-je admis. Mais rien qu'une fois, ce serait sympa d'en relever une... tu vois, de lui brosser ses vêtements, de la renvoyer à la maison. Rien qu'une fois, j'aimerais bien rendre à l'une d'elles son sac plein de livres.

Cindy m'a tapoté avec affection le dos de la main. Puis son visage s'est éclairé.

— J'ai vu Jill aujourd'hui. Elle a du nouveau pour nous. Elle est tout excitée. Peut-être que Bennett prend sa retraite et qu'elle hérite de sa place. On devrait se réunir pour savoir ce qu'il lui arrive.

— Bien sûr, ai-je acquiescé. C'est ce que tu tenais à me dire ce soir, Cindy...?

Elle a fait non de la tête. À l'arrière-plan, le chaos se déchaînait lors de la conférence de presse filmée – Mercer promettait une riposte efficace et rapide.

— Tu as un problème, Linds...

J'ai fait non de la tête.

— Je ne peux rien te donner, Cindy. Mercer a tout pris en main. Je ne l'ai jamais vu aussi à cran. Excuse-moi.

— Je ne t'ai pas demandé de venir ici pour obtenir quelque chose, Lindsay...

— Si toi, tu sais quelque chose, Cindy, dis-le-moi.

— Je connais ton patron, mieux vaut faire gaffe à ce à quoi il s'engage.

J'ai jeté un coup d'œil à l'écran.

— *Mercer...?*

À l'arrière-plan, je l'ai entendu affirmer que la fusillade était un fait isolé, qu'on disposait déjà de pistes tangibles, que tous les flics disponibles seraient mis sur l'affaire jusqu'à ce qu'on ait retrouvé le tueur.

— Il est en train d'annoncer à la ronde que vous allez coincer ce type *avant* que ça ne se reproduise...?

— Et alors...?

Échange intense de regards.

— Je crois que c'est déjà fait.

8

Le tueur jouait à Commando du Désert; et il était champion à ce jeu.

Pffft, pfft, pffft... pffft, pffft.

Impassible, il gardait l'œil collé au viseur infrarouge lumineux tandis que des silhouettes encagoulées filaient comme des flèches dans sa ligne de mire. On aurait dit que, par une extension de son doigt, les pièces obscures et labyrinthiques du bunker terroriste explosaient en boules de feu orangées. Des formes fantomatiques faisaient irruption dans d'étroits couloirs, *pffft, pffft, pffft.*

Il était passé maître à ce jeu. Grande coordination de l'œil et de la main. Personne ne pouvait l'atteindre.

Son doigt se crispait sur la détente. *Goules, vermines des sables, têtes de keffiehs.* Viens par ici, petit, petit... *pffft, pffft...* remontée des corridors sombres... Il défonça une porte métallique, en débusqua toute une nichée qui boulottait du taboulé, tapait le carton. Son arme crachait avec régularité une mort orange. *Bénis soient les pacifiques.* Il eut un sourire de satisfaction.

L'œil collé de plus belle au viseur, il se repassa la

scène de l'église dans sa tête, revoyant en imagination la petite Black, avec ses tresses et son sac à dos arc-en-ciel.

Pffft, pffft. Sur l'écran, la poitrine d'une des silhouettes explosa. Cette nouvelle victime, c'était pour le record. *Gagné!* Il jeta un coup d'œil au score. *Deux cent soixante-seize ennemis abattus.*

Il aspira une gorgée de sa Corona en souriant largement. Nouveau record perso. Ce résultat valait la peine qu'on le sauvegarde. Il tapa ses initiales : *F.C.*

Il se tenait devant la machine dans l'arcade Playtime à Oakland ouest, appuyant sur la détente bien après la fin de la partie. Il était le seul Blanc de l'endroit. L'unique. En fait, c'était pour ça qu'il choisissait de venir ici.

Soudain, en haut des murs, les quatre postes de télé 16/9 affichèrent le même visage. Cela lui glaça l'échine, le rendit furieux.

C'était Mercer, le connard prétentieux qui dirigeait les flics de San Francisco. Il se comportait comme s'il avait tout compris.

— Nous pensons qu'il s'agit de l'acte d'un tireur isolé..., disait-il. D'un crime en solo...

Si seulement tu savais. Il éclata de rire.

Attends demain... et tu verras. Tu perds rien pour attendre, DG de mon cul.

— Ce que je tiens à souligner, déclara ensuite le chef de la police, c'est qu'en aucune circonstance, nous ne permettrons que cette ville soit terrorisée par des attentats racistes...

Cette ville. Il cracha. *Qu'est-ce que tu connais à cette ville ? T'es pas d'ici.*

Il agrippa une grenade C-1 dans la poche de son blouson. S'il en avait envie, il pouvait faire tout sauter ici. *Tout de suite*

Mais il avait du boulot.

Demain.

Il visait un nouveau record perso.

9

Le lendemain matin, Jacobi et moi sommes allés réexaminer le terrain à l'église de La Salle Heights.

Toute la nuit, ce que m'avait confié Cindy sur une affaire qui avait atterri sur son bureau m'avait tracassée. Il s'agissait d'une vieille femme noire qui vivait seule dans la cité Gustave White à Oakland ouest. Trois jours plus tôt, la police d'Oakland l'avait trouvée pendue à une canalisation dans la buanderie au sous-sol de son immeuble, un fil électrique noué autour du cou.

La police avait d'abord cru à un suicide. La victime ne portait ni écorchure ni blessure prouvant qu'elle s'était débattue. Mais le lendemain, au cours de l'autopsie, on découvrit un résidu tassé sous ses ongles. Il s'avéra qu'il s'agissait de peau humaine avec de microscopiques taches de sang séché. *La pauvre femme les avait enfoncés avec l'énergie du désespoir dans l'épiderme de quelqu'un.*

Elle ne s'était pas pendue, après tout, avait conclu Cindy.

On l'avait lynchée.

En revenant sur la scène de crime de l'église, je me

sentais mal à l'aise. Cindy avait peut-être raison. Il pourrait bien s'agir non pas du premier, mais *du second* crime d'une série de meurtres à tendance raciste.

Jacobi s'est approché. Il tenait un *Chronicle* roulé à la main.

— T'as vu ça, patron ?

La première page déroulait un gros titre criard : LA POLICE PIÉTINE DANS L'AFFAIRE DE LA FILLETTE TUÉE LORS DU MITRAILLAGE DE L'ÉGLISE.

L'article était dû à la plume de Tom Stone et de Suzie Fitzpatrick, à qui le travail de Cindy sur l'affaire des jeunes mariés avait fait de l'ombre. Si les journaux alimentaient le feu et les militants, Gray et Jones vitupéraient sur les ondes, le public allait bientôt nous accuser de nous tourner les pouces tandis que le suspect courait en liberté, semant la terreur sur son passage.

— Tes copines..., m'a soufflé Jacobi. Elles ratent pas une occasion de nous allumer.

— Hum-hum, Warren, ai-je fait en secouant la tête. Mes copines, elles, ne nous débinent pas.

Derrière nous, dans le petit bois, l'équipe de police scientifique de Charlie Clapper passait au peigne fin les lieux autour de la position du *sniper*. Ses hommes avaient déniché des traces de pas, mais rien d'identifiable. Ils vérifieraient si les douilles portaient des empreintes digitales, quadrilleraient le sol, collecteraient le moindre lambeau d'étoffe ou le moindre grain de poussière, là où était garé le véhicule qui avait censément permis au tueur de s'enfuir.

— D'autres personnes ont aperçu cette fourgonnette blanche ? ai-je demandé à Jacobi.

Étrangement, c'était bon de retravailler avec lui.

Il a grommelé en faisant non de la tête.

— J'ai une piste avec quelques poivrots qui taillaient une bavette, dans le coin, ce soir-là. Jusque-là, tout ce qu'on a, c'est ça.

Il déploya une esquisse d'après la description de Bernard Smith – un lion à deux têtes, l'autocollant à l'arrière de la fourgonnette.

Jacobi a fait la moue.

— On poursuit qui, lieutenant, le *tueur Pokémon* ?

De l'autre côté de la pelouse, j'ai aperçu Aaron Winslow qui sortait de l'église. Un petit groupe de manifestants s'est approché de lui, se détachant d'un barrage de police à cinquante mètres de là. En me voyant, ses traits se sont tendus.

— Les gens veulent m'aider de toutes les façons possibles. Repeindre les impacts de balles, construire une nouvelle façade, m'a-t-il dit. Ils n'aiment pas garder ça sous les yeux.

— Je suis navrée, mais j'ai bien peur qu'une enquête poussée ne soit encore à l'ordre du jour, lui ai-je répondu.

Il a repris son souffle.

— Je n'arrête pas de revivre la scène dans ma tête. Celui qui a fait ça, quel qu'il soit, avait une cible toute trouvée. Je me tenais là exactement, lieutenant. J'étais davantage dans son collimateur que Tasha. Si l'on cherchait à nuire à quelqu'un, *pourquoi ne pas avoir tiré sur moi* ?

Winslow s'est accroupi et a ramassé une barrette en forme de papillon rose par terre.

— J'ai lu quelque part, lieutenant, que « le courage

abonde là où la culpabilité et la fureur se donnent libre cours ».

Winslow accusait le coup. J'en étais désolée pour lui. Je l'aimais bien. Il m'a adressé un sourire contraint.

— Il faudra bien plus qu'un salopard pour démolir notre travail. On ne va pas mettre la clé sous la porte. La cérémonie des funérailles de Tasha aura lieu ici même, dans cette église.

— On allait présenter nos condoléances, ai-je dit.

— La famille vit là-bas. Bâtiment A.

Il m'a désigné la cité de la main.

— D'après moi, vous serez bien reçue, étant donné que certains sont de chez vous.

Je l'ai regardé, éberluée.

— Pardon ? Qu'est-ce que ça veut dire, ça ?

— Vous n'étiez pas au courant, lieutenant ? L'oncle de Tasha fait partie de la police municipale.

Je me suis rendue à l'appartement des Catchings, leur ai présenté mes condoléances avant de retourner au palais de justice. Toute l'affaire était incroyablement déprimante.

— Mercer vous cherche, m'a beuglé Karen, notre secrétaire de longue date, à mon entrée dans le bureau. Il a l'air furieux. Vous me direz, il a toujours cet air-là.

J'imaginais la mine du DG s'allonger à la lecture du gros titre de l'après-midi. En fait, le palais tout entier bourdonnait de la nouvelle que la victime de la tuerie de La Salle Heights était apparentée à l'un des nôtres.

D'autres messages m'attendaient sur mon bureau. Au bas de la pile, je suis tombée sur le nom de Claire. L'autopsie de Tasha Catchings devait être terminée à présent. J'avais envie de me tenir à distance de Mercer tant que je n'avais rien de concret à lui communiquer. J'ai appelé Claire.

Claire Washburn était la médecin légiste la plus pointue, la plus intelligente et la plus consciencieuse que la ville ait jamais connue, outre le fait qu'elle était ma meilleure amie. Tous ceux qui étaient associés de près ou de loin au maintien de l'ordre le savaient ; elle dirigeait le service tandis que Righetti, le chef coroner et protégé du maire collet-monté, battait la campagne de conférences en conférences, peaufinant son C.V. politique. Si l'on voulait obtenir quelque chose du bureau médico-légal, on appelait Claire. Et si j'avais besoin qu'on me remette les idées en place, qu'on me fasse rire ou bien qu'on soit simplement là pour m'écouter, c'est à elle moi aussi que je m'adressais.

— Où étais-tu passée, ma chérie ? m'a accueillie Claire de son ton toujours enjoué, aux inflexions de cuivre poli.

— Bah, la routine habituelle, ai-je répondu. Évaluations du personnel, rapports à rédiger, meurtres à connotation raciste qui divisent la ville...

— Tout à fait dans mes cordes, a-t-elle dit en pouffant. Je savais que j'allais avoir de tes nouvelles. Mes espionnes m'ont appris que tu te retrouves avec une sale affaire sur les bras.

— L'une d'entre elles ne travaille-t-elle pas au *Chronicle* et ne roule-t-elle pas en Mazda argent cabossée ?

— Et l'autre travaille au bureau du procureur et roule en BMW. Et zut, comment crois-tu que les renseignements parviennent jusqu'ici ?

— Eh bien, en voilà un, Claire. Il se trouve que l'oncle de la petite victime est un flic en uniforme. Il est à Northern. Et que la pauvre gamine était une image de pub pour la réhabilitation du quartier de La Salle Heights. Élève modèle, sans jamais le moindre problème. Où est la justice, là-dedans, tu peux me le dire ? Ce salopard mitraille l'église d'une centaine de balles et la seule à faire mouche, c'est celle qui la frappe.

— Hum, ma chérie, m'a coupée Claire. Il y en avait deux.

— *Deux...?* Elle a été touchée deux fois? L'équipe médicale d'urgence a examiné le corps. Comment on a pu louper ça?

— Si je te suis bien, tu crois qu'on l'a tuée par accident?

— Qu'est-ce que tu racontes?

— Ma chérie, a repris Claire, à mon avis tu ferais mieux de descendre me rendre une petite visite.

La morgue se trouvait au rez-de-chaussée du palais de justice. Une fois franchie une porte de service, on y accédait par un passage cimenté partant du hall. J'ai dévalé deux volées de marches en cinq sec.

Claire m'a retrouvée à la réception, à l'extérieur de son bureau. Son visage lumineux, habituellement joyeux, affichait une gravité toute professionnelle ; mais en me voyant, un sourire a détendu ses traits. Elle m'a serrée dans ses bras.

— Comment vas-tu, ma belle disparue ? m'a-t-elle demandé comme si l'affaire était le cadet de ses soucis.

Claire avait le chic pour désamorcer la tension dans la situation la plus critique. J'avais toujours admiré sa façon de me détourner de mon idée fixe rien qu'avec un sourire.

— Bien, Claire. Simplement submergée par mon nouveau boulot.

— Je ne vais plus te voir beaucoup maintenant que t'es devenue le « poupon d'amour » de Mercer.

— Très drôle.

Les yeux écarquillés, elle m'a décoché ce sourire

timide qui n'appartenait qu'à elle et qui signifiait *eh, je sais de quoi tu parles* et surtout peut-être, *faut que tu prennes le temps de voir ceux qui t'aiment, petite*. Mais, sans un seul mot de reproche, elle m'a précédée dans un couloir aseptisé, au sol dallé de lino, vers la salle d'opération de la morgue, qu'on appelle la Crypte.

Elle s'est retournée en me jetant un coup d'œil.

— À t'entendre, m'a-t-elle dit, tu semblais sûre que Tasha Catchings avait été tuée par une balle perdue.

— C'est ce que j'ai pensé. Le tireur a vidé trois chargeurs sur l'église et Tasha est la seule à avoir été touchée. Je suis allée là-bas et j'ai inspecté l'endroit d'où sont partis les coups de feu. Il lui était quasiment impossible de l'avoir dans sa ligne de mire. Mais tu m'as parlé de *deux*...

— Hum..., a-t-elle opiné.

Après avoir franchi une porte isolante, nous nous sommes retrouvées dans l'air sec et froid de la Crypte. L'atmosphère glaciale et l'odeur de produits chimiques qui y régnaient me donnaient toujours la chair de poule.

L'occasion actuelle ne faisait pas exception à la règle. Une seule civière occupée était visible dans son caisson réfrigéré. Un léger monticule, posé dessus, était recouvert d'un drap blanc. Il remplissait à peine la moitié de la longueur de la civière.

— Attends, m'a avertie Claire.

Après opération, les victimes, nues, rigides et terriblement pâles, n'étaient jamais jolies à voir.

Elle a rabattu le drap. Le visage de la fillette m'a sauté aux yeux. *Mon Dieu, qu'elle était jeune...*

Je l'ai regardée avec sa peau d'ébène, si douce et si innocente, si déplacée dans cet environnement d'une froideur clinique. J'ai eu envie de tendre la main et de la poser contre sa joue. Elle avait l'air si adorable.

Une large plaie chirurgicale, dont on venait de nettoyer le sang, barrait la poitrine de la fillette, à droite.

— *Deux* balles, m'a expliqué Claire. L'une par-dessus l'autre, *grosso modo*, et en succession rapide. Je comprends pourquoi ça a pu échapper à l'équipe d'urgentistes. Les deux balles ont quasiment pris le même chemin.

J'ai retrouvé mon souffle avec peine, tant la nausée me nouait l'estomac.

— La première est ressortie en traversant directement l'omoplate, a poursuivi Claire, qui a fait basculer le petit corps sur le côté. La seconde a rebondi sur la quatrième vertèbre et s'est logée dans la colonne vertébrale.

Claire a attrapé une boîte de Petri en verre posée sur un comptoir voisin. À l'aide d'une pince à épiler, elle a soulevé un disque de plomb aplati de la taille d'une pièce de vingt-cinq cents, à peu de chose près.

Deux balles... deux ricochets à un million de chances contre une ?

J'ai comparé encore une fois la position vraisemblable de Tasha à la sortie de l'église et la ligne de tir du tueur depuis le petit bois. Une balle était du domaine du plausible, *deux...*

— L'équipe de Charlie Clapper a-t-elle retrouvé des impacts de balles dans l'église au-dessus de l'endroit où se trouvait la petite ? s'est renseignée Claire.

— Je ne sais pas.

C'est la procédure standard dans toutes les affaires criminelles de prendre la peine de comparer les balles et leurs impacts.

— Je vérifierai.

— L'église où elle a été abattue était en quoi? En bois ou en pierre?

— En bois, ai-je répondu, comprenant où elle voulait en venir.

Il était impossible qu'une surface en bois fasse dévier la balle d'un M-16.

Claire a remonté ses lunettes d'examen sur son front. Son visage aimable et gai adoptait, quand elle avait une certitude, comme c'était le cas maintenant, un air de conviction qui ne laissait plus de place au doute.

— L'angle de pénétration est frontal et propre dans les deux cas, Lindsay. Une balle qui ricoche serait vraisemblablement entrée selon une trajectoire différente.

— J'ai arpenté chaque centimètre carré de l'endroit où était positionné le tueur, Claire. De là où il a fait feu, il lui aurait fallu être un super tireur d'élite pour réussir un coup pareil.

— Tu m'as dit qu'on a criblé le flanc de l'église d'une façon irrégulière.

— Non, très posément au contraire, de droite à gauche. Personne d'autre n'a été touché, Claire. Une centaine d'impacts et *Tasha a été la seule victime.*

— Donc, tu en as déduit qu'il s'agissait d'un tragique accident, pas vrai?

Claire a ôté ses gants chirurgicaux qu'elle a lancés avec adresse au rebut.

— Eh bien, ces deux balles n'ont rien eu d'accidentel. Il n'y a pas de ricochet qui tienne. On les a tirées droit fil et parfaitement logées. Elles l'ont tuée sur le coup. Es-tu prête à envisager la possibilité que ton tireur ait touché exactement sa cible?

Je me suis encore repassé la scène.

— Il n'a disposé que d'un instant pour mettre en joue, Claire. Et d'à peine trente à cinquante centimètres d'espacement du mur pour loger ses deux balles.

— Dans ce cas, soit Dieu n'a pas été tendre pour cette pauvre petite, hier au soir, a fait Claire avec un soupir de compassion, soit tu as intérêt à te mettre en quête d'un tireur d'enfer.

12

L'éventualité choquante que Tasha Catchings ait pu ne pas être une victime due au hasard m'a tarabustée pendant que je remontais au bureau. À l'étage, je me suis heurtée à un mur d'inspecteurs qui m'attendaient avec anxiété. Lorraine Stafford m'a appris que la recherche du véhicule avait eu un résultat positif : on avait volé une Dodge Caravan de 1994 trois jours plus tôt à Mountain View. Je lui ai demandé de vérifier si l'une des caractéristiques concordait.

J'ai alpagué Jacobi en lui disant de remballer son beignet et de me suivre.

— Où on va ? a-t-il geint.

— De l'autre côté de la baie. À Oakland.

— Mercer te réclame, m'a crié Karen quand on a atteint le hall. Qu'est-ce que tu veux que je lui dise ?

— Que j'enquête sur un meurtre.

Vingt minutes plus tard, une fois le Bay Bridge traversé, on s'est faufilés dans le centre morne et vétuste d'Oakland et arrêtés devant le bâtiment administratif de la police sur la Septième. Le commissariat central d'Oakland était un immeuble gris et trapu tout en panneaux de verre, dans le style impersonnel du début des années soixante. La crime se trouvait au premier étage, un service exigu et lugubre, pas plus grand que le nôtre. Au fil des années, je m'y étais rendue quelques fois.

Le lieutenant Ron Vandervellen s'est levé pour nous accueillir quand on nous a introduits dans son bureau.

— À propos, les félicitations sont de mise, à ce que j'ai entendu dire, Boxer. Bienvenue au Royaume de la Vie Sédentaire.

— J'aimerais bien, Ron, lui ai-je répliqué.

— Quel bon vent vous amène? Vous cherchez à savoir comment ça marche dans le monde réel?

Depuis des années, les services de la crime de San Francisco et d'Oakland entretenaient une sorte de rivalité amicale. Eux croyaient que tout ce à quoi nous avions affaire, de l'autre côté de la baie, c'était au mieux au représentant de composants électroniques retrouvé mort, nu comme un ver, dans sa chambre d'hôtel.

— Je vous ai vue aux infos, hier au soir, a gloussé Vandervellen. Très photogénique. Elle, je veux dire, a-t-il précisé en souriant à Jacobi. Qu'est-ce qui amène des célébrités telles que vous chez nous?

— Un petit oiseau du nom de Chipman, ai-je répondu.

Estelle Chipman était la vieille femme noire qu'on avait retrouvée pendue dans son sous-sol, et dont Cindy m'avait parlé.

Il a haussé les épaules.

— J'ai une centaine de meurtres non résolus si vous n'avez pas assez de pain sur la planche par chez vous.

J'étais habituée aux piques de Vandervellen, mais cette fois, il m'a paru particulièrement à cran.

— Rien d'officiel, Ron. Je veux simplement jeter un coup d'œil au lieu du crime, si vous êtes d'accord.

— Bien sûr, mais je crois que ça va être duraille de rattacher ça à votre mitraillage de l'église.

— Et pourquoi? lui ai-je demandé.

Le lieutenant d'Oakland s'est levé, est passé dans le bureau extérieur et en est revenu avec un dossier.

— J'ai beaucoup de mal, je crois, à voir comment un crime aux mobiles racistes évidents comme celui qui vous occupe pourrait être commis *par l'un des leurs*.

— Qu'est-ce que vous dites? me suis-je exclamée. L'assassin d'Estelle Chipman était black?

Il a mis des lunettes de vue, feuilleté le dossier jusqu'à ce qu'il tombe sur un document officiel estampillé « Rapport du coroner. Alameda County ».

— Lisez ça et pleurez un bon coup, a-t-il marmonné. Si vous m'aviez appelé, j'aurais pu vous faire économiser le péage... « Les spécimens de peau retrouvés sous les ongles de la victime semblent indiquer un épiderme à forte pigmentation correspondant à celui d'un *non-Caucasien.* » On pratique des tests au microscope à l'instant même où je vous parle. Vous désirez toujours voir l'endroit? m'a demandé Vandervellen, jouissant de l'instant, semblait-il.

— Ça vous dérange? Puisqu'on est déjà sur place...

— Bon d'accord, à votre guise. C'est Krimpman qui s'occupe de ça, mais il est sorti. Je peux vous y emmener. Je ne vais plus tellement me balader dans la cité Gustave White. Qui sait? En m'y rendant avec des pointures comme vous deux, je pourrais récolter quelque chose, chemin faisant.

13

La cité Gustave White se composait de six tours identiques en brique rouge sur Redmond Street, à Oakland ouest. Au moment où l'on s'arrêtait, Vandervellen nous a dit :

— Ça n'a pas le sens commun... Cette pauvre femme n'était pas malade, paraissait sans problèmes financiers, allait même à l'église deux fois par semaine. Mais parfois, les gens renoncent, comme ça. Jusqu'à l'autopsie, tout paraissait réglo.

Je me suis remémoré le dossier : aucun témoin, personne n'avait entendu crier, ni vu quelqu'un s'enfuir. Rien de plus qu'une femme âgée qui vivait repliée sur elle-même et qu'on avait retrouvée en sous-sol, pendue à un tuyau de la chaufferie, le cou à angle droit, tirant la langue.

Une fois dans la cité, on s'est dirigés vers le bâtiment C.

— L'ascenseur est en rade, nous a annoncé Vandervellen.

On a pris l'escalier du sous-sol. Les murs étaient

couverts de graffitis. Un écriteau peint à la main indiquait « Buanderie – Chaudière ».

— C'est ici qu'on l'a découverte.

La pièce était encore barrée des rubans jaunes de scène de crime entrecroisés. Une odeur âcre et rance emplissait l'air. Il y avait des tags partout. Tout ce qui s'était trouvé là – le cadavre, le fil électrique avec lequel on l'avait pendu – avait déjà été transporté à la morgue ou enregistré comme pièce à conviction.

— Je ne vois pas ce que vous comptez trouver, nous a dit Vandervellen en haussant les épaules.

— Je ne le vois pas non plus, lui ai-je rétorqué. C'est arrivé samedi dernier, tard dans la soirée ?

— D'après le coroner, sur le coup de dix heures. On a pensé que peut-être la vieille dame, descendue faire sa lessive, a été surprise par quelqu'un. Le gardien l'a découverte le lendemain matin.

— Et côté caméras de surveillance ? a demandé Jacobi. Il y en a partout dans le hall et les couloirs.

— Même chose que l'ascenseur – pétées.

Et Vandervellen de hausser les épaules derechef.

Il était clair que ce dernier et Jacobi n'avaient qu'une envie : sortir de là le plus vite possible. Mais quelque chose me poussait à m'attarder. *Pour quelle raison ?* Je n'en avais pas la moindre idée. Mais tous mes sens étaient en éveil. *Trouve-moi... par ici.*

— L'aspect raciste écarté, a déclaré Vandervellen, si vous cherchez un lien, je suis sûr que vous savez qu'il est inhabituel pour un tueur de changer de mode opératoire en pleine action.

— Merci, lui ai-je répondu d'un ton sec.

J'avais scruté la pièce. Rien ne m'avait sauté aux yeux. Je n'avais rien d'autre que cette impression.

— Je pense qu'on va devoir résoudre ça tout seuls comme des grands. Qui sait? Peut-être qu'on aura bientôt quelque chose à se mettre sous la dent.

Au moment où Vandervellen allait basculer l'interrupteur, un truc m'a tiré l'œil.

— N'éteignez pas, lui ai-je ordonné.

Comme attirée par un aimant, je me suis avancée vers le fond de la pièce, jusqu'au mur où l'on avait retrouvé pendue Estelle Chipman. Je me suis accroupie, j'ai effleuré du doigt la paroi de béton. Si je ne l'avais pas repéré de loin, ça m'aurait échappé.

Un dessin primitif, tel celui d'un enfant, à la craie orange. Un lion. Comme celui du dessin de Bernard Smith, mais en plus féroce. Le corps du fauve se terminait par une queue lovée, mais c'était la queue de quelque chose d'autre... D'un reptile? D'un *serpent*?

Et ce n'était pas tout.

Le lion avait deux têtes : la première, celle d'un lion, l'autre, d'une chèvre peut-être.

Je me suis sentie oppressée et avec un frisson de répugnance, j'ai reconnu la chose.

Jacobi s'est approché de moi par-derrière.

— Tu as trouvé quelque chose, lieutenant?

J'ai poussé un long soupir.

— *Pokémon.*

14

Donc, à présent, je savais...

Les deux affaires étaient sans nul doute liées. Bernard Smith ne s'était pas trompé sur la fourgonnette qu'il avait vue démarrer. On savait à quoi s'en tenir sur le véhicule en question. On avait peut-être affaire à un assassin qui avait tué à deux reprises.

Je ne fus pas surprise en rentrant au palais qu'un DG Mercer hors de lui ait insisté pour que je l'appelle dès mon retour.

J'ai fermé la porte de mon bureau, composé son numéro de poste et attendu le tir de barrage.

— Vous connaissez très bien la situation, m'a-t-il fait, d'un ton mordant où l'autorité perçait. Vous croyez que vous pouvez rester toute la journée sur le terrain en ignorant mes appels? Vous êtes le *lieutenant* Boxer, désormais. Votre boulot, c'est de diriger votre équipe. Et de me tenir informé.

— Excusez-moi, chef, il se trouve juste que...

— On a tué une petite fille. Le quartier vit dans la terreur. On se retrouve avec un dingue sur les bras qui essaie de transformer l'endroit en enfer. Dès demain, chaque leader afro-américain de cette ville exigera de savoir ce que nous comptons faire.

— Ça va plus loin que ça, chef.

Mercer s'est arrêté net.

— Plus loin que quoi?

Je lui ai parlé de ce que j'avais trouvé dans le sous-sol d'Oakland. Et du symbole léonin qui figurait dans les deux crimes.

Je l'ai entendu reprendre bruyamment son souffle.

— Vous êtes en train de me dire que ces deux meurtres sont liés?

— Je dis simplement qu'avant de tirer trop vite des conclusions, cette possibilité existe.

L'air semblait filtrer directo des poumons de Mercer.

— Faites parvenir au labo un cliché de ce que vous avez découvert sur ce mur. Et aussi un croquis de ce qu'a vu ce gamin de Bay View. Je veux connaître la signification de ces dessins.

— C'est déjà en cours, lui ai-je répliqué.

— Et la fourgonnette qui lui a permis de s'échapper? Du nouveau de ce côté-là?

— Négatif.

Une hypothèse troublante semblait prendre forme dans l'esprit de Mercer.

— S'il s'agit d'une sorte de complot, on ne va pas rester les bras croisés pendant qu'on prend cette ville en otage en la soumettant à un régime de terreur.

— On recherche la fourgonnette. Laissez-moi un peu de temps pour ce symbole.

Je ne voulais pas lui révéler ma pire crainte. Si Vandervellen avait raison et que l'assassin d'Estelle Chipman était black, si Claire avait raison, et que Tasha

Catchings était une cible désignée, il pourrait bien ne pas s'agir du tout d'une campagne de terreur raciste.

Même au téléphone, je sentais la mine de Mercer s'allonger. Je lui demandais de courir un gros risque. Je l'ai enfin entendu expirer.

— Ne me décevez pas, lieutenant. Résolvez cette affaire.

En raccrochant, j'ai senti s'intensifier la pression. L'extérieur allait attendre de moi que je fasse une descente chez le moindre groupuscule raciste en activité, à l'ouest du Montana ; et j'avais déjà de sérieux doutes là-dessus.

Sur mon bureau, j'ai repéré un message de Jill. « Que dirais-tu d'un verre ? À six heures », disait-il. « Nous quatre. »

Après une journée entière consacrée à l'affaire... s'il y avait quelque chose propre à calmer mes angoisses, c'était bien un rendez-vous avec Jill, Claire et Cindy autour d'une carafe de margarita, *Chez Susie*.

J'ai laissé un message sur la boîte vocale de Jill, disant que j'y serais.

J'ai jeté un coup d'œil à la vieille casquette de base-ball d'un bleu décoloré, accrochée au portemanteau dans un angle de mon bureau, avec les mots « Ça, c'est le *Paradis...* » brodés sur le bord. La casquette avait appartenu à Chris Raleigh. Il me l'avait donnée au cours de notre week-end paradisiaque, là-haut, à Heavenly Valley, où le monde extérieur avait semblé disparaître pendant un moment et où tous les deux, nous nous étions laissé envahir par ce qui commençait à grandir entre nous.

— Fais en sorte que je foire pas tout, ai-je murmuré.

J'ai senti des larmes me picoter les yeux. *Mon Dieu, comme j'aurais aimé qu'il soit là.*

— Tu me manques, espèce d'enfoiré..., ai-je confié à la casquette.

15

Une minute, pas plus, nous a suffi pour réinvestir notre ancien box de *Chez Susie* et, en sentant la vieille magie se remettre à opérer, pour comprendre que c'était reparti pour un tour.

Une affaire pénible qui empirait. Une carafe remplie de margarita à péter le feu. Mes trois meilleures amies, toutes liées au plus haut niveau au respect de la loi et de l'ordre. Notre Murder Club était à nouveau entré en action, j'en avais bien peur.

— Comme au bon vieux temps? m'a dit Claire en souriant et en poussant de côté son volume confortable pour me faire de la place.

— Plus que tu ne crois, ai-je soupiré. Puis, en me versant un verre mousseux : ah, bon Dieu, j'en avais salement besoin.

— La journée a été rude? m'a demandé Jill.

— Non, ai-je répondu, en accentuant ma réponse d'un signe de tête. La routine. Du gâteau.

— Cette paperasse, ça ferait s'adonner n'importe qui à la boisson.

Claire a haussé les épaules, en sirotant sa margarita.

— À la vôtre. Super de vous revoir, les filles.

Le groupe bourdonnait d'une certaine impatience.

En buvant à mon tour, j'ai jeté un regard à la ronde. Tous les yeux étaient fixés sur moi.

J'ai failli cracher dans mon verre.

— J'peux rien vous dire. Pas même un seul mot.

— Qu'est-ce que je vous avais dit, a fait Jill de sa voix rauque, avec un sourire qui marquait le coup. Les choses ont changé. Lindsay est du côté du manche, maintenant.

— C'est pas ça, Jill. Les ordres sont de la boucler. Mercer veut que rien ne filtre. De plus, je croyais qu'on était ici à cause de toi.

L'œil bleu vif de Jill a pétillé de malice.

— La représentante du bureau du procureur veut bien céder son tour de parole à son estimée collègue du second étage.

— Mais bon sang, les filles, ça ne fait que *deux* jours que je suis sur cette affaire.

— De quoi d'autre parle-t-on en ville ? s'est écriée Claire. Tu veux que je te raconte ma journée ? Autopsie à dix heures, puis conférence à l'université de San Francisco sur la pathologie de...

— On pourrait parler du réchauffement de la planète, nous a coupées Cindy. Ou bien de *La Mort de Vishnou*, mon livre de chevet en ce moment.

— Ce n'est pas que je ne veux pas en parler, ai-je protesté. C'est simplement que c'est sous le sceau du secret, confidentiel.

— *Confidentiel* comme, par exemple, ce sur quoi je t'ai aiguillée à Oakland ? a demandé Cindy.

— Il faudra qu'on en parle, lui ai-je répondu. *Après.*

— Je te propose un marché, a dit Jill. Tu nous fais part de tout. *Comme d'habitude.* Puis, à mon tour, je vous ferai part de quelque chose. Vous jugerez ce qui est le plus juteux. Celle qui gagnera paiera la tournée.

Je savais que j'allais céder sous peu. Comment pouvais-je garder un secret avec mes copines? Les infos ne parlaient que de ça – d'une partie, du moins. Et il n'y avait pas trois esprits plus vifs au palais.

J'ai poussé un soupir d'impatience.

— À condition que ça ne sorte pas d'ici.

— Bien entendu, m'ont dit Jill et Claire en chœur. Juré.

Je me suis tournée vers Cindy.

— Ce qui signifie que tu ne publieras rien. Pas un mot de tout ça. Pas avant que je te donne le feu vert.

— Pourquoi ai-je toujours l'impression que tu me soumets à un chantage?

Elle a secoué la tête, puis acquiescé.

— Bon. Marché conclu.

Jill a rempli mon verre.

— Je savais qu'on finirait bien par te faire craquer.

J'ai bu une gorgée.

— J'ai décidé de tout vous raconter quand tu m'as demandé « La journée a été rude? ».

Détail après détail, je les ai mises au courant de l'affaire jusqu'au jour d'aujourd'hui. L'autocollant que Bernard Smith avait aperçu sur la fourgonnette. Le dessin identique que j'avais découvert à Oakland. La possibilité qu'Estelle Chipman ait pu être assassinée. L'idée de Claire que Tasha Catchings n'ait peut-être pas été une cible accidentelle.

— Je le savais, s'est écriée Cindy, n'ayant pas le triomphe modeste.

— Il faut que tu découvres ce que représente cette image de lion, a insisté Claire.

J'ai opiné.

— Je m'y suis attelée en y mettant le paquet.

Jill – c'est l'assistante du procureur qui parlait – s'est enquise :

— Y a-t-il quelque chose qui relie vraiment ces deux victimes ?

— Rien jusque-là.

— Et le mobile ? m'a-t-elle poussée en avant.

— Pour tout le monde, ce sont des crimes racistes, Jill.

Elle a acquiescé avec prudence.

— Et pour toi ?

— Je commence à les lire autrement. Je crois qu'il nous faut envisager l'hypothèse que quelqu'un recourt au schéma du crime raciste comme écran de fumée.

Un long silence s'est abattu sur notre table.

— Un tueur en série raciste, a conclu Claire.

16

Je leur avais communiqué mes infos, rien que du mauvais. Chacune d'entre elles les ruminait sombrement.

— À toi, maintenant, ai-je fait à Jill avec un signe de tête.

Cindy a saisi la balle au bond.

— Bennett ne va pas rempiler, hein?

En huit ans passés au bureau du procureur, Jill avait gravi les échelons jusqu'à devenir son bras droit. Si le vieux décidait de dételer, il était logique de la choisir pour le poste du nouveau procureur de San Francisco.

Jill a éclaté de rire en faisant non de la tête.

— Il restera collé à son bureau de chêne jusqu'à sa mort. C'est la pure vérité.

— Bon, mais tu as quelque chose à nous dire, l'a bousculée Claire.

— Tu as raison, a-t-elle reconnu. Oui...

Le regard de Jill a croisé les nôtres, l'un après l'autre, comme pour attiser le suspense. Ses yeux d'un bleu cobalt perçant en temps normal n'avaient jamais été empreints d'une telle sérénité. Enfin, un petit sourire en coin a éclairé son visage. Elle a poussé un soupir et nous a dit :

— Je suis enceinte.

On est restées là à attendre qu'elle avoue qu'elle nous faisait marcher. Mais tel n'était pas le cas. Elle s'est contentée de nous fixer bien en face en battant des paupières. Trente secondes ont bien dû s'écouler.

— Tu plaisantes, ai-je balbutié.

Jill était la femme la plus dynamique de mes connaissances. On pouvait la joindre à son bureau quasiment chaque soir bien après huit heures. Steve, son mari, dirigeait une société de capital risque pour la Bank America. C'était un couple de battants : ils faisaient du VTT à Moab, de la planche à voile en Oregon sur la Columbia River. *Un bébé...*

— Ça arrive à tout le monde, s'est-elle exclamée en voyant notre stupéfaction.

— J'en étais sûre, a affirmé Claire en frappant sur la table. Je le savais, c'est tout. À ton regard, à l'éclat de ton visage, je me suis dit « il y a quelque chose au four ». Tu t'adresses à une experte, tu sais ça. Enceinte de combien ?

— Huit semaines. C'est prévu pour la fin mai.

Les yeux de Jill étincelaient comme ceux d'une très jeune fille.

— Nos deux familles mises à part, vous êtes les premières à qui j'en parle. Ça va de soi.

— Bennett va en chier des bulles, a dit Cindy en pouffant.

— Il en a trois de son côté. Et puis ce n'est pas comme si je m'en allais cultiver la vigne à Petaluma. Je vais avoir un bébé, point barre.

Je me suis surprise à sourire. Une partie de moi était tellement ravie pour elle que j'étais à deux doigts de pleurer, l'autre éprouvait une pointe de jalousie. Mais *grosso modo*, j'avais du mal à y croire.

— Ce gamin a intérêt à savoir ce qui l'attend, ai-je fait avec un grand sourire. Pour l'endormir, on le bercera avec des cassettes de droit jurisprudentiel de Californie.

— Hors de question, m'a répliqué Jill en riant d'un ton de défi. Je ne lui ferai pas ça, promis. Je serai vraiment une bonne mère.

Je me suis levée et penchée vers elle par-dessus la table.

— C'est génial, Jill.

Un instant, on s'est contentées de se regarder, les yeux brillants. J'étais vachement heureuse pour elle. Je me suis souvenue, à l'époque où la maladie du sang dont je souffrais me tétanisait de peur, du jour où, dénudant ses bras, Jill nous avait montré ses terribles cicatrices en nous expliquant qu'elle s'était automutilée au lycée et en fac, que le défi d'atteindre toujours le sommet avait si profondément dirigé son existence qu'elle ne pouvait décompresser qu'en s'en prenant à elle-même.

On s'est toutes embrassées et je l'ai serrée fort.

— Vous l'aviez cogité ? a demandé Claire.

— On essayait depuis quelques mois, a répondu Jill, en se rasseyant. Je ne suis pas sûre qu'il s'agisse d'une décision consciente, mis à part le fait que le moment semblait bien choisi.

Elle a regardé Claire.

— La première fois que je t'ai rencontrée, quand

Lindsay m'a demandé de me joindre à votre groupe et que tu as parlé de tes enfants... ça a fait tilt quelque part en moi. Je me rappelle avoir pensé « elle dirige le service médico-légal. C'est l'une des femmes les plus capables que je connaisse, top-niveau dans sa profession, et pourtant, voilà son unique sujet de conversation ».

— Quand on commence à travailler, a expliqué Claire, on se focalise entièrement sur l'objectif à atteindre. En tant que femme, on sent qu'on a tout à prouver. Mais une fois qu'on a des gosses, c'est différent, naturel. On comprend que ce n'est plus du tout de soi qu'il s'agit. On comprend... qu'on n'a plus rien à prouver. Que c'est déjà fait.

— Eh bien..., nous a fait Jill, l'œil rieur. Je veux ma part de ça, moi aussi. Je ne vous en ai jamais parlé, les filles, a-t-elle poursuivi, mais je suis déjà tombée enceinte une fois. Il y a cinq ans.

Elle a pris une gorgée d'eau et, d'un mouvement de tête, balayé sa nuque de sa chevelure brune.

— Ma carrière était passée en surmultipliée – souvenez-vous, c'était pendant l'audition La Frade – et Steve venait de prendre la tête de sa propre société.

— Ce n'était simplement pas le bon moment, alors, ma chérie, lui a dit Claire.

— Ça n'était pas le problème, s'est empressée de répondre Jill. Je tenais beaucoup à l'avoir. Plus bêtement, une telle intensité régnait. Je faisais des charrettes au bureau jusqu'à dix heures du soir. Steve semblait absent en permanence...

Elle s'est interrompue, le regard lointain, voilé.

— J'ai eu des saignements. Le médecin m'a prévenue de lever le pied. J'ai essayé, mais tout le monde mettait la pression dans cette affaire et j'étais perpétuellement seule. Puis un jour, j'ai senti quelque chose exploser à l'intérieur de moi. Je l'ai perdu... au quatrième mois.

— Et merde, a lâché Claire. Oh, Jill.

Cette dernière a ravalé sa salive et le silence s'est abattu soudain sur la table.

— Alors, comment tu te sens? lui ai-je demandé.

— En extase..., m'a-t-elle répliqué. Physiquement, forte comme jamais.

Puis elle a cillé et nous a dévisagées à nouveau.

— À dire vrai, je suis complètement crevée.

Je lui ai saisi la main.

— Qu'est-ce que te dit ton médecin?

— Qu'on va me surveiller de près et réduire les affaires sensationnelles au strict minimum. Faire tourner les choses au ralenti.

— Le ralenti, tu connais? ai-je demandé.

— Maintenant, oui.

Elle a eu un reniflement.

— Wouah, Jill en lâcher prise, a pouffé Cindy, employant le jargon en vigueur dans les *start-up* ou ailleurs pour désigner tout ce qui vous détourne de bosser vingt-quatre heures sur vingt-quatre, sept jours sur sept.

Dans le regard de Jill, j'ai décelé la fabuleuse transformation qui avait eu lieu, quelque chose que je n'y avais jamais perçu jusque-là. Jill avait toujours tout réussi. Armée de son beau visage et de l'énergie pêchue qui la caractérisait. À présent, je voyais qu'elle était enfin heureuse.

De bonnes larmes emplirent ses yeux. J'avais vu cette femme affronter au tribunal certaines des ordures les plus coriaces de la ville ; je l'avais vue poursuivre des meurtriers avec une conviction inébranlable. J'avais même vu les cicatrices de ses doutes perso à la saignée de ses bras.

Mais jusqu'à cet instant, je n'avais jamais vu Jill pleurer.

— *Nom de Dieu...*

J'ai souri. Je lui ai effleuré la joue.

— Je crois que c'est moi qui vais payer le pot.

17

Après quelques embrassades de plus avec Jill, je suis rentrée chez moi. À mon appartement de Potrero Hill.

Il se trouvait au premier étage d'une maison victorienne bleue rénovée. Confortable et lumineux, avec de larges fenêtres en alcôve donnant sur la baie. Martha, ma chienne colley si affectueuse, m'a fait fête à la porte.

— Salut, ma douce, lui ai-je dit.

Elle a agité la queue en guise de réponse et lancé ses pattes contre ma jambe.

— Alors, comment s'est passée ta journée?

J'ai fourré mon nez contre elle et plaqué un bisou sur sa bonne gueule rieuse.

Une fois entrée dans la chambre, j'ai retiré mes vêtements de travail, relevé mes cheveux, enfilé sweat-shirt XXL des Giants et pantalon de pyjama en flanelle, ma tenue d'intérieur quand le temps devenait frisquet. J'ai donné à manger à Martha, me suis préparé une tasse d'Orange Zinger et installée dans l'alcôve garnie de coussins.

J'ai siroté une gorgée de thé, Martha perchée sur mes genoux. Au loin sont apparus les feux clignotants d'un

appareil qui amorçait sa descente vers l'aéroport inter-
national. Je me suis surprise à évoquer la vision
incroyable de Jill en maman... sa silhouette mince de
nana canon dotée d'un ventre proéminent... un cadeau
rien que pour nous, les filles. Ça m'a fait pouffer. J'ai
souri à Martha.

— Jilly le haricot vert va être maman.

Jill ne m'avait jamais parue comblée à ce point. Il y
avait quelques mois à peine, l'idée d'avoir un bébé
m'avait effleurée et aussi combien j'aurais adoré ça.
Pour reprendre les termes de Jill, *j'avais eu envie d'avoir
ma part de ça, à mon tour.* Ça n'était simplement pas
censé devoir m'arriver...

Être parent ne paraissait pas une occupation naturelle dans ma famille.

Ma mère était morte onze ans plus tôt, alors que
j'avais vingt-quatre ans et que je venais d'intégrer
l'Académie de Police. On lui avait diagnostiqué un
cancer du sein et pendant mes deux dernières années
d'études, j'ai aidé à sa prise en charge, rentrant en hâte
des cours pour passer la récupérer à l'Emporium, où
elle travaillait, lui préparant ses repas tout en veillant
sur Cat, ma sœur cadette.

Mon père, flic à San Francisco, nous avait abandonnées quand j'avais treize ans. Aujourd'hui encore, je ne
savais pas pourquoi. J'ai grandi en entendant des tas
d'histoires – qu'il dépensait sa paie auprès des book-
makers, qu'il avait une seconde vie pendant qu'il était
avec maman, que ce salopard faisait du gringue à tout
va, qu'un beau jour il n'avait plus eu goût au travail et
n'avait pas eu le cœur de rendosser l'uniforme.

Aux dernières nouvelles, Cat était à Redondo Beach,

vaquant à ses propres affaires, une agence de sécurité
privée. Les vieux de la vieille du commissariat central
me demandaient toujours des nouvelles de Marty
Boxer. Ils racontaient encore des anecdotes à son sujet
et peut-être était-ce un bien qu'on puisse penser à lui
en rigolant. Marty, qui une fois avait alpagué trois
délinquants avec la même paire de menottes... Marty
Boxer, qui s'était arrêté pour parier, avec le suspect
encore dans la voiture. Mais tout ce à quoi je pouvais
penser, c'était que ce salaud m'avait laissée soigner ma
mère pendant qu'elle se mourait et n'était jamais
revenu.

Je n'avais pas revu mon père depuis une dizaine
d'années. Depuis le jour où j'étais devenue flic à mon
tour. Je l'avais aperçu dans le public le jour de ma
remise de diplôme à l'Académie de Police, mais on ne
s'était pas adressé la parole. Il ne me manquait même
plus du tout.

Mon Dieu, ça faisait une éternité que je n'avais pas
examiné ces vieilles cicatrices. Maman s'était éteinte
depuis onze ans. Je m'étais mariée, j'avais divorcé.
J'avais intégré la crime. Aujourd'hui, je la dirigeais.
Quelque part en chemin, j'avais rencontré l'homme de
mes rêves...

J'avais dit vrai à Mercer en lui affirmant que j'avais
retrouvé ma pêche d'antan.

Mais je me mentais à moi-même en prétendant que
Chris Raleigh était de l'histoire ancienne.

18

Leurs yeux, toujours, lui prenaient la tête. Nu sur son lit, dans la chambre austère, semblable à une cellule monacale, il observait sans se lasser les vieilles photos noir et blanc qu'il avait regardées des milliers de fois.

Les yeux, toujours... leur résignation feutrée, sans espoir.

Comme ils prenaient la pose, même en sachant que leur vie touchait à sa fin. Même avec le nœud coulant autour du cou.

Dans l'album à la reliure fatiguée, il conservait quarante-sept photos et cartes postales classées par ordre chronologique. Il les avait rassemblées au fil des années. La première de sa collection, une vieille photo datant du 9 juin 1901, c'était son père qui la lui avait donnée. *Dez Jones, pendu à Great River, Indiana.* Dans la marge, on lisait, écrit à l'encre pâlie : « Le bal où je suis allé l'autre soir. Sûr qu'on a bien fêté ça ensuite. Ton fils, Sam. » Au premier plan, une foule en habits et chapeaux melons, et au fond, le corps qui se balance mollement.

Il tourna la page : *Frank Taylor, Mason, Georgie, 1911.*

La photo lui avait coûté cinq cents dollars, mais elle les valait bien. À l'arrière d'un boghei arrêté sous un chêne, on voyait le condamné, quelques secondes avant sa mort. Son visage ne reflétait ni peur, ni résistance. Un petit attroupement d'hommes et de femmes, bien vêtus, souriaient à l'appareil comme s'ils assistaient à l'arrivée de Lindbergh à Paris. Endimanchés comme sur un portrait de famille.

Si l'on se fiait à leurs regards, la pendaison était pour eux une chose convenable et naturelle. À en juger par celui de Taylor, il pensait ne pouvoir rien y faire.

Il extirpa du lit son corps lisse et musclé, se traîna jusqu'au miroir. Il avait toujours été baraqué. Ça faisait dix ans qu'il soulevait de la fonte. Il fit la grimace en gonflant ses pectoraux. Et massa une égratignure. Cette vieille salope lui avait plongé ses ongles dans la poitrine au moment où il passait le nœud coulant autour des tuyaux au plafond. Ça n'avait que peu saigné, mais il examina l'éraflure avec dégoût. Il aimait que rien ne vienne souiller son épiderme.

Il prit la pose devant la glace, contemplant le lion-chèvre à l'air féroce, tatoué sur son torse.

Très bientôt, cette bande de connards s'apercevraient qu'il ne s'agissait pas de haine raciale pure et simple. Ils déchiffreraient son comportement. Les coupables devaient être punis. Il fallait rétablir certaines réputations. Il n'avait pas d'antipathie particulière à l'égard de chacun d'eux. La haine n'avait rien à voir là-dedans. Il regrimpa dans le lit et se masturba sur la photo de Missy Preston, dont le cou fragile avait été brisé par la corde à Childers County, Tennessee, août 1931.

Sans même gémir, il éjacula avec force. Les genoux

lui en tremblèrent. Cette vieille méritait la mort. La petite choriste aussi. Il était chauffé à bloc!

Il massa le tatouage qui lui barrait le torse. *Très bientôt, je te libérerai, ma beauté...*

Il rouvrit son album-photos à la dernière page – vide. Juste après celle de Morris Tulo et Sweet Brown, Longbow, Kansas, 1956.

Il l'avait gardée pour la bonne bouche. Et maintenant, il avait le cliché adéquat.

Il prit un bâton de colle et enduisit le verso de la photo. Puis la pressa sur la page vierge.

C'était la place qui lui revenait de droit.

Il se souvint d'elle, le regard levé vers lui, la tristesse de son sort inévitable gravée sur ses traits. *Les yeux...*

Il admira son nouvel ajout : Estelle Chipman, fixant l'objectif de ses yeux écarquillés, juste avant qu'il ne balance d'un coup de pied la chaise sur laquelle elle se tenait debout.

Ils prenaient toujours la pose.

19

Dès la première heure, le lendemain matin, j'ai appelé Stu Kirkwood : il dirigeait un service spécialisé dans les agressions racistes en tout genre, rattaché au département de police. Je lui ai demandé si, *à titre personnel*, il avait des pistes sur ce type de groupuscules pouvant opérer dans la Bay Area. Mes subordonnés en avaient déjà touché un mot à Stu, mais je tenais à précipiter les choses.

Jusqu'ici, Clapper et son équipe de la police scientifique avaient passé au crible le périmètre autour de l'église sans aucun résultat tangible; le seul élément que nous ayons obtenu concernant Aaron Winslow, c'était que personne n'avait rien de négatif à dire à son encontre.

Kirkwood m'a appris qu'une poignée de groupes suprématistes organisés opéraient en Californie du Nord, rejetons du KKK ou skinheads néonazis barjos. Il a ajouté que le meilleur, peut-être, serait de contacter l'antenne locale du FBI, qui les soumettait à une surveillance plus active. Quant à lui, les tabassages de pédés étaient davantage son rayon.

Faire appel au FBI à ce stade de l'affaire ne me remplissait pas d'un fol enthousiasme. J'ai demandé à Kirkwood de me donner ce qu'il avait et, une heure plus tard, il a rappliqué avec un sac plastique bourré de dossiers bleus et rouges.

— Rien que de la doc, m'a-t-il fait avec un clin d'œil en déposant lourdement le sac sur mon bureau.

À la vue de cette masse de dossiers, tout espoir m'a désertée.

— Tu as ton idée là-dessus, Stu ?

Il a haussé les épaules avec sympathie.

— San Francisco n'est pas vraiment le terreau rêvé pour ce genre d'organisations. La plupart du matos que je t'apporte me paraît relativement inoffensif. Ils semblent passer le plus clair de leur temps à écluser des bières et à cramer des munitions.

J'ai commandé une salade, en me disant que j'allais passer mes prochaines heures de bureau en compagnie d'une bande de tarés éructant contre les Noirs et les juifs. J'ai pris quelques dossiers de la pile et en ai ouvert un au hasard.

Un genre de milice, opérant tout là-haut à Greenview, à la frontière de l'Oregon. *Les Patriotes californiens.* Renseignements succincts émanant du FBI : *Type d'Activité* : Milice d'une vingtaine de membres. *Arsenal Évalué* : peu conséquent, armes semi-automatiques en vente libre. On avait porté au bas de la feuille : *Dangerosité* : Faible/Moyenne.

J'ai feuilleté le dossier. Certains documents, frappés d'un logo constitué d'armes à feu entrecroisées, détaillaient tout et n'importe quoi depuis les flux migratoires de la « majorité européenne blanche » jusqu'au passage

sous silence par les médias des programmes gouverne-
mentaux en faveur de l'insémination artificielle des
minorités.

Je n'arrivais pas à imaginer mon assassin marcher
dans ce ramassis de débilités. Je ne l'imaginais pas du
tout sur la même longueur d'onde. Notre bonhomme
était organisé et audacieux, pas un zozo surexcité du
terroir profond. Il s'était donné beaucoup de mal pour
camoufler ses meurtres sous le mode opératoire de
crimes racistes. Et les avait signés.

Comme la plupart des assassins en série, *il voulait
qu'on sache.*

Et qu'on sache qu'il ne s'en tiendrait pas là.

J'ai feuilleté quelques dossiers de plus. Rien ne m'y a
sauté aux yeux. J'ai commencé à pressentir que je per-
dais mon temps.

Lorraine est entrée en coup de vent dans mon
bureau.

— On a une ouverture, lieutenant. On vient de retrouver la fourgonnette blanche.

20

J'ai bouclé mon Glock et chopé Cappy et Jacobi en sortant, avant même que Lorraine ait achevé de me mettre au parfum.

— Je veux une équipe d'intervention commando, là-bas, ai-je beuglé.

Dix minutes plus tard, on pilait en faisant hurler les pneus devant un barrage routier improvisé à San Jacinto, une rue résidentielle tranquille.

Le conducteur d'une voiture radio en patrouille de routine avait repéré une Dodge Caravan, garée à l'extérieur d'une maison à Forest Hills. Ce qui lui avait donné la certitude que c'était le véhicule qu'on recherchait, c'était l'autocollant du lion à deux têtes sur le pare-chocs arrière.

Vasquez, le jeune agent qui avait signalé la fourgonnette, nous a montré une maison Tudor ombragée d'arbres : le véhicule blanc stationnait au bout de l'allée. Ça semblait dingue. Le quartier était cossu et n'avait rien d'un havre pour des criminels ou des assassins.

Et pourtant, elle était là.

Notre fourgonnette blanche.
Et le Mufasa de Bernard Smith.

Quelques instants plus tard, un véhicule banalisé de l'équipe d'intervention commando, camouflé en camionnette de réparations télé par câble, s'est arrêté dans la rue. L'équipe avait à sa tête le lieutenant Skip Arbichaut. J'ignorais ce que la situation nous dictait : établir un siège ou entrer en force.

— Cappy, Jacobi et moi, on passera devant, ai-je annoncé.

C'était une opération de la criminelle et je n'allais pas laisser qui que ce soit prendre des risques. J'ai dit à Arbichaut de déployer ses hommes : deux contourneraient l'arrière, trois couvriraient la façade et un dernier, armé d'une masse, nous accompagnerait, au cas où il nous faudrait enfoncer la porte.

On a enfilé les gilets de protection et blousons de nylon noir qui nous identifiaient comme des forces de police. J'ai ôté le cran de sécurité de mon 9 mm. Pas le temps de faire preuve de nervosité.

La camionnette du commando a redémarré, trois tireurs en blouson noir ont longé le trottoir de l'autre côté de la rue.

Cappy, Jacobi et moi avons suivi la camionnette en l'utilisant comme bouclier : elle a stoppé bientôt devant la boîte aux lettres marquée du nombre 610. Vasquez avait raison. *La fourgonnette concordait.*

Mon cœur battait plus vite désormais. J'avais déjà participé à de nombreuses entrées en force, mais à aucune comportant autant d'enjeux. On s'est faufilé prudemment jusqu'à la façade de la maison.

Il y avait de la lumière à l'intérieur, le son d'une télé.

À mon signal, Cappy a cogné à la porte avec son arme.

— Police de San Francisco.

Jacobi et moi, on s'est accroupi, prêts à tirer.

Pas de réponse.

Après quelques instants tendus, j'ai fait signe à Arbichaut d'enfoncer.

Soudain, la porte d'entrée s'est entrebâillée.

— On bouge plus! a beuglé Cappy, son arme en position de tir. Police de San Francisco.

Une femme, en tenue de gym bleue, s'est immobilisée sur le seuil, en ouvrant de grands yeux.

— Ah, mon Dieu, s'est-elle écriée, le regard rivé sur notre arsenal.

Cappy l'a tirée violemment à l'extérieur tandis que Arbichaut et son équipe d'intervention se ruaient vers la maison.

— Y a quelqu'un d'autre chez vous? a-t-il aboyé.

— Rien que ma fille, a répondu d'une voix perçante la femme, terrifiée. Elle a deux ans.

L'équipe commando en blouson noir l'a dépassée en trombe, investissant l'intérieur comme s'ils recherchaient le petit Elian Gonzalez.

— La fourgonnette, elle est à vous? a hurlé Jacobi.

Le regard de la femme s'est déporté en direction de la rue.

— Qu'est-ce qu'il se passe?

— Elle est à vous, la fourgonnette? a tonné Jacobi derechef.

— Non, a-t-elle dit en tremblant. Non...

— Vous savez à qui elle appartient?

Elle l'a regardée à nouveau, terrifiée, et a fait non de la tête.

— C'est la première fois que je la vois.

Rien ne collait ; ça crevait les yeux. Le quartier, le toboggan en plastique sur la pelouse, la mère de famille affolée en tenue d'aérobic. J'ai poussé un soupir de déception. On s'était contenté d'abandonner la fourgonnette ici.

Tout à coup, une Audi verte s'est fendu un passage jusqu'au trottoir, suivie de deux véhicules de police. Elle avait dû franchir notre barrage. Un homme élégant, en costume et lunettes d'écaille, en est descendu en vitesse et a couru vers la maison.

— Kathy, bon sang, que se passe-t-il ?

— Steve...

La femme l'a étreint avec un soupir de soulagement.

— C'est mon mari. Je l'ai appelé quand j'ai vu tous ces policiers devant la maison.

L'homme a jeté un regard circulaire aux huit voitures de flic, à l'équipe commando en renfort et aux inspecteurs du SFPD, toutes armes dehors.

— Que faites-vous chez moi ? C'est de la folie ! Complètement dingue !

— D'après nous, cette fourgonnette est le véhicule qu'on a utilisé pour commettre un meurtre, ai-je dit. Notre présence ici est pleinement justifiée.

— Un meurtre... ?

Deux des hommes d'Arbichaut ont quitté la maison, signalant qu'il n'y avait personne de suspect à l'intérieur. De l'autre côté de la rue, les voisins commençaient à s'attrouper.

— Cette fourgonnette a été notre priorité numéro un

depuis deux jours. Je m'excuse du dérangement. Nous n'avions aucun moyen d'être sûrs.

L'indignation du mari a enflé. Sa figure et son cou ont viré au rouge tomate.

— Vous nous pensiez impliqués là-dedans ? Dans une affaire de meurtre ?

Je me suis dit que j'avais suffisamment chamboulé leur quotidien comme ça.

— La fusillade de La Salle Heights.

— Vous avez perdu la tête ou quoi ? Vous nous avez soupçonnés d'avoir mitraillé une église ?

Il en restait bouche bée, me fixant avec incrédulité.

— Vous avez une idée de ce que je fais, bande d'abrutis ?

Mon regard s'est porté sur son costume gris rayé, sa chemise bleue à col boutonné. J'ai eu le sentiment humiliant d'avoir été bernée.

— Je suis l'avocat de la branche de Californie du Nord de la Ligue Anti-Diffamation.

21

L'assassin nous avait fait tourner en bourrique. Personne dans ce quartier ne savait rien ni n'avait de rapport avec la fourgonnette volée. On l'avait abandonnée là, à dessein, pour qu'on se couvre de ridicule. Même quand l'équipe de Clapper a entrepris de l'examiner point par point, je savais qu'elle ne révélerait que dalle. J'ai observé l'autocollant en étant certaine d'avoir vu la même chose à Oakland. L'une des têtes était celle d'un lion, l'autre semblait celle d'une chèvre, la queue évoquait celle d'un reptile. Mais, bon Dieu, quelle signification en tirer?

— On a appris au moins une chose, a plaisanté Jacobi. Que cet enfoiré a le sens de l'humour.

— Ravie d'apprendre que tu es l'un de ses fans, lui ai-je rétorqué.

De retour au palais, j'ai dit à Lorraine :

— Je veux connaître la provenance de cette fourgonnette; je veux savoir à qui elle appartient, qui y avait accès, tous les contacts qu'a eus son propriétaire pendant le mois qui a précédé son vol.

J'étais folle furieuse. On avait un assassin pervers

lâché dans la nature mais aucun indice sur ce qui l'animait. S'agissait-il de crimes racistes ou d'un accès de folie meurtrière? D'un groupe organisé ou d'un loup solitaire? On savait avoir affaire à quelqu'un d'intelligent. Ses coups avaient été bien préparés et si l'ironie faisait partie de son mode opératoire, abandonner le véhicule qui lui avait permis de s'échapper là où il l'avait fait, c'était vraiment *le bouquet.*

Karen m'a informée par interphone qu'elle avait Ron Vandervellen en ligne. Le flic d'Oakland gloussait littéralement de joie.

— On raconte que vous vous êtes débrouillée pour neutraliser une dangereuse menace pour la société qui se faisait passer pour le chien de garde juridique de la Ligue Anti-Diffamation.

— Je crois que ça nous met à peu près à égalité dans nos enquêtes respectives, Ron, ai-je rétorqué.

— On se calme, Lindsay, je n'appelle pas pour retourner le couteau dans la plaie, m'a-t-il dit en changeant de ton. En fait, j'ai pensé que mon coup de fil vous mettrait de bonne humeur.

— Je ne chipoterai pas, Ron. Au point où l'on en est, n'importe quoi ou presque peut nous être utile. Qu'est-ce que vous avez pour nous?

— Vous saviez qu'Estelle Chipman était veuve, hein?

— Vous nous l'aviez précisé, je crois.

— Eh bien, au cours de l'enquête de routine sur ses liens de famille, on lui a trouvé un fils à Chicago. Il va venir récupérer le corps. Étant donné la situation, j'ai pensé que ce qu'il nous a appris était une coïncidence trop belle pour ne pas la prendre en compte.

— À savoir, Ron ?

— Son mari est mort, il y a cinq ans. Crise cardiaque. Devinez ce que faisait le bonhomme pour gagner sa croûte ?

J'avais le sentiment grandissant que Vandervellen allait nous révéler le pot aux roses.

— Le mari d'Estelle Chipman était flic à San Francisco.

22

Cindy Thomas gara sa Mazda devant l'église de La Salle Heights et poussa un long soupir. Un vilain motif d'impacts de balles défigurait sa façade blanche qu'il fissurait. Une bâche noire masquait le trou béant qui remplaçait son beau vitrail.

Elle se rappela avoir assisté à l'inauguration dudit vitrail, à l'époque où elle occupait son ancien poste au journal. Le maire, certaines personnalités locales, Aaron Winslow en personne, tous avaient fait des discours pour souligner que le travail de la communauté avait payé cette œuvre splendide. Tout un symbole. Elle se souvint d'avoir interviewé Winslow, dont la flamme, mais aussi une humilité inattendue, l'avaient fortement impressionnée.

Cindy plongea sous le ruban jaune du cordon de police et s'approcha du mur criblé de balles. Pour son boulot au *Chronicle,* on lui avait confié d'autres articles sur des faits divers où il y avait eu mort d'homme. Mais c'était la première fois qu'elle ressentait que l'espèce humaine était morte un peu, elle aussi, dans cette histoire.

Une voix la fit tressaillir.

— Vous aurez beau regarder tout votre soûl, ça n'améliorera guère le panorama.

Cindy fit demi-tour et se retrouva face à un très bel homme au visage lisse. Et aux yeux pleins de bonté. Elle le reconnut. Et acquiesça à ce qu'il venait de dire.

— J'ai assisté à l'inauguration de ce vitrail. Il était porteur de beaucoup d'espoir.

— C'est toujours le cas, fit Winslow. Nous n'avons pas perdu cet espoir. N'ayez aucune inquiétude à ce sujet.

Elle sourit, plongeant son regard dans ses yeux d'un marron profond.

— Je me présente : Aaron Winslow, lui dit-il, changeant une pile de manuels scolaires de côté pour lui tendre la main.

— Cindy Thomas, répondit-elle.

Sa poignée de main était douce et chaude.

— Ne me dites pas qu'on a classé notre église comme l'une des curiosités à visiter du 49 Mile Drive.

Winslow se dirigea vers l'arrière du bâtiment et elle le suivit.

— Je ne suis pas une touriste, lui précisa Cindy. Je voulais juste venir voir ça. J'aimerais faire semblant de n'être passée que pour vous présenter mes respects... ce qui est le cas. Mais je travaille aussi au *Chronicle*. À la rubrique des affaires criminelles.

— Une journaliste, soupira Winslow. Tout s'éclaire. Depuis des années, tout ce qui se passe de sérieux ici – soutien scolaire, combat contre l'illettrisme, chœur reconnu à l'échelon national – ne fournit jamais matière à un article. Mais qu'un fou commette un acte insensé, et voilà que *Nightline* parle d'organiser un meeting public en ville. Que tenez-vous à savoir, mademoiselle Thomas ? Que nous veut le *Chronicle* ?

Sa sortie l'avait piqué au vif, mais elle ne détestait pas ça. Il avait parfaitement raison.

— En fait, j'ai déjà couvert un événement dans le coin, l'inauguration de ce vitrail, justement. C'était un jour particulier.

Il cessa d'avancer. Et fixa ses yeux sur elle, puis sourit.

— Un jour particulier, en effet. Et pour être tout à fait sincère, mademoiselle Thomas, je savais qui vous étiez quand je vous ai abordée. Je me souviens de vous. Vous m'aviez interviewé à l'époque.

Quelqu'un appela Winslow par son nom de l'intérieur de l'église et une femme en sortit. Elle lui remémora qu'il avait un rendez-vous à onze heures.

— Eh bien, mademoiselle Thomas, avez-vous vu tout ce que vous étiez venue voir ? Pouvons-nous compter sur une nouvelle visite de votre part d'ici quelques années ?

— Non. Je veux savoir comment vous gérez tout ça. Cette explosion de violence face à tout ce que vous avez fait, ce que ressent le quartier vis-à-vis de ça.

Winslow ne put réprimer un sourire.

— Laissez-moi vous rencarder sur un point. Je ne donne pas dans l'innocence. J'ai passé trop de temps dans le monde réel.

Elle se souvint qu'Aaron Winslow n'avait pas bâti sa foi sur une vie de détachement, qu'il était sorti de la rue et avait été aumônier militaire. Quelques jours plus tôt, en se mettant dans la ligne de mire du tueur, il avait sans doute sauvé plusieurs vies.

— Vous êtes venue ici pour découvrir la réaction des habitants du quartier à cette agression? Venez vérifier par vous-même. Le service à la mémoire de Tasha Catchings a lieu demain.

23

La révélation stupéfiante de Vandervellen m'est restée ancrée dans la tête le reste de la journée.

Les deux victimes étaient parentes de flics de San Francisco.

Ça pouvait ne pas avoir de rapport. Il s'agissait peut-être de deux victimes choisies au hasard et sans relation aucune. Deux personnes dans deux villes différentes, que soixante ans séparaient l'une de l'autre.

Ou bien ça pouvait tout signifier, au contraire.

J'ai pris le téléphone et appelé Claire.

— J'ai besoin d'un grand service, lui ai-je annoncé.

— Grand comment?

J'imaginais très bien son large sourire.

— J'aimerais que tu jettes un œil sur le rapport d'autopsie de cette femme qu'on a pendue à Oakland.

— C'est faisable. Fais-le-moi parvenir. J'y jetterai un coup d'œil.

— C'est là que ça se corse, Claire. Il se trouve encore à Oakland. Au service médico-légal. On ne l'a pas diffusé.

Je suis restée dans l'expectative pendant qu'elle soupirait.

— Tu plaisantes sans doute, Lindsay. Tu veux que j'aille fourrer mon nez dans une enquête en cours ?

— Écoute, Claire, je sais bien que ce n'est pas exactement ainsi qu'on procède, mais on a lancé des hypothèses assez importantes qui pourraient délimiter l'affaire.

— Tu veux bien me dire quel genre d'hypothèses je réexaminerais en écrasant les orteils d'un médecin légiste respecté ?

— Claire, ces deux affaires sont liées. Il y a un schéma commun. Estelle Chipman avait épousé un flic. L'oncle de Tasha Catchings est flic, lui aussi. Toute mon enquête dépend du fait de savoir si l'on a affaire à un seul tueur. Oakland croit qu'un Black est dans le coup, Claire.

— Un Black ? s'est-elle récriée, estomaquée. Pourquoi un Black ferait-il des choses pareilles ?

— Je n'en sais rien. Mais il commence à y avoir des preuves indirectes qui relient les deux crimes. Il faut que je sache.

Elle a hésité.

— Bon Dieu, qu'est-ce que je dois rechercher précisément ?

Je lui ai parlé des fragments de peau retrouvés sous les ongles de la victime et de la conclusion du médecin légiste d'Oakland.

— Teitleman est un bon, m'a répondu Claire. Je me fierais à ses découvertes comme aux miennes.

— Je sais, Claire, mais lui et toi, ça fait deux. Je t'en prie. C'est important.

— Qu'une chose soit claire, m'a-t-elle répliqué, si jamais Art Teitleman demandait à fourrer son nez dans l'une de mes enquêtes préliminaires, je lui ferais avaler son ticket de parking et lui demanderais bien poliment d'aller voir de l'autre côté de la baie si j'y suis. Je ne ferais ça pour personne d'autre, Lindsay.

— Je sais ça, Claire, ai-je convenu d'un ton reconnaissant. Pourquoi crois-tu que j'aie cultivé notre amitié pendant autant d'années ?

24

En fin d'après-midi, je suis restée assise à mon bureau, tandis que l'un après l'autre, les membres de mon équipe terminaient leur journée. Je n'ai pas pu partir avec eux.

Dans ma tête, je n'arrêtais pas d'essayer de faire tenir ensemble les morceaux. Les éléments que je possédais reposaient sur des hypothèses. L'assassin était-il noir ou blanc ? Claire avait-elle raison d'affirmer qu'on avait tué Tasha Catchings intentionnellement ? Mais le symbole du lion, lui, avait bien été présent. *Relie les victimes*, me soufflait mon instinct. *Il y a un lien. Mais bon sang, lequel ?*

J'ai vérifié l'heure à ma montre et passé un coup de fil à Simone Clark au service du personnel ; je l'ai cueillie alors qu'elle s'apprêtait à s'en aller.

— Simone, j'ai besoin que tu me sortes un dossier demain.

— Bien sûr, lequel ?

— Celui d'un flic qui a pris sa retraite, il y a huit à dix ans de ça. Son nom, c'est Edward Chipman.

— Ça fait un bail. Il doit être à l'entrepôt.

Le service délocalisait ses archives dans une société de gardiennage.

— Début d'après-midi, d'accord ?

— D'accord, Simone. Fais au mieux.

J'étais une vraie pile électrique, je bouillonnais d'énergie. J'ai pris un nouveau tas de dossiers de Kirkwood et les ai laissés choir sur mon bureau.

J'en ai ouvert un au hasard. *Les Américains pour une Action Constitutionnelle... Charrues et Fifres*, encore une milice de péquenots. Tous ces connards me paraissaient une bande de branleurs de droite. À quoi bon perdre mon temps ? Rien ne me sautait aux yeux. Rien ne me donnait l'espoir que j'étais sur la bonne piste.

Rentre chez toi, Lindsay, me soufflait une petite voix. *Demain, de nouvelles pistes peuvent se manifester. Il y a la fourgonnette, le dossier Chapman... ça suffit pour ce soir. Va promener Martha.*

Rentre chez toi...

J'ai rempilé les dossiers, prête à abandonner, quand celui du dessus m'a tiré l'œil. *Les Templiers.* Un rejeton des Hells Angels, basé à Vallejo. Les Templiers d'origine étaient des chevaliers des croisades. Immédiatement, j'ai noté l'estimation du FBI concernant leur dangerosité. Elle était qualifiée de *Élevée/Importante.*

J'ai retiré le dossier de la pile et l'ai feuilleté plus avant. Y figurait un rapport du FBI mettant l'accent sur une série de délits non résolus et dans lesquels on soupçonnait lesdits Templiers d'avoir trempé : braquages de banques, contrats à l'encontre de gangs de Blacks ou de Latinos.

Je feuilletais toujours casiers judiciaires, fiches

d'écrou, photos de surveillance du groupuscule. Soudain, j'ai retenu mon souffle.

L'un des clichés m'a scotchée : on y voyait une bande de motards hyper musclés et couverts de tatouages, regroupés à l'extérieur d'un bar de Vallejo qui leur servait de quartier général. L'un d'eux était penché sur sa moto, tournant le dos à l'appareil. Il avait le crâne rasé, un bandana et une veste en jean sans manches qui mettait en valeur ses bras énormes.

C'était le dessin brodé au dos de la veste en jean qui avait attiré mon attention.

J'avais sous les yeux un lion à deux têtes et à queue de serpent.

25

Au sud de Market, dans un quartier de hangars délabrés, un individu en coupe-vent vert, courbant l'échine, longeait un trottoir plongé dans l'ombre. Le tueur.

À cette heure de la nuit, dans cet environnement en décrépitude, il n'y avait pas un chat dehors, à part une poignée de clodos qui se pressaient autour d'une poubelle jetant des flammes. Entrepôts abandonnés, commerces aux enseignes électriques éteintes : TRAVAUX DE FERRONNERIE... EARL KING, GARANT DE CAUTION LE PLUS FIABLE DE LA VILLE...

Son regard se porta de l'autre côté de la rue, vers la Septième, et se fixa sur la carcasse d'un meublé inoccupé : *303*. Il avait repéré l'endroit avec soin, ces trois dernières semaines. La moitié des appartements étaient vacants, l'autre moitié abritant pour la nuit des SDF qui ne savaient où aller.

Crachant sur la chaussée jonchée d'ordures, il jeta sur son épaule un sac de sport Adidas noir et contourna le bloc jusqu'à la Sixième et Townsend. Il traversa la rue en direction d'un entrepôt barricadé de planches, qu'identifiait uniquement un écriteau à demi effacé : CHEZ AGUELLO... COMIDAS ESPAÑOL.

S'assurant qu'il était seul, l'assassin poussa la porte métallique à la peinture écaillée, puis plongea à l'intérieur. Son cœur battait assez fort à présent. Il était accro à cette sensation, en fait.

Une odeur infecte l'accueillit dans l'entrée, véritable souricière où s'entassaient vieux journaux et cartons graisseux. Il enfila l'escalier, en espérant ne pas tomber sur l'un des sans-abri qui campaient dans les couloirs.

Il grimpa d'une traite jusqu'au quatrième, où il gagna prestement le bout du couloir. Franchissant une grille, il se retrouva à l'extérieur sur l'escalier de secours. À partir de là, on avait vite fait de grimper sur le toit.

Là-haut, les rues désolées cédaient la place au halo des lumières de la ville. Il se trouvait dans l'ombre du Bay Bridge, qui le dominait tel un immense paquebot. Il déposa son sac de sport sur une bouche d'aération, le dézippa et en retira avec soin les pièces d'un fusil de *sniper* PSG-1.

À l'église, il me fallait saturer mon tir au maximum. Ici, un seul coup de feu suffira.

La circulation grondant au-dessus de sa tête sur l'autoroute du Bay Bridge, il vissa le long canon au fût puis le verrouilla en place. Manipuler une arme à feu équivalait pour lui à se servir d'un couteau et d'une fourchette. Il aurait pu faire ça en dormant.

Il fixa la visée infrarouge. Il y colla un œil, des formes ambrées devinrent nettes.

Il était tellement plus intelligent qu'eux. Pendant qu'ils se focalisaient sur fourgonnettes blanches et autres symboles débiles, il était ici, prêt à tout faire éclater au grand jour. Ce soir, ils commenceraient enfin à comprendre.

Son cœur ralentit alors qu'il visait, de l'autre côté de la rue, l'arrière de l'hôtel indiqué par le numéro 303. Au troisième, la fenêtre faiblement éclairée d'un appartement dans la nuit.

Il était arrivé. Le moment de vérité.

Il calma sa respiration et s'humecta les lèvres. Il mit en joue mentalement une image qu'il conservait depuis si longtemps. Il ajusta l'angle de visée.

Puis, quand tout fut bien comme il fallait, il appuya.

Clic...

Cette fois, il n'aurait même pas à signer. D'après le tir, ils sauraient. D'après la cible.

Demain, tout le monde à San Francisco connaîtrait son nom.

Chimère.

Justice sera faite

1

J'ai frappé à la porte vitrée du bureau de Stu Kirkwood, coupant court à son café et à son beignet du
matin. J'ai balancé devant lui le cliché de surveillance
du motard arborant le lion à queue de serpent.

— J'ai besoin de savoir à quoi ça rime. Et fissa, Stu.

J'ai fait suivre la photo de deux autres versions de la
même image : l'autocollant à l'arrière de la fourgonnette blanche et un Polaroïd du mur du sous-sol où
l'on avait tué Estelle Chipman. *Lion, chèvre, queue de
serpent ou de lézard.*

Kirkwood s'est raidi.

— Aucune idée, m'a-t-il dit en relevant la tête.

— C'est notre assassin, Stu. Alors, on fait comment
pour le retrouver ? J'ai pensé que c'était ta spécialité.

— Je t'ai déjà dit que les tabassages de pédé, c'est
davantage dans mes cordes. On pourrait envoyer ces
photos par e-mail à Quantico.

— D'accord, ai-je acquiescé. Ça prendra longtemps ?

Kirkwood s'est redressé.

— Je connais un chef de recherche là-bas avec lequel
j'ai fait un séminaire. Laisse-moi passer un coup de fil.

— Fais vite, Stu. Tu finiras ton beignet après. Et mets-moi au courant dès que tu auras une réponse. À l'instant même.

En haut, j'ai poussé Jacobi et Cappy dans mon bureau. J'ai fait glisser vers eux le dossier Templiers de Kirkwood et une copie de la photo du motard.

— Vous reconnaissez l'artiste, les mecs?

Cappy a examiné la photo et m'a lancé un coup d'œil.

— Tu crois que ces cloportes ont quelque chose à voir avec cette affaire?

— Je veux savoir où sont ces types, ai-je répondu. Et je veux que vous soyez prudents. Cette bande a trempé dans des trucs à côté desquels ce qui s'est passé à La Salle Heights n'est qu'une partie de paint-ball. Trafic d'armes, coups et blessures, meurtres commandités. Selon le dossier, ils opèrent à partir d'un bar, là-bas, à Vallejo, du nom de *Perroquet Bleu*. Je ne veux pas que vous y fassiez une descente comme s'il s'agissait d'interpeller un maquereau sur Geary. Et ne l'oubliez pas, ce n'est pas notre secteur.

— On a pigé, lieutenant, m'a fait Cappy. Pas de vagues. Rien qu'une journée à la cool. Ça va être sympa de quitter la ville.

Il a ramassé le dossier et tapé sur l'épaule de Jacobi.

— Tes matraques sont dans le coffre?

— Attention, les mecs, leur ai-je rappelé. Notre tueur est un as de la gâchette.

Une fois Jacobi et Cappy partis, j'ai feuilleté une poignée de messages et j'ai ouvert le *Chronicle* du matin sur mon bureau. Il y avait un article signé Cindy, avec ce gros titre : DU NOUVEAU DANS L'ENQUÊTE SUR LA FUSILLADE

DE L'ÉGLISE. LA POLICE SONGERAIT À Y RATTACHER LA MORTE D'OAKLAND.

Citant « des sources proches de l'enquête » et des « contacts anonymes avec la police », elle soulignait dans son texte la possibilité que nous ayons étendu notre champ d'investigation, en faisant allusion au meurtre d'Oakland. Je lui avais donné le feu vert, donc permis d'aller jusque-là.

J'ai appelé Cindy en appuyant sur la touche mémoire de mon téléphone.

— La source proche de l'enquête à l'appareil, me suis-je annoncée.

— Impossible. Tu es mon contact anonyme. La source, etc., c'est Jacobi.

— Ah merde, ai-je fait en pouffant.

— Tu me vois ravie que tu le prennes avec humour. Écoute, j'ai quelque chose d'important à te montrer. Tu vas à l'enterrement de Tasha Catchings?

J'ai regardé ma montre. Il était prévu dans moins d'une heure.

— Ouais. J'y serai.

— On se retrouve là-bas, m'a dit Cindy.

2

C'est sous une bruine piquante que je suis arrivée à l'église de La Salle Heights.

Des centaines de personnes endeuillées, vêtues de noir, s'entassaient dans la nef grêlée par les balles. On avait drapé une bâche sur le trou béant qui remplaçait le vitrail. Sombre drapeau qui claquait sous la brise.

Fernandez, le maire, était présent, avec d'autres gros bonnets de la municipalité que je connaissais de vue. Vernon Jones, le militant, était posté à proximité de la famille. Le DG Mercer était là, lui aussi. La fillette avait droit aux funérailles les plus importantes que la ville ait connues depuis des années. Ça rendait sa mort encore plus triste.

Au fond de la chapelle, en tailleur noir, j'ai aperçu Cindy. On s'est fait un signe de tête quand nos regards se sont croisés.

Je me suis installée à côté de Mercer parmi une délégation du SFPD. Bientôt, le célèbre chœur de La Salle Heights s'est mis à interpréter *Je prendrai mon envol* d'une façon obsédante. Je ne connais rien de plus émouvant qu'un hymne à la joie résonnant dans une église pleine à craquer. J'ai mon credo personnel, basé peu ou prou sur mon expérience de la rue : rien dans la vie ne se divise jamais simplement, en bien ou en mal, en condamnation ou en rédemption. Mais alors que les voix en crescendo transportaient l'assistance, il ne m'a pas paru déplacé de prier en mon for intérieur que l'on prenne en pitié cette âme innocente.

Une fois que le chœur se fut tu, Aaron Winslow s'est avancé jusqu'au micro. Il était très élégant dans son costume noir. Il a évoqué Tasha Catchings comme seul pouvait le faire quelqu'un qui l'avait connue toute sa vie : ses fous rires de petite fille ; l'assurance que ça lui donnait d'être la plus jeune du chœur ; le désir qu'elle avait d'être une diva ou une architecte qui participerait à la rénovation de son quartier. Avant de terminer en disant que seuls les anges, désormais, ouïraient sa voix merveilleuse.

Il ne parlait pas en aimable homme d'Église exhortant ses ouailles à tendre l'autre joue. Son discours était porteur d'espoir, très affectif, plein d'accents vrais. Je ne pouvais le regarder sans me rappeler que ce bel homme avait connu les champs de bataille de l'Opération Tempête du Désert et que, pas plus tard que l'autre jour, il avait risqué sa vie pour protéger les enfants sous sa garde.

Il nous a dit, d'une voix douce mais ferme, qu'il ne pouvait pas pardonner ni s'empêcher de condamner.

— Seuls les saints ne condamnent pas, a-t-il ajouté. Et croyez-moi, je n'ai rien d'un saint. Je suis comme chacun de vous, un homme simple qui est las de pactiser avec l'injustice.

Il a regardé en direction du DG Mercer.

— Retrouvez le tueur. Que le tribunal le condamne. Ce n'est pas une question de politique ni de foi ni même de couleur de peau. Il s'agit du droit d'être libéré de la haine. Je suis convaincu que le monde ne vole pas en éclats, même face au pire acte possible. Le monde panse de lui-même ses plaies.

L'assemblée s'est levée, a applaudi, pleuré. J'ai imité les autres. J'avais les yeux humides. Aaron Winslow conférait une telle dignité à cette cérémonie. Tout fut bouclé en moins d'une heure. Pas de sermon enflammé, rien que de vagues amen. Mais une tristesse qu'aucun de nous n'oublierait jamais.

La mère de Tasha paraissait si forte en suivant le cercueil à l'extérieur, celui de sa fille si jeune qu'on emportait vers son repos éternel.

Je suis sortie alors que le chœur entonnait *Que le cercle ne soit jamais brisé.* Je me sentais engourdie, abattue.

3

J'ai attendu Cindy dehors en regardant Aaron Winslow se mêler aux endeuillés et aux camarades de classe de Tasha en pleurs. Il y avait en lui quelque chose que j'aimais bien. Il me paraissait authentique, passionné par son travail et ses ouailles.

— Un type comme ça, je partagerais bien son gourbi, m'a soufflé Cindy en me rejoignant.

— Comment l'entends-tu plus précisément ? lui ai-je demandé.

— Je n'en sais trop rien... tout ce que je peux dire, c'est que je suis venue lui parler hier et quand je l'ai quitté, j'avais la chair de poule. J'ai eu l'impression d'interviewer Denzel Washington ou encore le nouveau héros de *NYPD Blue*.

— Un pasteur, ce n'est pas la même chose qu'un prêtre, tu sais, lui ai-je rappelé.

— C'est-à-dire ?

— Que c'est pas interdit de partager son gourbi. Ne serait-ce que pour éviter de se retrouver sous la mitraille, bien entendu.

— Évidemment, a-t-elle acquiescé.

Puis elle a mimé l'explosion d'un tir de mortier.

— *Bam !*

— Il est impressionnant. Son discours m'a fait pleurer. C'est ça que tu voulais me montrer ?

— Non, a-t-elle dit avec un soupir, en revenant à ses moutons.

Elle a plongé la main dans son sac noir en bandoulière et en a sorti un morceau de papier plié.

— Je sais que tu m'as dit de m'occuper de mes fesses... je suppose que j'ai pris l'habitude de couvrir tes arrières.

— Ouais, lui ai-je dit. Alors qu'est-ce que tu as pour moi ? On fait équipe, non ?

Le papier déplié, j'ai eu le choc de me retrouver à fixer le même dessin du lion-chèvre-serpent que je venais de charger Kirkwood d'identifier. Ma retenue professionnelle n'est pas parvenue à me faire dissimuler ma surprise.

— Où tu as découvert ça ?

— Ce que tu as sous les yeux ne t'est pas inconnu, Lindsay.

— Je devine que ce n'est pas le dernier jouet qu'on s'arrache.

Ma vanne ne l'a pas fait rire.

— C'est le symbole d'un groupuscule raciste. Un truc de suprématiste blanc. Un confrère du journal a fait une enquête sur ces groupes. Je n'ai pas pu m'empêcher d'y jeter un coup d'œil après notre rencontre de l'autre soir. Ce symbole est utilisé par un groupuscule très élitiste. C'est ce qui l'a rendu difficile à dénicher.

J'ai examiné l'image que j'avais vue et revue depuis le meurtre de Tasha Catchings.

— Cette chose porte un nom, pas vrai ?

— On l'appelle une chimère, Lindsay. C'est tiré de la mythologie grecque. Selon ma source, le lion représente le courage, le corps de chèvre, l'entêtement et la volonté, quant à la queue de serpent, la ruse la plus sournoise. Ça signifie que, quoi qu'on entreprenne pour l'écraser, elle l'emportera toujours.

J'ai fixé le symbole de la chimère, un afflux de bile dans l'estomac.

— Pas cette fois.

— Je ne l'ai pas publiée, m'a dit Cindy. Mais c'est dans l'air. Tout le monde pense que ces meurtres sont liés. Ce symbole en est la clé, pas vrai ? Laisse-moi te donner la seconde définition que j'en ai trouvée : *fruit grotesque de l'imagination.* Ça colle, non ?

Je me suis surprise à opiner. *Retour à la case départ. Groupuscules racistes.* Peut-être même les Templiers. Une fois Mercer au courant, on allait faire descente sur descente dans le moindre groupe du même genre qu'on découvrirait. Mais bon sang, comment l'assassin pouvait-il être black ? C'était dénué de sens pour moi.

— Tu ne m'en veux pas, hein ? m'a demandé Cindy.

J'ai secoué la tête.

— Bien sûr que non. Et ta fameuse source, elle t'a dit comment on s'y est pris pour tuer la chimère à l'époque ?

— Elle m'a raconté qu'on a fait appel à un héros monté sur un cheval ailé qui lui a coupé la tête. Sympa d'avoir des mecs ou des nanas comme ça sous la main, non?

Elle m'a dévisagée d'un air sérieux.

— Tu as un cheval ailé, Lindsay?

— Non, ai-je fait en secouant encore une fois la tête. Rien qu'une chienne colley.

4

J'ai rencontré Claire dans le hall du palais au moment où j'y revenais avec une salade.

— Où vas-tu de ce pas ? l'ai-je interrogée.

Sa coquetterie retint mon regard : elle était vêtue d'un ensemble violet seyant, une serviette Tumi en cuir passée en bandoulière.

— En fait, je venais te voir.

Claire arborait une mine que j'avais appris à reconnaître. On ne pouvait l'attribuer ni à la suffisance, ni à la présomption. Claire ne marchait pas à ça. C'était davantage une sorte de pétillement malicieux qui disait *j'ai trouvé quelque chose* ou, mieux encore, *parfois, je me stupéfie moi-même.*

— Tu as déjeuné ? lui ai-je demandé.

Elle a légèrement ricané.

— Déjeuné ? Qui a le temps de déjeuner ? Depuis dix heures et demie du matin, je suis restée collée au microscope à bosser pour toi, de l'autre côté de la baie.

Jetant un œil dans mon sachet, elle a entrevu ma salade de poulet au curry.

— Ça m'a l'air tentant.

Je la lui ai retirée de sous le nez.

— Ça dépend de ce que tu m'apportes.

Elle m'a poussée dans l'ascenseur.

— J'ai dû promettre à Teitleman des loges au par-
terre afin de l'apaiser, m'a annoncé Claire en entrant
dans mon bureau. Considère ça comme un cadeau
d'Edmund.

Edmund, c'était son mari qui, depuis six ans, était
percussionniste dans l'orchestre symphonique de San
Francisco.

— Je lui enverrai un petit mot, ai-je dit comme on
s'installait. Peut-être que je pourrais obtenir des billets
pour les Giants.

J'ai disposé mon déjeuner.

— Tu permets ? m'a-t-elle demandé, menaçant ma
salade d'une fourchette en plastique. Te sauver la mise,
c'est crevant.

J'ai éloigné la barquette.

— Je te le répète. Tout dépend de ce que tu as.

Sans hésiter, Claire a piqué un morceau de poulet.

— Qu'un Black commette des crimes racistes contre
ceux de sa propre race, ça n'a pas de sens, pas vrai ?

— Très bien, ai-je fait en repoussant la barquette
vers elle. Qu'as-tu trouvé ?

— *Grosso modo* ce que tu m'avais dit. Aucune écorchure ni lacération, associées aux cas de soumission
forcée. Puis ces spécimens dermiques inhabituels
récupérés sous les ongles du sujet. Donc, examen au
microscope. Ils révélaient bien un type de peau fortement pigmenté, « correspondant à celui d'un non-Caucasien », comme on le lit dans le rapport. Au moment

où je te parle, on en soumet des échantillons à une analyse histologique.

— Bon, conclusion? l'ai-je pressée. L'individu qui a
tué cette femme était-il un Black?

Claire s'est penchée, venant piquer sous ma fourchette le dernier morceau de poulet.

— De prime abord, j'ai vu comment il était possible
de le croire. Si ce n'est pas un Afro-Américain, il s'agit
alors d'un Latino basané ou d'un Asiatique. Teitleman
était enclin à en convenir, jusqu'à ce que je lui demande
de se livrer à un dernier test. Est-ce que je t'ai déjà
raconté – elle a ouvert ses grands yeux bruns comme
des soucoupes – que j'avais fait mon internat à Moffitt
en dermopathologie?

— Non, Claire.

Je me suis surprise à agiter la tête en souriant. Elle
était si bonne dans son domaine.

Elle a haussé les épaules.

— Non, hein? Je sais pas comment on a fait pour
passer ça sous silence. Bref, ce qu'un labo va rechercher, en fait, c'est si cette forte pigmentation est *intra*
cellulaire comme chez les mélanocytes, qui sont les cellules à pigmentation brun foncé dont la concentration
est plus élevée chez les non-Caucasiens, ou bien si elle
est *inter* cellulaire... *dans* le tissu, davantage à la surface
de la peau.

— En langage profane, Claire. L'individu est-il blanc
ou black?

— Les mélanocytes, a-t-elle poursuivi comme si je ne
lui avais pas posé la question, sont les cellules de peau
foncée dont on trouve une forte concentration chez les
personnes de couleur.

Elle a retroussé sa manche.

— Tu as sous les yeux une Centrale de Mélanocytes. L'ennui, c'est que l'échantillon prélevé sous les ongles de Mme Chipman n'en avait pas. Tous les pigments étaient *inter* cellulaires... ce qui dénote une coloration superficielle. Pour couronner le tout, ils étaient d'une nuance bleuâtre, atypique pour de la mélanine produite naturellement. Le premier dermopathologiste qui se respecte l'aurait compris.

— Compris *quoi*, Claire ? ai-je demandé, l'œil fixé sur son sourire suffisant.

— Compris que ce n'était pas un Black qui a commis cette abomination, a-t-elle énoncé d'un ton emphatique, mais un Blanc doté d'une pigmentation d'emprunt. *De l'encre*, Lindsay. Cette pauvre femme a plongé ses ongles dans le tatouage de son assassin.

5

Une fois Claire partie, je me suis sentie confortée par sa découverte. C'était du bon matos. Karen a frappé et m'a tendu une chemise.

— De la part de Simone Clark.

C'était le dossier que j'avais réclamé au service du personnel. Celui d'*Edward R. Chipman.*

Je l'ai fait glisser hors de l'enveloppe et j'ai commencé à lire.

Chipman, après une carrière bien remplie d'agent de police, avait pris sa retraite en 1994 avec le grade de sergent. Il avait obtenu par deux fois des éloges de ses supérieurs pour avoir fait preuve de courage dans son boulot.

Je me suis attardée sur sa photo. Visage émacié et buriné, coiffure afro touffue, en vigueur à la fin des années soixante. On l'avait sans doute prise le jour de son entrée dans le service. J'ai parcouru le reste du contenu. Qu'est-ce qui pouvait pousser quelqu'un à tuer la veuve d'un tel homme ? Aucun blâme ne figurait dans son dossier. Que ce soit pour violence policière ou autre. En trente ans de carrière, il n'avait jamais fait usage de son arme. Il faisait partie de la Cellule de police de proximité des cités de Potrero Hill, était membre des Agents pour la Justice, groupe d'action prominorités, qui faisait du lobbying en faveur des représentants de l'ordre de race noire, dont il défendait les intérêts. Chipman, comme la majorité des flics, avait effectué dignement une carrière sans histoires ni problèmes, n'était jamais passé en commission d'examen ni placé sous le feu des projecteurs. Rien là-dedans ne me permettait d'établir le moindre lien avec Tasha Catchings ou son oncle, Kevin Smith.

Avais-je extrapolé dans cette affaire ? S'agissait-il même de meurtres en série ? Mes antennes perso crépitaient. *Je sais qu'il y a quelque chose là-dessous. Arrête ça, Lindsay.*

Lorraine Stafford frappant à ma porte m'a soudain – et violemment – ramenée à la réalité.

— Vous avez une minute, lieutenant ?

Je l'ai priée d'entrer. Le véhicule volé, m'a-t-elle appris, appartenait à un certain Ronald Stasic. Il enseignait l'anthropologie dans un centre universitaire de cycle court à Mountain View.

— Apparemment, la fourgonnette a été volée sur le parking de son lieu de travail. La raison pour laquelle il a signalé tardivement sa disparition, c'est qu'il était parti à Seattle le même soir pour un entretien d'embauche.

— Qui était au courant de son voyage ?

Elle a feuilleté ses notes.

— Sa femme. L'administrateur du centre. Il a deux classes et donne des cours particuliers à des étudiants d'autres établissements du coin.

— L'un de ses élèves a-t-il exprimé de l'intérêt pour sa fourgonnette ou l'endroit où elle était garée ?

Elle a eu un petit rire.

— D'après lui, la moitié de ces jeunes roulent en BMW ou en Saab. Pourquoi s'intéresseraient-ils à une fourgonnette de six ans d'âge ?

— Et l'autocollant à l'arrière ?

J'ignorais totalement si Stasic avait quelque chose à voir avec ces tueries, mais sa fourgonnette arborait le même symbole que celui retrouvé dans le sous-sol d'Oakland.

Lorraine a haussé les épaules.

— Il m'a dit qu'il ne l'avait jamais vu auparavant. Je lui ai rétorqué que j'allais vérifier ses déclarations en lui demandant s'il accepterait de se soumettre au détecteur de mensonge. Il m'a répondu banco !

— Tu ferais mieux de vérifier si l'un de ses amis ou de ses élèves a des penchants politiques bizarroïdes.

Lorraine a opiné.

— Je vais m'en occuper, mais ce type est tout à fait réglo, Lindsay. Il a réagi comme si le ciel lui était tombé sur la tête.

En cours d'après-midi, j'ai acquis le sentiment dérangeant que dans cette affaire, on nageait en plein brouillard. J'étais persuadée qu'il s'agissait de meurtres en série, mais peut-être que notre meilleure piste, c'était ce mec avec la chimère brodée sur sa veste en jean.

Mon téléphone a sonné, me faisant tressaillir. C'était Jacobi.

— Mauvaise nouvelle, lieutenant. On a planqué devant ce foutu *Perroquet Bleu* toute la journée. *Nada*. Alors, on a fait en sorte d'arracher au barman que les mecs que tu recherches, c'est de la vieille histoire. Ils se sont séparés, il y a cinq, six mois. Le mec le plus baraqué qu'on ait vu était un souleveur de fonte avec un T-shirt « le Rock Règne ».

— Qu'est-ce que tu entends par « se séparer », Warren ?

— *Vamos*, qu'ils ont bougé. Quelque part au sud. Selon le type, deux ou trois mecs qui zonaient avec eux passent encore de temps en temps. Un grand rouquin, entre autres. Mais en fait, ils ont taillé la route.

— Reste là-dessus. Trouve-moi ce rouquin.

Avec la fourgonnette qui ne menait nulle part et sans aucun lien établi entre les victimes, ce symbole de lion à queue de serpent était tout ce que nous avions à nous mettre sous la dent.

— Rester là-dessus ? a gémi Jacobi. Combien de temps ? Ça peut prendre des jours et des lunes !

— Je t'enverrai des sous-vêtements de rechange, lui ai-je dit avant de raccrocher.

Je suis restée là un petit moment à me balancer sur mon fauteuil, avec un sentiment de terreur grandissant. Ça faisait trois jours qu'on avait tué Tasha Catchings et trois jours avant elle, on avait tué Estelle Chipman.

Je n'avais rien. Aucun indice significatif. Seulement ce que le tueur nous avait laissé. Cette sacrée chimère.

Et aussi ce que je savais d'eux... *les serial killers* tuent. *Les tueurs en série ne cessent pas tant qu'on ne les arrête pas.*

6

Le sergent Art Davidson, policier de la route, répondit au 1-6-0 dès qu'il entendit l'appel. *Tapage nocturne, violences conjugales. Au 303, Septième Rue, à l'étage. Voitures disponibles, répondez.*

Son coéquipier, Gil Herrera, et lui n'étaient qu'à quatre blocs de là, sur Bryant. Il était presque huit heures; leur ronde se terminait dans dix minutes.

— Tu veux qu'on s'en charge, Gil? fit Davidson, en vérifiant l'heure à sa montre.

Son coéquipier haussa les épaules.

— Comme tu veux, Artie. C'est toi qui as une super teuf qui t'attend.

Super teuf, tu parles. C'était le septième anniversaire de sa petite Audra. Il avait appelé pendant la pause et Carol lui avait dit que s'il rentrait à neuf heures et demie, elle ne l'aurait pas couchée et qu'il pourrait lui offrir le miroir de maquillage Britney Spears qu'il avait choisi pour elle. Davidson avait cinq enfants et ils étaient toute sa vie.

— Et puis merde, répondit Davidson en haussant les

épaules. C'est pour ça qu'on est royalement payés, hein?

Ils déclenchèrent la sirène et en moins d'une minute, la voiture radio 2-4 s'arrêta devant la façade lugubre et délabrée du 303, Septième Rue. L'enseigne du défunt *Hôtel Driscoll* pendait, de guingois, au-dessus de la porte d'entrée.

— Y a encore du monde qui crèche dans ce dépotoir? fit Herrera en soupirant. Bon Dieu, qui voudrait vivre ici?

Les deux flics, armés de leurs matraques et d'une grosse lampe torche, s'approchèrent de la porte d'entrée. Davidson l'ouvrit. À l'intérieur, ça empestait les excréments et l'urine... de rat, sans aucun doute.

— Oh, y a quelqu'un là-dedans? beugla Davidson. Police.

Soudain, ils entendirent des cris provenant d'en haut. Ceux d'une dispute.

— On y va, fit Herrera, montant quatre à quatre la première volée de marches.

Davidson suivit.

Au premier étage, Gil Herrera s'enfonça dans le couloir, cognant aux portes avec la torche.

— Police, police...

Dans la cage d'escalier, Davidson entendit soudain crier à nouveau – les voix étaient fortes, survoltées. Puis un fracas, comme si on avait cassé quelque chose. Le bruit venait d'au-dessus de sa tête. Il grimpa seul deux autres volées de marches.

Les sons devinrent encore plus forts. Il s'arrêta devant une porte fermée. Appartement 42.

— *Salope*..., hurla quelqu'un.

Puis un bris d'assiette. Une femme semblait supplier :

— *Arrêtez-le, il va me tuer. Arrêtez-le, s'il vous plaît... à l'aide. S'il vous plaît.*

— Police, répondit Art Davidson en dégainant son arme. Herrera, par ici, en haut, vite !

Il se jeta de tout son poids contre le battant qui céda. L'intérieur était faiblement éclairé, mais une autre pièce l'était davantage : la dispute venait de là... de plus en plus proche... on hurlait.

Davidson ôta le cran de sécurité de son arme. Puis s'engouffra dans la chambre par la porte ouverte. À sa grande stupéfaction, elle était vide.

Une ampoule nue diffusait une lumière jaunâtre. Sur une chaise métallique était posée une énorme radio-cassette. Les éclats de voix sortaient de ses haut-parleurs.

Les paroles étaient celles qu'il avait déjà entendues.

— *Arrêtez-le, il va me tuer !*

— C'est quoi, ça, merde ?

Davidson en cillait d'incrédulité.

Il s'avança jusqu'à l'appareil stéréo, s'accroupit et l'éteignit. La dispute tonitruante cessa aussitôt.

— Bordel, qu'est-ce que..., marmonna Davidson. Y a quelqu'un qui s'amuse.

Il jeta un regard circulaire. La pièce minable semblait inhabitée depuis un certain temps. La fenêtre attira son regard, puis l'extérieur : de l'autre côté d'une ruelle, l'immeuble d'en face. Il crut entrevoir quelque chose. Mais quoi ?

Ping...

Il entrevit une étincelle jaune de la taille d'une tête

d'épingle, aussi rapide qu'un claquement de doigt, que l'éclat d'une luciole dans le noir de la nuit.

Alors la fenêtre fut pulvérisée et Art Davidson fut frappé avec force en plein dans l'œil droit. Il était mort avant d'avoir touché terre.

7

J'étais quasiment devant chez moi quand l'appel de détresse a grésillé : « À toutes les voitures disponibles, rendez-vous au 303, Septième Rue, près de Townsend. »

1-0-6... agent en difficulté.

J'ai garé mon Explorer au bord du trottoir. J'ai écouté le message.

Ambulance réclamée sur les lieux, appel du capitaine du secteur.

Les échanges rapides, leur ton pressant, m'ont convaincue que la situation était critique.

Ça m'a donné la chair de poule. Il s'agissait d'une embuscade, d'un tir à distance. Comme à La Salle Heights. J'ai repassé la première et j'ai effectué rapidement un demi-tour sur Potrero, m'engouffrant dans la Troisième Rue avant de mettre le cap sur le centre.

À quatre blocs de Townsend et de la Septième, le chaos qui régnait m'a ralentie. Barrages de voitures bleu et blanc en chicane, gyrophares, uniformes partout à l'horizon, grésillements des radios dans la nuit.

J'ai avancé, en brandissant mon badge par la vitre

baissée, tant que cela m'a été possible. Puis, abandonnant ma voiture, j'ai gagné en courant l'œil du cyclone. J'ai alpagué le premier agent que j'ai trouvé.

— Qui est-ce ? Vous le savez ?

— Un simple flic, m'a-t-il répondu. Davidson. Du commissariat central.

— Ah ! merde...

Serrement de cœur. Nausée. Je connaissais Art Davidson. On avait fait l'Académie de Police en même temps. C'était un bon élément et un type bien. Est-ce que ç'avait un sens que je le connaisse ?

Nouvelle poussée de peur et de nausée. *Art Davidson était black.*

Je me suis frayé un passage à travers la foule vers un bâtiment décrépi devant lequel stationnaient des ambulances. Je suis tombée sur l'inspecteur principal Sam Ryan qui sortait de l'immeuble, une radio collée à son oreille.

Je l'ai pris à part.

— Sam, on m'a dit qu'il s'agit d'Art Davidson... il a une chance... ?

Ryan m'a fait non de la tête.

— Une chance ? On l'a attiré ici, Lindsay. Un coup de fusil en pleine tête. Une seule balle, à ce qu'on croit. On l'a déjà déclaré mort.

Je suis restée sur le côté, une plainte vrombissante s'amplifiait sous mon crâne, comme si une peur secrète, inconnaissable venait de se révéler à moi uniquement. J'étais sûr que c'était lui. Chimère. Meurtre numéro trois. Une seule balle avait suffi cette fois.

J'ai brandi mon badge devant les agents en uniforme à l'entrée et me suis précipitée à l'intérieur du bâtiment. Des membres de l'équipe médicale d'urgence descendaient l'escalier. Je les ai croisés. J'avais les jambes lourdes et du mal à respirer.

Sur le palier du second étage, un flic en uniforme m'a croisée en gueulant.

— Place, on le descend.

Deux, trois urgentistes ont déboulé – plus deux autres flics portant un brancard. Impossible pour moi de détourner la tête.

— Arrêtez-vous un instant, leur ai-je dit.

Davidson avait les yeux ouverts et fixes. Un petit trou cramoisi de la taille d'une pièce de dix cents au-dessus de l'œil droit. J'ai senti mon corps vidé de toute son énergie. Je me suis rappelé qu'il était père. *Ces meurtres avaient-ils un lien avec les enfants ?*

— Art, mon Dieu, ai-je murmuré.

Je me suis forcée à examiner le cadavre, la blessure par balle. J'ai tâté son front sur le côté pour finir.

— Vous pouvez le descendre maintenant, ai-je dit. Merde.

J'ai réussi tant bien que mal à gagner l'étage supérieur. Un attroupement d'agents en civil, et en colère, barrait l'entrée d'un appartement. J'ai aperçu Pete Starcher, un ex-inspecteur de la crime qui travaillait avec l'IGS, qui en sortait.

Je l'ai rejoint.

— Pete, bon sang, qu'est-ce qui s'est passé ?

Starcher avait toujours eu une dent contre moi. C'était un de ces cyniques vieux de la vieille.

— Vous avez à faire par ici, lieutenant ?

— Je connaissais Art Davidson. On a fait nos classes ensemble.

Je ne tenais pas à lui donner la moindre petite idée quant à la raison de ma présence sur les lieux.

Starcher a rechigné mais m'a mise au courant. Les deux agents avaient répondu à un appel du 911 dans l'immeuble. Mais on n'y avait retrouvé qu'un magnétophone. C'était un traquenard, tout était orchestré.

— On l'a blousé. Un enfant de salaud voulait faire un carton sur un flic.

Un engourdissement m'a gagnée. J'étais persuadée que c'était notre homme.

— Je vais aller jeter un coup d'œil.

À l'intérieur, tout était exactement comme Starcher me l'avait décrit. Bon à fiche la frousse, bizarre, irréel. Le salon était vide. Les murs n'étaient pas peints et il y avait des fissures dans le plâtre. En passant dans la pièce attenante, je me suis immobilisée. Il y avait une flaque rouge sur le sol ; le sang avait éclaboussé le mur, là où s'était logée la balle, probablement. *Pauvre Davidson*. Une radiocassette trônait sur une chaise au milieu de la chambre.

J'ai jeté un regard à la fenêtre au carreau brisé.

Soudain, tout m'est apparu clairement. Un froid m'a saisi la poitrine.

Je me suis approchée de la fenêtre ouverte, me suis penchée au-dehors ; j'ai regardé de l'autre côté de la rue. Aucun signe de Chimère ni de qui que ce soit. Mais je savais... je le savais parce qu'il me l'avait dit – le coup de feu, la victime. *Il voulait qu'on sache que c'était lui.*

8

— Il s'agit de lui, Lindsay, n'est-ce pas ?

Cindy au téléphone. Il était onze heures passées. Je tentais de retrouver mes esprits suite à cette soirée d'horreur et de folie. Je venais de rentrer après une promenade tardive avec Martha. Je ne rêvais que d'une chose : prendre une douche et me laver les yeux de l'image du cadavre d'Art Davidson.

— Tu dois me le dire. C'est le même mec. Chimère. Pas vrai ?

Je me suis jetée sur le lit.

— On ne sait pas. On n'a rien trouvé sur le lieu du crime.

— Tu le sais, Lindsay. Je sais que tu le sais. On sait toutes les deux que c'est lui.

J'avais juste envie qu'elle me laisse souffler et me rouler en boule dans mon lit.

— Je sais pas, ai-je répété avec lassitude. Ça se pourrait.

— Quel calibre, l'arme ? Est-ce qu'il correspond à celui de l'affaire Catchings ?

— Je t'en prie, Cindy, joue pas au flic avec moi. Je

connaissais la victime. Son coéquipier m'a dit que c'était le septième anniversaire d'une de ses gosses. Il en avait cinq.

— Pardon, Lindsay, m'a fait Cindy, en rabattant un peu et en revenant à un ton plus doux et plus aimable. C'est simplement que ça ressemble au premier meurtre. Le carton que personne d'autre ne pourrait réussir.

On est restées au téléphone un petit moment sans rien dire. Elle avait raison. Je savais qu'elle avait raison. Puis Cindy a ajouté :

— Te voilà tombée sur un autre, hein, Lindsay ?

Je n'ai pas répondu, ne sachant que trop bien ce qu'elle voulait dire.

— Un nouveau tueur en série. Un tireur d'élite de sang-froid, cette fois. Et qui prend des Blacks pour cibles.

— Pas seulement, ai-je soupiré.

— Pas seulement des Blacks... ?

Cindy a hésité avant de revenir à la charge brusquement.

— Notre correspondante d'Oakland a eu vent d'un bruit qui court dans la crime, là-bas. À propos de Mme Chipman. Son mari était flic. Primo, l'oncle de Tasha, secundo la veuve. Et maintenant, Davidson, ça fait trois. Ah, bon Dieu, Lindsay.

— Que tout ça reste entre nous, ai-je insisté. Je t'en prie, Cindy. Il faut que je dorme. Tu ne comprends pas le coup dur que c'est pour nous.

— Laisse-nous t'aider, Lindsay. Toutes les trois. On veut t'aider.

— Je veux bien, Cindy. J'ai besoin de votre aide. De toute votre aide.

9

Quelque chose m'est revenu pendant la nuit. *Le tueur avait appelé le 911.*

Je les ai contactés au matin. Lila McKendree tenait le standard. Elle était à son poste quand on avait lancé l'appel Davidson.

Lila, boulotte, les joues roses, le sourire facile, était très professionnelle. Elle pouvait jongler dans les situations graves avec le sang-froid d'un contrôleur aérien.

Elle a mis en place l'appel d'origine au 911 dans la salle de garde. Toute l'équipe s'est rassemblée autour. Cappy et Jacobi étaient là avant de s'en retourner à Vallejo.

— C'est sur bande, nous a expliqué Lila.

Puis elle a appuyé sur la touche replay.

Dans quelques secondes, on allait entendre la voix du tueur pour la première fois.

— Police de San Francisco, *hot line* du 911, a dit la voix de la standardiste.

On aurait entendu une mouche voler dans la salle de garde.

Une voix d'homme affolée a répondu :

— Je signale un trouble de l'ordre public... y a un type qui tabasse sa femme.

— O.K., a répliqué l'opératrice. Pour commencer, il me faut les coordonnées de l'endroit où vous êtes. Où l'incident a-t-il lieu?

Un bruit de fond, celui d'une télé ou de la circulation, a créé une interférence, rendant l'audition difficile.

— 303, Septième Rue. Troisième étage. Mieux vaudrait envoyer quelqu'un. C'est en train de tourner salement au vinaigre.

— L'adresse, dites-vous, c'est au 303, sur la Septième?

— C'est ça, a confirmé le tueur.

— Et qui est à l'appareil? a demandé l'opératrice.

— Mon nom, c'est Billy. Billy Reffon. J'habite au bout du couloir. Feriez mieux de vous grouiller.

On s'est tous regardés avec stupéfaction. *Le tueur donnait son nom? Bordel de merde.*

— Écoutez, monsieur, a insisté la standardiste, vous arrivez à entendre ce qui se passe pendant que je parle avec vous?

— Ce que j'entends, a-t-il répondu, c'est qu'un relou la castagne à mort.

L'opératrice hésitait.

— Oui, monsieur. Pouvez-vous déterminer si quelqu'un a été blessé jusqu'à présent?

— Je suis pas toubib, m'dame. J'essaie seulement de faire ce qu'il faut. Envoyez quelqu'un, et basta!

— O.K., monsieur Reffon. J'appelle une voiture de patrouille. De votre côté, sortez de l'immeuble et attendez les agents. Ils ne vont pas tarder.

— Z'avez intérêt à rappliquer vite fait, a ajouté l'assassin. À ce que j'entends, quelqu'un va morfler sec.

Une fois la transmission terminée, on a eu droit à l'enregistrement de l'appel consécutif du standard.

— L'appel venait d'un portable, volé, sans doute, nous a dit Lila en haussant ses larges épaules. Ah, ça repart en boucle.

Instantanément, la bande repassa une deuxième fois. Cette fois, j'ai écouté attentivement ce que la voix pouvait m'apprendre.

Je signale un trouble de l'ordre public... la voix était inquiète, paniquée et calme à la fois.

— Un sacré bon comédien, le mec, m'a soufflé Jacobi.

Mon nom, c'est Billy. Billy Reffon...

Je me suis agrippée aux montants du fauteuil en réécoutant les instructions bien intentionnées de la standardiste. « Sortez de l'immeuble et attendez les agents. Ils ne vont pas tarder. » Pendant tout cet échange, il était collé derrière son fusil à lunette, guettant le moment où sa cible se montrerait.

Z'avez intérêt à rappliquer vite fait..., disait-il, *quelqu'un va morfler sec.*

On a écouté l'enregistrement à nouveau.

Et cette fois, j'ai perçu l'indifférence moqueuse du ton. Pas la moindre trace de remords pour ce qu'il allait faire. Dans son dernier avertissement, j'ai même détecté un soupçon de ricanement à froid : *vite fait... quelqu'un va morfler sec.*

— C'est tout ce que j'ai, nous a dit Lila McKendree. La voix du tueur.

10

Le meurtre de Davidson a changé toute la donne.

Un gros titre du *Chronicle* clamait en caractères gras : ON PENSE QUE LE FLIC ASSASSINÉ EST LA TROISIÈME VICTIME D'UNE VAGUE DE TERREUR. L'article de première page, signé Cindy, faisait mention de la précision des tirs longue portée ainsi que du symbole utilisé par des groupuscules racistes en activité qu'on avait découvert sur les lieux.

Je me suis dirigée vers le labo de la police scientifique. J'y ai trouvé Charlie Clapper, recroquevillé derrière un bureau métallique, vêtu de sa blouse de laborantin, qui mâchonnait son petit déjeuner, à savoir un paquet de chips Doritos. Ses cheveux poivre et sel en bataille étaient gras et il avait des poches sous les yeux.

— Ça fait deux nuits que je passe à ce bureau, cette semaine, maugréa-t-il. Quelqu'un s'est encore fait buter aujourd'hui ?

— Au cas où tu l'aurais pas remarqué, la semaine dernière, moi non plus, j'ai pas eu droit à une seule nuit pour récupérer. Ma beauté en a souffert.

J'ai haussé les épaules.

— Allez, Charlie. Il me faut quelque chose dans l'affaire Davidson. Cette ordure tue des gars de chez nous.

— Je sais, a soupiré mon collègue rondouillard.

Il s'est levé péniblement et s'est traîné jusqu'à un comptoir. Il y a ramassé un sachet zip-lock contenant un projectile aplati.

— Voilà ta balle, Lindsay. On l'a retirée du mur derrière l'endroit où Davidson a été abattu. Un coup de feu unique. Lumières éteintes. Vérifie avec Claire si tu veux. Cet enfoiré sait tirer, pas de doute.

J'ai pris la douille et tenté d'en déduire quelque chose.

— Calibre 40, m'a fait Clapper. Ma première estimation, c'est qu'elle provient d'un PSG-1.

Je me suis rembrunie.

— T'es sûr de ça, Charlie ?

Tasha Catchings avait été tuée avec un M-16.

Il m'a désigné un microscope.

— Faites, lieutenant. Je me doute que la balistique n'a aucun secret pour vous.

— C'est pas ce que j'ai voulu dire, Charlie. J'espérais simplement que ça concorde avec la petite Catchings.

— Reese travaille encore dessus, m'a-t-il fait en piquant une chips dans le sachet. Mais parie pas trop là-dessus. Ce type a fait du boulot sans bavure, Lindsay. Tout comme à l'église. Pas d'empreintes, rien laissé derrière lui. La radiocassette est standard. On peut l'avoir achetée n'importe où. Et on la déclenche à distance par télécommande. On a même reconstitué ce qu'on pense avoir été son itinéraire jusqu'au toit de l'immeuble, on a saupoudré tout et n'importe quoi depuis les rampes d'escalier jusqu'aux espagnolettes des fenêtres. À vrai dire on n'a fait qu'une seule découverte...

— Laquelle ? l'ai-je pressé.

Il m'a orientée vers un comptoir du laboratoire.

— L'empreinte partielle d'une basket. Dans le goudron du toit d'où l'on a tiré. Ça m'a l'air passe-partout comme godasse. On a aussi relevé des traces de fine poudre blanche. Sans aucune garantie que ça vienne de lui.

— De la poudre ?

— De la craie, a précisé Charlie. Ce qui limite les possibilités à une cinquantaine de millions. Si jamais ce type signe ses tableaux de chasse, Lindsay, il va nous donner du fil à retordre.

— Il les a signés, Charlie, ai-je affirmé avec conviction. Par son coup de feu.

— On a expédié la cassette 911 pour une analyse de voix. Je te préviendrai quand on nous la renverra.

Je lui ai tapoté l'épaule pour le remercier.

— Va dormir un peu, Charlie.

Il a soulevé le sachet de Doritos.

— J'y manquerai pas. Après le petit déj.

11

Ruminant ma déception, je suis revenue à mon poste et me suis laissée choir derrière mon bureau. Il fallait que j'en sache plus sur cette fameuse chimère. J'étais à deux doigts d'appeler Stu Kirkwood quand trois hommes en costume sombre sont entrés dans la salle de garde.

L'un d'eux était Mercer. Rien de surprenant à cela. Il s'était montré aux talk-shows du matin, exhortant la population au calme. Je savais qu'affronter un questionnaire musclé, sans pouvoir faire état de résultats concrets, n'était pas sa tasse de thé.

L'autre individu, flanqué de son attaché de presse, était quelqu'un que je n'avais jamais vu à la crime depuis sept ans que j'en faisais partie.

Le maire de San Francisco.

— Je ne veux pas entendre la moindre connerie, m'a dit d'entrée Art Fernandez, maire de San Francisco depuis deux mandats. Épargnez-moi l'habituel « on se serre les coudes » et tout réflexe déplacé pour contrôler la situation.

Il a établi des yeux une étroite ligne de partage entre Mercer et moi.

— Ce que je désire, c'est une réponse franche. Est-ce qu'on sait où l'on va dans cette histoire ?

On était entassés dans mon minuscule bureau vitré. À l'extérieur, je voyais des collègues rôder alentour, contemplant le cirque.

J'ai renfilé mes escarpins en vitesse sous le bureau.

— On ne sait pas, ai-je reconnu.

— Donc Vernon Jones a raison, a soupiré le maire, en s'écroulant dans un fauteuil en face de moi. On se retrouve avec une épidémie de crimes racistes sur laquelle la police n'a pas de prise, mais que le FBI pourrait gérer.

— Non, ce n'est pas ça, lui ai-je répliqué.

— Ah non ? a-t-il fait en haussant le sourcil.

Il a regardé Mercer, l'air renfrogné.

— Qu'est-ce qui m'échappe ? Vous avez identifié ce symbole d'un groupe raciste, cette chimère, sur deux des lieux du crime. Notre propre médecin légiste croit que la petite Catchings était la cible visée par ce fou.

— Ce que le lieutenant veut dire, l'a interrompu Mercer, c'est que ça n'est peut-être pas aussi simple.

J'avais la bouche un peu pâteuse et j'ai ravalé ma salive.

— Je crois que cela va plus loin qu'une vague de crimes racistes.

— *Plus loin*, lieutenant Boxer ? Alors à quoi pensez-vous ?

J'ai fixé Fernandez droit dans les yeux.

— Ce que je crois, c'est que nous avons affaire à quelqu'un qui mène une vendetta personnelle. Et qui la mène probablement seul. Il aligne ses meurtres sur le mode opératoire de crimes racistes.

— Une vendetta, dites-vous, est intervenu Carr, le séide du maire. Une vendetta qui vise des Blacks sans qu'il s'agisse de crimes racistes ? Une vendetta contre des enfants et des veuves... noirs... *sans qu'il s'agisse de crimes racistes* ?

— Contre des *flics* blacks, ai-je précisé.

— Continuez, m'a dit le maire, en plissant le front.

Je lui ai expliqué que Tasha Catchings et Estelle Chipman étaient apparentées à des policiers.

— Il doit y avoir un autre rapport, bien que nous l'ignorions pour l'instant. Le tueur est organisé, arrogant dans la mesure où il sème des indices. Je ne crois pas, pour ma part, qu'un tueur raciste laisserait sa signature près de ses cibles. La fourgonnette avec laquelle il a pris la fuite, le dessin dans le sous-sol de l'affaire Chipman, cet appel culotté au 911. Je ne crois pas à une série de crimes racistes. C'est une vendetta – calculée, personnelle.

Le maire a regardé Mercer.

— Vous y croyez, vous, Earl ?

— En excluant l'hypothèse qu'on se serre les coudes..., lui a répondu Mercer avec un sourire crispé, oui, j'y crois.

— Eh bien, moi pas, a dit Carr. Tout désigne des crimes racistes.

Il y a eu un silence dans la pièce exiguë ; le thermomètre a soudain paru frôler les quarante-cinq degrés.

— Alors, il semblerait que je n'aie le choix qu'entre deux options, a fait le maire. En me référant à l'article quatre de la législation réprimant les crimes racistes, je peux faire appel au FBI qui, je crois, surveille de près ces groupuscules...

— Ils n'ont pas la moindre idée de la façon de mener une enquête criminelle, a protesté Mercer.

— Ou bien alors... je peux laisser le lieutenant faire son boulot. Et dire aux fédés qu'on s'occupera de tout par nous-mêmes, a poursuivi le maire.

J'ai soutenu son regard.

— J'étais à l'Académie de Police avec Art Davidson. Vous croyez que vous avez plus envie que moi de choper son assassin ?

— Alors chopez-le, m'a fait le maire en se levant. Bon, nous savons tous ce qui est en jeu, a-t-il ajouté.

J'ai opiné d'un air sombre quand Lorraine a franchi ma porte en trombe.

— Désolée de vous interrompre, lieutenant, mais c'est urgent. Jacobi m'a appelée de Vallejo en me disant de faire place nette et de préparer le meilleur accueil à un hôte de marque. Ils ont retrouvé le motard du *Perroquet Bleu*. Ils ont retrouvé Red, le Rouquin.

12

Une heure plus tard, Jacobi et Cappy ont fait leur entrée dans la salle de garde. Ils poussaient devant eux une espèce de grand motard roux, les mains menottées derrière le dos.

— Regarde qui a jugé bon de passer par là, a fait Jacobi d'un ton narquois.

Red s'est dégagé, d'un air de défi, de la poigne de Cappy tandis que ce dernier le poussait dans la salle d'interrogatoire n° 1 où, trébuchant sur une chaise, il s'est écroulé sur le sol.

— Désolé, mon grand, a fait Cappy avec un haussement d'épaules. Je croyais t'avoir prévenu de faire gaffe à la marche.

— Richard Earl Evans, a claironné Jacobi, connu aussi sous le surnom de Red le Rouquin, Boomer, Duke. Ne te sens pas insultée s'il ne se lève pas pour te serrer la main.

— C'est ce que tu as cru que je voulais dire par « pas de contact », lui ai-je fait, l'air fâché, mais ravie intérieurement qu'ils me l'aient ramené.

— Ce type a un casier tellement à rallonge qu'il

commence par « appelez-moi Ismaël[1] », a ricané Jacobi. Vol, voies de fait, tentative de meurtre, deux condamnations pour port d'arme prohibé...

— Regardez-moi ça, s'est exclamé Cappy, sortant tour à tour d'une poche plastique un sachet de marijuana, un couteau de chasse à lame d'une dizaine de centimètres, un pistolet Beretta calibre .22 miniature.

— Il sait pourquoi il est ici ? ai-je demandé.

— Hum, a grogné Cappy. On l'a poissé à cause du flingue. On l'a laissé se calmer sur le siège arrière.

On était tous trois entassés dans la petite salle d'interrogatoire face à Richard Earl Evans. Cette ordure nous lorgnait avec un rictus suffisant ; ses tatouages lui couvraient les bras comme des manches. Il portait un T-shirt noir avec en capitales sur le dos : « Si vous lisez ça... c'est que le bestiau s'est viandé ! »

À mon signe de tête, Cappy lui a ôté les menottes.

— Vous connaissez la raison de votre présence ici, monsieur Evans ?

— Z'allez être dans le merdier, les mecs, si vous imaginez que je vais vous causer.

Evans a reniflé un mélange de morve et de sang.

— Z'avez pas de pouvoir à Vallejo.

Je lui ai montré le sachet de drogue.

— Papa Noël semble t'avoir apporté tout un tas de vilains joujoux. Deux délits majeurs... toujours en conditionnelle pour port d'arme prohibé. Des séjours à Folsom, San Quentin. D'après moi, tu dois bien aimer crécher là-bas, parce qu'au prochain coup, t'es bon pour un bail de trente ans.

---

1. Premiers mots du roman *Moby Dick*. (N.d.T.)

— Ce que je sais – Evans a levé les yeux au ciel –, c'est que vous m'avez pas traîné jusqu'ici à cause d'un port d'arme prohibé à deux balles. Sur la porte, y a écrit *Brigade Criminelle*.

— Oui, mon grand, t'as vu juste, s'est immiscé Cappy. Te foutre en taule pour port de flingue prohibé, c'est de la petite bière pour nous. Mais en fonction de tes réponses, cette petite bière-là pourrait déterminer où tu vas couler tes trente prochaines années.

— Des conneries, tout ça, a grommelé le motard, l'œil dur et froid. Z'avez rien contre moi, bande de nazes.

Cappy a haussé les épaules, puis a abattu durement une canette de boisson gazeuse pleine sur la main du motard.

Evans a glapi de douleur.

— Ah! bordel, j'ai cru que t'avais dit que t'avais soif, a fait Cappy d'un ton contrit.

Red a fusillé Cappy du regard, s'imaginant sans doute rouler sur le visage du flic avec sa moto.

— Vous avez raison, monsieur Evans, ai-je repris, on ne vous a pas prié de venir ici pour passer en revue vos biens personnels, même s'il ne s'en faudrait pas de beaucoup qu'on vous remette entre les mains de la police de Vallejo. Mais la journée d'aujourd'hui pourrait tourner en votre faveur. Cappy, tu veux bien demander à M. Evans s'il aimerait boire autre chose.

Cappy a fait une feinte et Evans a retiré vite fait sa main de la table.

Alors le flic baraqué a ouvert la canette et l'a déposée devant Red avec un grand sourire.

— Ça te va comme ça ou t'aimerais un verre?

— Vous voyez, lui ai-je assuré, on peut être sympas.
À vrai dire, on s'en bat l'œil de vous. Tout ce que vous
avez à faire, c'est répondre à quelques questions et
vous pourrez rentrer chez vous avec la bénédiction du
SFPD. Vous n'aurez pas besoin de venir nous revoir.
Ou encore on peut vous boucler au neuvième quelques
jours, jusqu'à ce qu'on se souvienne qu'on vous retient
et qu'on prévienne la police de Vallejo. Et quand un
troisième délit majeur viendra sur le tapis, on verra si
on a du pouvoir ou non.

Evans s'est passé la main sur l'arête du nez, étan-
chant le sang.

— J'vais peut-être prendre une gorgée de soda, si la
proposition tient toujours.

— Félicitations, fiston, lui a dit Jacobi. C'est la première chose sensée que tu fais depuis qu'on t'a rencontré.

J'ai étalé l'une des photos noir et blanc des Templiers sous le regard ahuri de Red.

— Première chose qu'on veut savoir, c'est où on peut retrouver tes potes ?

Evans a relevé la tête avec un rictus.

— Alors tout ça pour ça ?

— Allez, gros fute-fute, l'a pressé Jacobi, le lieutenant t'a posé une question.

L'une après l'autre, j'ai disposé trois autres photos des divers membres de la bande.

Evans a secoué la tête.

— J'ai jamais zoné avec ces mecs-là.

La dernière photo était un cliché de surveillance de lui.

Cappy s'est penché et de toute la puissance de ses cent vingt-cinq kilos, il a soulevé le motard de sa chaise par son T-shirt.

— Écoute-moi, tête de nœud, t'as salement du bol qu'on s'intéresse pas à ce que vous fabriquez, ta bande de losers et toi. Alors, agis intelligemment et tu sortiras d'ici pendant que, de notre côté, on continuera à s'occuper de ce qui nous tient vraiment à cœur.

Evans a haussé les épaules.

— Peut-être ben que j'ai zoné un poil avec eux. Mais pas plus. La bande s'est dispersée. Trop la pression. J'ai revu aucun de ces mecs depuis des mois. Se sont séparés. Si vous voulez les retrouver, commencez dans les Cinq États du Sud.

J'ai échangé un regard avec mes deux inspecteurs. Autant je doutais qu'Evans balance ses potes, autant là, je le croyais.

— Encore une question, ai-je dit. Super importante.

J'ai posé la photo du motard avec la veste à la chimère.

— Ça te dit quoi, ça ?

Evans a reniflé.

— Que ce keum a un look ringard.

Cappy s'est repenché en avant. Et Evans de reculer.

— C'est un symbole, m'dame. Ça veut dire qu'il est dans le mouvement, que c'est un patriote.

— Un patriote ? lui ai-je demandé. Qu'est-ce que ça signifie, bon sang ?

— Un défenseur de la race blanche, de l'autodétermination d'une société libre et disciplinée.

Il a fait un sourire à Cappy.

— La compagnie présente exclue, ça va sans dire. Bien sûr, aucune de ces conneries ne reflète nécessairement mes opinions personnelles.

— Ce mec s'est tiré vers la Sun Belt, lui aussi ? a demandé Jacobi.

— Lui ? Pourquoi ? Il a fait quoi, d'après vous ?

Cappy le dominait de toute sa hauteur.

— Et le voilà reparti à répondre à des questions par d'autres questions.

— Écoutez, a fait Evans en ravalant sa salive, ce frangin, il est resté avec nous que très peu de temps. J'ai même pas su son vrai nom. Mac... McMillan, McArthur ? Qu'est-ce qu'il a fait ?

Je me suis dit qu'il n'y avait aucune raison de lui cacher ce qu'on avait derrière la tête.

— Qu'est-ce qu'on raconte sur ce qui s'est passé à La Salle Heights ?

Red a tressailli pour finir. Il a ouvert de grands yeux. Soudain, le puzzle se mettait en place.

— Vous croyez que mes anciens poteaux ont canardé cette église ? Ce mec... Mac ?

— Tu sais comment on pourrait lui parler ? ai-je dit.

Evans m'a souri franchement.

— Ça sera pas du gâteau. Même pour vous.

— Fais-nous confiance, on a de la ressource, lui ai-je assuré.

— J'en doute pas, mais il est mort, l'enfoiré. En juin dernier. Avec un collègue, ils se sont explosés, là-bas, dans l'Oregon. Ce fils de pute a dû lire quelque part qu'on pouvait fabriquer une bombe avec de la bouse de vache.

14

Dans le petit parking qui jouxtait l'église de La Salle Heights, Cindy Thomas descendit de sa Mazda. Son estomac faisait des borborygmes, lui rappelant qu'elle ne savait pas trop ce qu'elle venait faire ici.

Cindy prit sa respiration et ouvrit le portail de chêne qui menait à la chapelle principale. Pas plus tard que la veille, les voix résonnantes du chœur l'avaient emplie. Maintenant, les bancs étant vides, elle était plongée dans un silence étrange et inquiétant. Elle traversa la chapelle et pénétra dans un bâtiment adjacent.

Un couloir moquetté menait à une rangée de bureaux. Une femme noire, levant les yeux d'une photocopieuse, lui demanda :

— Je peux vous aider ? Qui cherchez-vous ?

— Je viens voir le révérend Winslow.

— Il ne reçoit pas de visiteurs en ce moment, répondit la femme.

La voix de ce dernier retentit dans l'un des bureaux.

— Ça va bien, Carol.

On escorta Cindy jusqu'à une petite pièce qui croulait sous les livres. Le révérend portait un T-shirt noir et un pantalon kaki. Il ne ressemblait décidément à aucun ecclésiastique de sa connaissance.

— Alors, on s'est débrouillés pour vous faire revenir après tout, lui dit-il, en couronnant le tout par un sourire.

Il lui fit prendre place sur un petit canapé tandis que lui s'installait dans un fauteuil rouge au cuir fatigué. Des lunettes reposaient sur un livre non loin de là et, instinctivement, elle y jeta un coup d'œil en catimini. *Une œuvre déchirante d'un génie renversant.* Pas du tout ce à quoi elle se serait attendue.

— Vous pansez vos plaies? lui demanda-t-elle.

— Je m'y emploie. J'ai lu votre article aujourd'hui. C'est terrible pour ce policier. C'est bien vrai? Le meurtre de Tasha pourrait être relié aux deux autres?

— La police le pense, répondit Cindy. Le médecin légiste croit qu'on l'a tuée délibérément.

Winslow fit la grimace puis secoua la tête.

— Je ne comprends pas. Tasha n'était qu'une petite fille. Quel lien possible pourrait-il y avoir?

— Ce n'est pas tant Tasha... – Cindy fixa sans ciller Aaron Winslow – que ce qu'elle représentait. Toutes les victimes ont apparemment des liens de famille avec des flics de San Francisco.

Le regard de Winslow s'étrécit.

— Alors, dites-moi, qu'est-ce qui vous ramène si vite? Vous avez mal à l'âme? Pourquoi êtes-vous ici?

Cindy baissa les yeux.

— Le service d'hier. C'était émouvant. Ça m'a donné le frisson. Il y avait si longtemps que ça ne m'était pas arrivé. En réalité, je crois que j'avais mal à l'âme mais que je ne m'étais pas donné la peine de le remarquer.

L'expression de Winslow se radoucit. Elle lui avait dit un peu la vérité et ça l'avait touché.

— Bon, bien. Je suis content d'apprendre que vous avez été émue.

Cindy sourit. De façon incroyable, cela la mit à l'aise. Il paraissait pondéré, authentique et elle n'avait entendu dire que du bien de lui. Elle avait envie de lui consacrer un article et elle savait qu'il serait bon, que ce serait peut-être même un grand article.

— Je vous parie que je sais à quoi vous pensez, lui dit Aaron Winslow.

— D'accord, allez-y, fit-elle.

— Vous vous demandez... ce type semble plutôt équilibré, pas complètement cinglé. Il n'a rien d'un pasteur. Alors qu'est-ce qu'il fabrique à gagner sa vie de cette façon ?

Cindy lui sourit avec embarras.

— Je reconnais que quelque chose de ce genre m'a traversé l'esprit. J'aimerais faire un article sur vous et le quartier de Bay View.

Il parut y réfléchir. Mais changea de sujet, revenant à elle.

— Qu'est-ce que vous aimez faire, Cindy ?

— Faire... ?

— Dans le grand méchant monde de San Francisco que vous couvrez dans vos articles. Qu'est-ce qui vous anime à part votre boulot au *Chronicle* ? Quelles sont vos passions ?

Elle se surprit à sourire.

— Dites donc, c'est moi qui pose les questions. J'ai

envie de vous consacrer un article. Pas le contraire, fit-elle. Bon d'accord, j'aime bien le yoga. Je suis des cours deux fois par semaine, à Chestnut Street. Vous avez déjà fait du yoga?

— Non, mais je médite tous les jours.

Cindy sourit encore plus. Sans trop savoir pourquoi.

— J'appartiens à un cercle de lecture féminin. À deux clubs féminins, en fait. J'aime le jazz.

L'œil de Winslow s'alluma.

— Quel genre de jazz? Moi aussi, je suis amateur de jazz.

Cindy éclata de rire.

— D'accord, ça commence à prendre forme. Quel style de jazz aimez-vous?

— Tous les styles. Depuis Pinetop Perkins jusqu'à John Coltrane.

— Vous connaissez le Blue Door? Sur Geary? lui demanda-t-elle.

— Bien entendu que je connais. J'y vais le samedi soir, chaque fois que Carlos Reyes est en ville. Peut-être qu'on pourrait y aller ensemble une fois. Ça étofferait votre article. Inutile de me donner une réponse tout de suite.

— Alors vous m'autorisez à écrire un article sur vous? fit Cindy.

— J'accepte... de vous laisser écrire sur ce quartier. Je vous aiderai.

Une demi-heure plus tard, de retour dans sa voiture, Cindy laissa tourner le moteur, bien trop étonnée encore pour mettre en prise. *Ce que je viens de faire, j'y crois pas...* Lindsay lui taperait sur les doigts, doutant que les rouages de son cerveau fonctionnent bien.

Et pourtant si, *ils fonctionnaient bien.* Ils *ronronnaient* un peu, en fait.

Elle tenait le début de ce qui, d'après elle, pourrait faire un bon article, peut-être même un article digne de remporter un prix.

Elle venait aussi d'accepter un rendez-vous du pasteur de Tasha Catchings et elle mourait d'impatience de le revoir.

Peut-être que j'avais mal à l'âme, songea Cindy quand, pour finir, elle démarra et s'éloigna de l'église.

15

Samedi. Sept heures approchaient. Une longue semaine de folie, incroyablement stressante, touchait à sa fin. Trois personnes étaient mortes. Ma seule piste sérieuse s'était évaporée aussitôt trouvée.

Il fallait que je parle à quelqu'un. Je suis montée au septième étage, qui abritait les services du procureur. À deux portes du grand homme se trouvait le bureau d'angle de Jill.

L'endroit était plongé dans l'obscurité, les divers box vides, le personnel éparpillé par le week-end. En un sens, tout en ayant besoin de m'épancher, j'espérais un peu que Jill – la nouvelle Jill – serait chez elle, en train de compulser des catalogues d'échantillons pour la chambre de son futur bébé.

Mais en approchant, j'ai entendu de la musique classique filtrer par la porte entrebâillée de son bureau.

J'ai frappé doucement et j'ai poussé le battant. Jill était là, dans son fauteuil préféré, les genoux remontés sur sa poitrine et un grand carnet posé par-dessus. De hautes piles de dossiers s'entassaient sur son bureau.

— Qu'est-ce que tu fais là ? lui ai-je demandé.

— Prise sur le fait, a-t-elle soupiré, mains levées, simulant la reddition. Juste cette sacrée affaire Perrone. Réquisitoire lundi matin.

Jill touchait au terme d'un procès très médiatisé, celui d'un propriétaire négligent, accusé d'homicide involontaire par suite de l'effondrement d'un plafond défectueux sur un enfant de huit ans.

— Tu es enceinte, Jill, et il est sept heures passées.

— C'est aussi le cas de Connie Sperling, l'avocate de la défense. On appelle déjà ça la Bataille des Bedons.

— Peu importe comment on l'appelle. Si c'est ça mettre la pédale douce, tu repasseras.

Jill a baissé le son du lecteur CD et étiré ses longues jambes.

— De toute façon, Steve n'est pas en ville. Qu'est-ce que ça change ? J'agirais pareil à la maison.

Elle a penché la tête et souri.

— Tu me surveilles ?

— Non, mais peut-être que quelqu'un devrait.

— Bon Dieu, Lindsay, je prépare mes notes, je ne cours pas un marathon. Je vais bien. De toute façon – elle a vérifié l'heure à sa montre – depuis quand es-tu devenue une chienne de garde modèle ?

— Je ne suis pas enceinte, moi, Jill. Mais très bien, très bien – j'arrête de te faire la leçon.

Je suis entrée dans la pièce. J'ai regardé la photo de la finale de foot féminin de l'université de Stanford, ses diplômes encadrés et des photos de Steve et d'elle en train de grimper ou de courir avec leur labrador noir, Snake Eyes.

— J'ai encore de la bière au frigo, si tu daignes te

poser, m'a-t-elle dit en balançant son carnet sur le bureau. Prends-moi une Buckler.

Ce que j'ai fait. Puis j'ai déplacé la veste de son tailleur noir Max Mara, l'ai jetée hâtivement sur les coussins, et me suis effondrée sur le cuir du canapé. On a levé nos bouteilles et de concert, on a lâché toutes les deux :

— Alors... comment avance ton affaire ?

— Toi, d'abord, a dit Jill en riant.

Je lui ai indiqué du pouce et de l'index que je n'avais que dalle ou quasiment. Je l'ai guidée à travers le labyrinthe de mes impasses : la fourgonnette, le dessin de la chimère, la photo de surveillance des Templiers, l'absence de résultats de l'équipe de police scientifique sur le lieu de l'embuscade Davidson.

Jill est venue me rejoindre sur le canapé.

— Tu veux qu'on en parle, Linds ? Comme tu me l'as dit, tu n'es pas montée ici pour t'assurer que je me conduisais bien.

J'ai souri d'un air coupable, puis j'ai posé ma bière sur la petite table.

— Il faut que j'oriente ailleurs mon enquête, Jill.

— D'accord, m'a-t-elle dit. Je t'écoute... ça restera entre nous.

Point par point, je lui ai exposé ma théorie, à savoir que l'assassin n'était pas un fou furieux, propagateur de haine raciste, mais un tueur déterminé et plein d'audace, menant une vendetta ciblée.

— Peut-être que tu vas trop loin, m'a objecté Jill. Tout ce que tu as, ce sont trois meurtres qui visent des Afro-Américains.

— Mais pourquoi ces victimes-là, Jill ? Une fillette de

onze ans? Un flic décoré? Estelle Chipman, dont le mari est mort depuis cinq ans?

— J'en sais rien, ma chérie. Je me contente de les épingler au mur au fur et à mesure que tu me les énumères.

J'ai souri. Puis je me suis penchée en avant.

— Jill, j'ai besoin de ton aide. Il faut que je trouve ce qui relie ces victimes. Je sais qu'un lien existe, quelque part. Il faut que j'étudie d'anciennes affaires où un plaignant de race blanche a été victimisé par un agent de race noire. C'est dans cette direction-là que mon flair me pousse. C'est là, je pense, que ces crimes pourraient puiser leur origine. Ils sont en rapport avec une vengeance.

— Et si la prochaine victime n'a jamais rien eu de commun avec un policier? Qu'est-ce que tu feras, alors?

Je l'ai regardée d'un air implorant.

— Tu m'aideras?

— Bien sûr que je vais t'aider, m'a-t-elle dit en secouant la tête avec évidence. Ouais... y a-t-il quelque chose, n'importe quoi, qui m'aiderait à circonscrire mes recherches?

J'ai opiné.

— C'est un homme, de race blanche, avec un ou plusieurs tatouages.

— Ça devrait aller, m'a-t-elle dit en levant les yeux au ciel.

Je lui ai pressé la main. Je savais que je pouvais compter sur elle. J'ai regardé ma montre. Sept heures et demie.

— Je ferais mieux de te laisser terminer pendant que
tu en es encore aux trois premiers mois.

— Ne t'en va pas, Lindsay, m'a dit Jill en me prenant le bras. Attends.

J'ai décelé soudain quelque chose : son regard perdu
dans le vague amoindrissait son air professionnel en
diable.

— Quelque chose ne va pas, Jill ? Le médecin t'a dit
quelque chose ?

Avec son gilet sans manches, ses cheveux bruns bou-
clés, elle était la loi incarnée, la parfaite image du
numéro deux des instances juridiques de la ville. Mais
elle tremblait légèrement.

— Non, je vais bien. En fait, je suis en pleine forme
sur le plan physique. Je devrais être heureuse, non ? Je
vais avoir un bébé. Je devrais ne pas toucher terre.

— Tu ressens ce que tu ressens, point barre, Jill.

Je lui ai pris la main. Elle a acquiescé, l'œil vitreux.
Puis a replié ses genoux contre sa poitrine.

— Quand j'étais petite, parfois je me réveillais en
pleine nuit. J'avais toujours cette légère terreur, ce sentiment que le monde entier dormait, que sur cette
énorme planète, j'étais la seule au monde à être réveillée. Parfois, mon père entrait dans ma chambre et tentait de me rendormir en me berçant. Il était en bas dans
son bureau, à préparer ses affaires, et il passait toujours
jeter un œil sur moi avant d'aller se coucher. Il m'appelait son second violon. Mais, malgré sa présence, je me
sentais tellement seule.

Elle a agité la tête vers moi, les yeux pleins de
larmes.

— Regarde-moi. Steve est parti pour deux jours et je me couvre de ridicule.

— Je ne te trouve pas ridicule du tout, lui ai-je affirmé, en caressant son beau visage.

— Je ne peux pas perdre ce bébé, Lindsay. Je sais que ça peut paraître idiot. Je porte la vie. Elle est là, toujours en moi, tout près de moi. Comment se fait-il que je me sente si seule ?

Je l'ai attrapée fermement par les épaules. Mon père n'avait jamais été là pour me rendormir en me berçant. Avant même qu'il nous quitte, il faisait partie de l'équipe de nuit et allait toujours chez McGoey prendre une bière, ensuite. Par moments, les battements de cœur que je sentais les plus proches de moi, c'étaient ceux des ordures que je devais pourchasser.

— Je sais ce que tu veux dire, me suis-je surprise à murmurer, sans lâcher Jill. Parfois, je ressens la même chose, moi aussi.

16

À l'angle d'Ocean et de Victoria, un homme en imper vert mâchonnait un *burrito*, en regardant la Lincoln noire avancer lentement le long du trottoir. Il avait guetté ici des dizaines de nuits, avait traqué sa nouvelle proie pendant des semaines.

L'individu qu'il épiait depuis si longtemps habitait une agréable maison en stuc à Ingleside Heights, un jet de pierre plus loin. C'était un père de famille dont les deux filles fréquentaient l'école catholique ; sa femme était infirmière diplômée. Il avait un labrador noir ; parfois, en entendant la voiture, le chien bondissait à l'extérieur pour lui faire la fête. Son nom, c'était Bullitt, comme le film des années soixante.

D'habitude, la Lincoln se pointait sur le coup de sept heures et demie. Deux, trois fois par semaine, l'homme ressortait faire une promenade. Toujours au même endroit, sur Victoria. Il aimait s'arrêter à l'épicerie coréenne, bavarder avec le propriétaire et acheter un melon ou un chou. Il jouait au potentat visitant son peuple.

Puis il lui arrivait de passer chez Tiny's News et d'en

ressortir avec une brassée de magazines : *Car and Driver, PC World, Sports Illustrated*. Une fois même, il avait fait la queue derrière lui avant de payer.

Il aurait déjà pu le buter. Plusieurs fois. D'une seule balle, un tir de toute beauté, effectué à distance.

Mais non, dans son cas, la chose devait avoir lieu de près. Les yeux dans les yeux. Ce meurtre ferait tout exploser au grand jour, dans toute la ville de San Francisco. Ça en ferait une affaire nationale et il y en avait peu d'aussi importantes.

Son cœur faisait des bonds dans sa poitrine tandis qu'il courbait le dos sous le crachin. Mais cette fois, la Lincoln noire se contenta de le dépasser.

Donc, ça ne sera pas pour ce soir. Il souffla. *Va retrouver ta petite femme et ton clebs... mais bientôt... Tu as la mémoire qui flanche,* songea-t-il, en remballant son *burrito* avant de le jeter à la poubelle. *Tu as oublié le passé.* Mais lui, il nous retrouve toujours.

Moi, le passé, je vis avec, tous les jours.

Il aperçut la Lincoln noire, vitres opaques, tourner comme d'habitude à gauche, s'engager dans Cerritos et disparaître dans Ingleside Heights.

Tu m'as volé ma vie. À mon tour, maintenant, de te prendre la tienne.

17

J'ai pris mon dimanche matin et emmené Martha se
balader au bord de la baie, puis j'ai fait du taï-chi à
Marina Green. À midi, en jean et sweat-shirt, j'étais de
retour à mon poste. Le lundi, l'enquête tendait au point
mort, sans nouvelles pistes de travail. On diffusait des
communiqués pour que la presse nous lâche les baskets. Chaque questionnement bloqué, chaque impasse
frustrante ne faisaient que nous rapprocher du moment
où Chimère frapperait à nouveau.

Je rapportais des dossiers à Jill quand la porte de
l'ascenseur s'est ouverte sur le DG Mercer. Il a paru
surpris de me voir, mais pas fâché.

— Venez faire un tour avec moi, m'a-t-il dit.

La voiture de Mercer l'attendait devant l'entrée latérale sur la Huitième Rue. Le policier au volant s'est
penché et Mercer lui a indiqué :

— À West Portal, Sam.

West Portal était un quartier de classe moyenne à
population mixte, loin du centre-ville. J'ignorais pourquoi Mercer tenait à me traîner là-bas en pleine journée.

Pendant le trajet, Mercer m'a posé quelques questions, mais il est resté silencieux la plupart du temps. J'ai été saisie d'un frisson : *Il va me retirer l'affaire.*

Le chauffeur s'est arrêté dans une rue résidentielle que je n'avais encore jamais vue. Il s'est garé devant une petite maison bleue victorienne en face du terrain de jeux d'un lycée. Un match de basket improvisé était en cours.

J'ai ouvert le feu la première.

— De quoi vouliez-vous me parler, chef?

Mercer s'est tourné vers moi.

— Avez-vous des modèles, Lindsay?

— Style Amelia Earhart ou Margaret Thatcher?

J'ai fait signe que non. Je n'avais jamais grandi avec ce genre de préoccupation en tête.

— Claire Washburn, à la rigueur, ai-je ajouté en souriant.

Mercer a approuvé.

— Arthur Ashe a toujours été l'un de mes héros préférés. À quelqu'un qui lui demandait si c'était dur de vivre avec le sida, il a répondu : « De très loin pas aussi dur que de vivre et de grandir en étant noir aux États-Unis. »

Son air s'est fait plus grave.

— Vernon Jones a déclaré au maire que j'ai perdu de vue le véritable enjeu de cette affaire.

Il m'a montré du doigt la maison bleue de l'autre côté de la rue.

— Vous voyez cette maison? C'est celle de mes parents. J'ai grandi ici. Mon père était mécanicien à la gare de triage et ma mère tenait la comptabilité d'un fournisseur d'électricité. Ils ont bossé toute leur vie pour que ma sœur et moi fassions des études. Elle est aujourd'hui juriste à Atlanta. Mais c'est de là qu'on vient.

— Mon père travaillait lui aussi pour la municipalité, ai-je fait en opinant.

— Je sais que je ne vous l'ai jamais dit, Lindsay, mais je connaissais votre père.

— Vous le connaissiez ?

— Oui, on a commencé ensemble, comme simples flics au commissariat central. On a même fait équipe ensemble quelquefois. Marty Boxer... votre père était une espèce de légende, Lindsay, et pas forcément pour son attitude exemplaire.

— Apprenez-moi quelque chose que j'ignore.

— Très bien... – il a marqué un temps – ... c'était un bon flic à l'époque. Un sacré bon flic. Beaucoup d'entre nous se calquaient sur lui.

— Avant qu'il ne prenne ses cliques et ses claques.

Mercer m'a regardée.

— Vous devez savoir, à l'heure qu'il est, qu'il se passe des choses dans la vie d'un flic qui peuvent le pousser à faire des choix que les autres n'ont pas la possibilité de comprendre facilement.

J'ai approuvé d'un signe de tête.

— Ça fait vingt-deux ans que je n'ai plus parlé avec lui.

Mercer a acquiescé.

— Je ne peux rien dire de lui en tant que père ni en tant que mari, mais y a-t-il une chance qu'en tant qu'homme, ou du moins en tant que flic, vous l'ayez jugé sans connaître tous les faits ?

— Il n'est jamais resté assez longtemps dans le paysage pour me communiquer tous les faits, ai-je dit.

— Excusez-moi, m'a fait Mercer. Je vous raconterai certaines choses sur Marty Boxer, mais une autre fois.

— Me raconter quoi? Quand?

Il s'est retranché derrière sa discrétion et a notifié au chauffeur qu'il était temps de rentrer au palais.

— Quand vous aurez trouvé Chimère.

18

Plus tard, ce même jour, alors que la circulation de la soirée ralentissait sa voiture de fonction aux abords de son domicile, le DG Mercer lança depuis l'arrière :

— Je crois que je vais descendre ici, Sam.

Son chauffeur, Sam Mendez, lui jeta un coup d'œil. Les consignes du palais étaient : pas de risques inutiles.

Mercer tint bon.

— Sam, il y a plus de flics en service par ici, dans un rayon de cinq blocs, que là-bas, au palais.

D'habitude, une ou deux voitures patrouillaient sur Ocean et une autre stationnait en face de chez lui.

La Lincoln s'arrêta en douceur. Mercer ouvrit la portière et en extirpa sa puissante carcasse.

— Passez me prendre demain, Sam. Bonne nuit.

Tandis que la voiture s'éloignait, Mercer, trimballant son épaisse serviette à la main, jeta de l'autre son imperméable mastic sur ses épaules. Il éprouva une bouffée de liberté et de soulagement. Ces petites excursions d'après boulot étaient les seuls moments où il se sentait libre.

Il fit halte chez Kim's Market où il prit une barquette

de fraises à l'aspect engageant et aussi certaines prunes de premier choix. Puis il traversa en flânant pour gagner la cave à vins d'Ingleside. Il se décida en faveur d'un beaujolais pour accompagner le ragoût d'agneau qu'Eunice lui préparait.

Dans la rue, il vérifia l'heure à sa montre et se dirigea vers son domicile. Sur Cerritos, deux colonnes de pierre séparaient Ocean de l'enclave protégée d'Ingleside Heights. Il laissa la circulation derrière lui.

Il dépassa la maison de plain-pied appartenant aux Taylor. Du bruit s'éleva d'une haie.

— Tiens, tiens, le Chef...?

Mercer s'immobilisa, son cœur battant déjà la chamade.

— Soyez pas timide. Ça fait des années que je vous ai pas vu, reprit la voix. Vous vous en souvenez pas, probable.

Et merde, qu'est-ce que ça voulait dire?

Un grand type baraqué sortit de derrière la haie. Engoncé dans un imper de couleur verte, il affichait un sourire goguenard.

Mercer eut un vague sentiment de déjà-vu, ce visage lui était familier sans qu'il parvienne pour autant à le situer. Puis brusquement, tout lui revint. Et soudain, tout prenait son sens, à lui en couper le souffle.

— C'est un tel honneur, fit l'homme. Pour *vous*.

Il avait une arme puissante, argentée, qu'il braquait sur la poitrine de Mercer. Ce dernier savait qu'il devait agir. Le percuter. Sortir son propre flingue d'une façon ou d'une autre. Il lui fallait se comporter en flic de terrain à nouveau.

— Je voulais que vous voyiez mon visage. Je voulais que vous sachiez pourquoi vous êtes un homme mort.

— Ne faites pas ça. Ça grouille de flics dans le quartier.

— Bien. C'est encore mieux pour moi. Ayez pas peur, Chef. Là où vous allez, vous rencontrerez plein de vos vieux amis.

La première balle le frappa à la poitrine, brûlant ses vêtements et lui coupant les jambes. La première idée qui vint à Mercer fut de crier. Était-ce Parks ou Vasquez qui stationnait devant chez lui ? À quelques précieux mètres de là. Mais sa voix se perdit, inaudible. *Seigneur Jésus, sauvez-moi, je vous en prie.*

La seconde balle lui déchira la gorge. Il ne savait plus s'il était debout ou couché. Il voulait charger l'assassin. Il voulait faire tomber ce salopard. Mais il sentait ses jambes... paralysées, inertes.

Le tireur se tenait au-dessus de lui maintenant. Cette ordure lui parlait toujours, mais il ne comprenait plus un traître mot de ce qu'il disait. Le visage du type passait du flou au net sans cesse. Un nom lui traversa l'esprit. Ça paraissait impossible. Il le prononça deux fois rien que pour en être sûr. Sa respiration lui pilonnait les oreilles.

— C'est bien ça, lui confirma l'assassin, en abaissant son arme. Vous avez résolu l'affaire. Vous avez deviné qui est Chimère. Félicitations.

Mercer songea qu'il devrait fermer les yeux – quand l'éclair orange suivant lui explosa en pleine figure.

19

Je n'oublierai jamais ce que je faisais quand j'ai appris la nouvelle. J'étais chez moi, une casserole de *farfalle* sur la gazinière. La stéréo diffusait « Adia » de Sarah McLachlan.

Claire était en route. Je l'avais appâtée pour venir dîner avec mes célèbres pâtes aux asperges, sauce citron. Pas vraiment appâtée... *suppliée.* J'avais envie de parler d'autre chose que de l'affaire. De ses gosses, de yoga, de la course au Sénat de Californie, pourquoi les Warriors craignaient tant. De n'importe quoi...

Je n'oublierai jamais... Martha jouait avec un ours mascotte sans tête des Giants de San Francisco qu'elle s'était approprié. Je hachais menu du basilic en surveillant les pâtes d'un œil. Tasha Catchings et Art Davidson m'étaient sortis de la tête. Dieu merci.

Le téléphone a sonné. Une pensée égoïste m'a transpercée, j'ai espéré que Claire n'annulait pas notre rendez-vous au dernier moment.

J'ai logé le récepteur au creux de mon cou et j'ai répondu :

— Ouais...

C'était Sam Ryan, l'inspecteur principal du service. Ryan était mon supérieur hiérarchique. En reconnaissant sa voix, j'ai su qu'il devait s'agir d'une très mauvaise nouvelle.

— Lindsay, quelque chose de terrible vient d'arriver.

Mon corps s'est engourdi. Comme si on m'avait plongé une main dans la poitrine et qu'on m'avait serré le cœur d'une poigne indifférente. J'ai écouté ce que Ryan avait à me dire. *Trois coups tirés à bout portant... à quelques mètres de son domicile. Ah, mon Dieu... Mercer...*

— Où est-il, Sam?

— À Moffitt. Aux urgences, en salle d'opération. Il lutte contre la mort.

— J'arrive. Je pars immédiatement.

— Lindsay, ça ne sert à rien que vous veniez ici. Rendez-vous sur place.

— Chin et Lorraine s'en chargeront. J'arrive.

On sonna à la porte. Comme en transe, je me suis précipitée pour ouvrir.

— Salut, m'a fait Claire.

Je n'ai pas dit un seul mot. En un clin d'œil, elle a noté ma pâleur.

— Qu'est-ce qui s'est passé?

J'avais les larmes aux yeux.

— Claire... il vient d'abattre le DG Mercer.

20

On a dévalé les escaliers, on est monté dans la Path-finder de Claire et on a foncé de Potrero jusqu'au California Medical Center, tout là-haut à Parnassus Heights. Pendant tout le trajet, mon cœur a cogné follement, gardant espoir. Les rues défilaient, floues – la Vingt-Quatrième, Guerrero, puis traversée de Castro, pour enfiler la Dix-Septième jusqu'à l'hôpital au sommet du mont Sutro.

Dix minutes à peine après le coup de fil de Ryan, Claire manœuvrait la Pathfinder dans un espace réservé du parking, face à l'entrée de l'hôpital.

Claire a décliné son identité à une infirmière à l'accueil, en lui demandant un rapport réactualisé. L'air inquiet, elle s'est engouffrée dans les portes battantes. J'ai couru droit sur Sam Ryan.

— D'autres nouvelles ?

Il a secoué la tête.

— Il est encore sur le billard à l'heure actuelle. Si quelqu'un peut se prendre trois balles et s'en tirer, c'est bien lui.

J'ai ouvert mon portable d'une pichenette et joint Lorraine Stafford sur le lieu du crime.

— Ici, c'est la folie, m'a-t-elle dit. Il y a des membres de l'IGS et d'une pseudo-cellule de crise de la municipalité. Plus la presse. J'ai pas encore pu entrer en contact avec le flic qui a été le premier sur place et nous a prévenus par radio.

— Ne laisse personne d'autre que toi ou Chin approcher de l'endroit, lui ai-je ordonné. J'irai là-bas le plus tôt possible.

Claire est revenue de la salle des urgences, les traits tirés.

— On est en train de l'opérer, Lindsay. Ça se présente mal. Le cortex cérébral est perforé. Il a perdu beaucoup de sang. C'est miraculeux qu'il ait tenu aussi longtemps.

— Claire, il faut que j'entre pour le voir.

Elle a refusé d'un signe de tête.

— Il respire à peine, Lindsay. En plus, il est sous anesthésie.

Le sentiment que je devais bien ça à Mercer montait en moi, chaque mort non résolue. Qu'il savait, et que s'il mourait, la vérité mourrait avec lui.

— J'entre.

J'ai poussé les portes, mais Claire m'a retenue. En la regardant dans les yeux, le dernier filament d'espoir s'est atrophié en moi. J'avais toujours lutté avec Mercer, bataillé avec lui. C'était quelqu'un à qui j'avais l'impression d'avoir toujours quelque chose à prouver, encore et encore. Mais au final, il avait cru en moi. De la plus étrange façon, j'avais la sensation de perdre à nouveau un père.

À peine un instant plus tard, un médecin en blouse verte est sorti de la salle en retirant ses gants de latex. Il a dit quelques mots à l'un des hommes du maire, puis à Anthony Tracchio, le chef en second.

— Le chef est mort, a articulé ce dernier.

Tout le monde a regardé devant soi, l'œil dans le vide. Claire m'a passé un bras autour des épaules et m'a serrée contre elle.

— Je sais pas si je peux le faire, ai-je dit, en me raccrochant fort à son épaule.

— Si, tu peux, m'a-t-elle dit.

J'ai rattrapé le médecin au moment où il se redirigeait vers la salle d'opération. Je me suis présentée.

— A-t-il dit quelque chose quand on l'a amené ?

Le médecin a haussé les épaules.

— Il a résisté un petit moment, mais tout ce qu'il a dit était incohérent. Rien qu'un réflexe. On l'a mis sous assistance respiratoire dès son arrivée.

— Mais son cerveau fonctionnait encore, n'est-ce pas, docteur ?

Il avait fait face à son assassin, essuyé trois coups de feu. Je voyais bien Mercer tenir suffisamment longtemps pour dire quelque chose.

— Vous ne vous souvenez de rien, *n'importe quoi* ?

Ses yeux las trahissaient qu'il fouillait dans sa mémoire.

— Je regrette, lieutenant. On essayait de lui sauver la vie. Tentez votre chance auprès des infirmiers du Samu qui l'ont amené.

Il est rentré. À travers le hublot, j'ai aperçu Eunice Mercer et l'une de ses filles, en larmes, serrées l'une contre l'autre dans le couloir.

Je me sentais déchirée à l'intérieur. La nausée n'allait pas tarder.

Je me suis précipitée dans les toilettes. Penchée sur le lavabo, je me suis éclaboussé le visage d'eau froide.

— Nom de Dieu! Nom de Dieu!

Une fois mon corps apaisé, je me suis regardée dans la glace. J'avais l'œil vide, cerné de violet; des voix résonnaient bruyamment dans ma tête.

Quatre meurtres, tonnaient-elles. *Quatre flics noirs.*

Lorraine Stafford m'a escortée à partir du portail de pierre sur Cerritos.

— Le chef rentrait chez lui, m'a-t-elle dit en se mordant la lèvre. Il habitait quelques maisons plus loin. Pas de témoin, mais son chauffeur est là-bas.

J'ai gagné l'endroit où l'on avait retrouvé le corps de Mercer. L'équipe de Charlie Clapper passait déjà la zone au peigne fin. C'était une rue résidentielle, tranquille, le trottoir protégé par une haute haie qui aurait empêché quiconque d'apercevoir le tueur.

On avait déjà délimité l'endroit à la craie. Du sang tachait l'intérieur de la silhouette dessinée. Témoins de ses derniers instants, des sacs plastique contenant des magazines, des fruits et une bouteille de vin étaient éparpillés tout autour.

— Il n'y avait pas de voiture en stationnement devant son domicile ? ai-je demandé.

Lorraine a opiné en direction d'un jeune agent en uniforme, appuyé au capot d'un véhicule bleu et blanc.

— Le temps qu'il arrive, le coupable s'était enfui et le chef perdait tout son sang.

Il devenait évident que le tueur avait été à l'affût. Il avait dû se dissimuler dans les buissons en attendant l'arrivée de Mercer. Il devait être au courant. Comme il avait dû l'être pour Davidson.

Un peu plus loin sur Ocean, j'ai aperçu Jacobi et Cappy se diriger vers nous. En les voyant, j'ai poussé un soupir de soulagement.

— Merci d'être venus, leur ai-je murmuré.

Jacobi a fait alors quelque chose de complètement atypique. Il m'a attrapé l'épaule en me fixant au fond des yeux.

— Ce truc est en train de prendre une sacrée ampleur, Lindsay. Les fédés vont entrer dans la danse. Tout ce qu'on pourra faire, tout ce dont tu auras besoin, chaque fois que tu éprouveras le besoin d'en parler, tu sais qu'on sera là. Moi, en particulier.

Je me suis tournée vers Chin et Lorraine.

— Vous avez terminé tout ce que vous aviez à faire dans le coin?

— J'ai envie de vérifier l'itinéraire par lequel il s'est enfui, m'a dit Chin. S'il était en voiture, s'il l'a garée quelque part, quelqu'un a dû l'apercevoir. Dans le cas contraire, peut-être qu'on l'a vu resurgir sur Ocean.

— Sacré chef, a soupiré Jacobi. J'ai toujours cru que le bonhomme tiendrait une conférence de presse le jour de son enterrement.

— On classe toujours ça dans la catégorie crime raciste, lieutenant? m'a demandé Cappy en reniflant.

— Vous, je ne sais pas, leur ai-je dit, mais ce salopard me rendrait plutôt raciste envers les racistes.

Jacobi avait raison sur un point. Le lendemain matin, tout avait changé. Tous les organes d'information du pays, massés sur les marches, à l'extérieur du palais de justice, disposaient leurs équipes caméras, faisaient des pieds et des mains pour obtenir des interviews, alimentaient l'agitation fébrile générale. Anthony Tracchio a été nommé DG par intérim. Il avait été le bras droit du DG, mais n'était jamais sorti du rang. Dans l'affaire Chimère, je m'en référais maintenant à lui.

— Pas de fuites, m'a-t-il enjoint avec brusquerie. Aucun contact avec la presse. Toutes les interviews passent par moi.

Un détachement spécial mixte fut mis sur pied pour s'occuper de l'assassinat de Mercer. Mais c'est seulement à mon arrivée à l'étage que j'ai compris ce que recouvrait le qualificatif « mixte », de façon plus précise.

En regagnant mon bureau, j'ai trouvé deux agents du FBI en costume mastic qui faisaient antichambre. Un Black raffiné, style classe prépa, du nom de Ruddy, chemise Oxford et cravate jaune, semblait le responsable; il était flanqué de l'agent de terrain dur à cuire typique, du nom de Hull.

Ruddy m'a dit d'entrée combien il lui était agréable de travailler avec l'inspecteur qui avait résolu l'affaire des jeunes mariés. Puis il m'a réclamé les dossiers concernant Chimère. Tous sans exception. Tasha, Davidson. Tout ce qu'on avait sur Mercer.

Dix secondes après leur départ, j'étais au téléphone avec mon nouveau patron.

— Je crois savoir ce que vous entendiez par « mixte », lui ai-je balancé.

— Les crimes visant des fonctionnaires sont un délit fédéral, lieutenant. Je n'y peux pas grand-chose, m'a rétorqué Tracchio.

— D'après Mercer, il s'agissait d'un délit municipal, chef. D'après lui, c'était au personnel de la municipalité qu'il appartenait de mener la chose à bonne fin.

Tracchio m'a déprimée aussi sec.

— Je regrette, lieutenant, ce n'est plus le cas.

23

Plus tard dans l'après-midi, je me suis rendue en voiture à Ingleside Heights pour parler à l'épouse du DG Mercer. Je sentais qu'il fallait que je le fasse moi-même. Une file de voitures s'étirait déjà le long de la rue aux abords de la maison. Une parente m'a ouvert la porte et m'a dit que Mme Mercer était à l'étage avec sa famille.

J'ai attendu, reconnaissant certains de ceux réunis au salon. Au bout de quelques minutes, Eunice Mercer a descendu l'escalier. Une femme d'âge moyen, à l'air avenant, l'accompagnait. Il s'avéra que c'était sa sœur. En m'apercevant, Eunice s'est dirigée vers moi.

— Je regrette tellement, je n'arrive pas à y croire, lui ai-je dit en lui pressant la main avant de la serrer contre moi.

— Oui, a-t-elle murmuré. Je sais que vous êtes passée par là, vous aussi.

— Je vous promets... je sais combien tout cela est dur. Mais je dois vous poser quelques questions, lui ai-je expliqué.

Elle a acquiescé et sa sœur s'est éloignée parmi les

invités. Eunice Mercer m'a emmenée dans un bureau discret.

Je lui ai posé de nombreuses questions identiques à celles que j'avais soumises aux parents des autres victimes. Quelqu'un avait-il menacé récemment son mari ? Y avait-il eu des appels à son domicile ? Avait-on aperçu dernièrement quelqu'un de suspect épiant la maison ?

Elle a répondu par la négative.

— Earl disait que c'était le seul endroit où il avait vraiment l'impression de vivre dans cette ville et non pas d'en diriger les forces de police.

J'ai changé mon fusil d'épaule.

— Étiez-vous déjà tombée sur le nom d'Art Davidson avant cette semaine ?

Le visage d'Eunice Mercer est devenu inexpressif.

— Vous pensez qu'Earl a été tué par le même individu que celui qui a fait ces choses affreuses ?

Je lui ai pris la main.

— Je crois que c'est le même homme qui a commis tous ces meurtres.

Elle s'est massé le front.

— Lindsay, en ce moment, plus rien n'a de sens pour moi. L'assassinat d'Earl. Ce livre...

— Un livre... ? lui ai-je demandé.

— Oui. Earl lisait des magazines automobiles. Il avait un rêve, au moment de sa retraite... cette vieille GTO qu'il gardait dans le garage d'un cousin. Il disait toujours qu'il la démonterait entièrement puis qu'il la reconstruirait à partir de zéro. Mais ce livre qu'il avait fourré dans sa veste...

— Quel livre ? ai-je répété en battant des paupières.

— Un jeune médecin de l'hôpital me l'a retourné, avec son portefeuille et ses clés. Je ne savais pas qu'il s'intéressait à ce genre de choses. À ces mythes de l'Antiquité...

Mon pouls a soudain battu plus fort.

— Vous pouvez me montrer ce dont vous parlez ?

— Bien sûr, m'a dit Eunice Mercer. Il est là-bas.

Elle a quitté la pièce pour y revenir un instant plus tard. Elle m'a tendu un exemplaire en poche d'un ouvrage que lit chaque écolier. *La Mythologie* d'Edith Hamilton.

Le bouquin était vieux et écorné, comme si on l'avait consulté maintes et maintes fois. J'en ai feuilleté les pages sans rien remarquer.

J'ai vérifié la table des matières. Alors j'ai vu. Page 141, au beau milieu. C'était souligné. *Bellérophon tue la Chimère.*

Bellérophon... Billy Reffon.

Mon cœur s'est serré. C'était ce nom-là qu'il avait donné pendant l'appel au 911 avant le meurtre d'Art Davidson. Il avait dit s'appeler Billy Reffon.

J'ai ouvert le livre à la page 141. C'était bien là. Avec une illustration. La tête de lion. Le corps de chèvre. La queue de serpent.

La Chimère.

Ce salaud nous apprenait qu'il avait tué le DG Mercer.

Un frisson m'a parcourue. Il y avait autre chose sur la page. Quelques mots manuscrits gribouillés nerveusement à l'encre au-dessus de l'illustration :

D'autres suivront... justice sera faite.

24

En quittant le domicile de Mercer, j'ai roulé, saisie de sueurs froides, pleine de terreur devant ce que je savais être la vérité.

Mon flair ne m'avait pas trompée. Il ne s'agissait pas d'un tueur fou raciste, frappant au hasard, mais bien d'un assassin froidement calculateur. Il nous défiait, comme il l'avait fait avec la fourgonnette blanche. Et avec cet appel enregistré, signé Billy Reffon.

J'ai fini par me dire *et puis merde*. J'ai appelé les filles. Je ne pouvais plus résister. C'étaient trois des esprits les mieux affûtés de la ville. Et cette ordure venait de me prévenir de l'imminence de nouveaux meurtres. On a organisé une réunion Chez Susie.

— J'ai besoin de votre aide, leur ai-je dit d'emblée, en les dévisageant l'une après l'autre dans notre box habituel, au restaurant.

— C'est la raison de notre présence ici, m'a répondu Claire. Tu nous appelles, on accourt.

— Enfin, a pouffé Cindy. Elle reconnaît qu'elle ne peut rien sans nous.

This Kiss par Faith Hill noyait un match de basket à

la télé, mais dans le box, nous formions à nous quatre un monde à part, bien résolues à agir. Mon Dieu, que c'était bon de se retrouver à nouveau.

— Tout va de travers depuis le décès de Mercer. Le FBI est entré dans la danse. Je ne sais même plus qui contrôle quoi. Tout ce que je sais, c'est que plus on attend, plus il va y avoir de nouvelles victimes.

— Cette fois, il faut qu'on suive certaines règles, a fait Jill, sirotant sa bière sans alcool. Ce n'est pas un jeu. Dans la dernière affaire, j'ai violé toutes celles que j'avais fait serment de respecter. J'ai fait de la rétention de preuves, utilisé le bureau du procureur pour mon usage personnel. Si quoi que ce soit avait filtré, je m'occuperais de mes dossiers au neuvième, en ce moment.

On a éclaté de rire. Le neuvième étage du palais était celui des cellules de détention provisoire.

— D'accord, lui ai-je concédé, car j'étais dans le même cas de figure. Tout ce qu'on découvrira, on en fera profiter le détachement spécial.

— Ne nous emballons pas, a fait Cindy avec un rire espiègle. On est là pour t'aider, pas pour propulser la carrière de bureaucrates coincés.

— La Brigade de la Margarita, le retour, a plaisanté Jill. Bon Dieu, comme je suis ravie qu'on reparte pour un tour.

— Fallait jamais en douter, a ajouté Claire.

J'ai regardé les filles à tour de rôle. Le Women Murder Club. L'appréhension me hérissait le poil. Quatre personnes étaient mortes, y compris la plus haute instance policière de la ville. L'assassin avait prouvé qu'il pouvait frapper là où il le voulait et qui il voulait.

— Chaque meurtre gagne en envergure et en audace, leur ai-je dit, en leur apprenant les dernières nouvelles, le livre fourré dans la veste de Mercer inclus. Il n'a plus besoin de recourir au subterfuge d'un mode opératoire raciste. D'accord, c'est raciste. Mais je ne sais simplement pas pourquoi.

Claire nous a mises au fait de l'autopsie du chef, qu'elle avait terminée l'après-midi même. On l'avait touché à bout portant à trois reprises avec un calibre .38.

— J'ai l'impression qu'on a tiré ces trois coups de feu à des intervalles calculés. Je peux l'affirmer à la façon dont ses blessures ont saigné. La dernière est à la tête. Mercer était déjà à terre. Ce qui me fait penser qu'ils ont pu se confronter. Que le meurtrier a essayé de le tuer lentement. Ou même qu'ils ont parlé. Je me sens portée à croire que Mercer ait connu son assassin, selon toute vraisemblance.

— Tu as étudié la possibilité que tous ces flics aient eu quelque chose en commun ? est intervenue Jill. Oui, évidemment, tu ne t'appellerais pas Lindsay Boxer, sinon.

— Si, je l'ai. Selon toute vraisemblance, ils ne se sont jamais rencontrés. Et il semblerait que leurs carrières ne se soient pas croisées. L'oncle de Tasha Catchings avait vingt ans de moins que les autres. On n'a rien trouvé qui les rapproche.

— Quelqu'un qui déteste les flics. Bof, c'est le cas de beaucoup de gens, a observé Cindy.

— Je ne trouve pas de lien. Ça a démarré sous la forme de crimes racistes. Le tueur a voulu qu'on envisage les meurtres sous un certain angle. Il a voulu

qu'on trouve ses indices. Et il a voulu qu'on découvre
la chimère. Son symbole de cinglé.

— Mais s'il s'agit d'une vendetta personnelle, a
repris Jill, ça n'a pas de sens de nous ramener à un
groupuscule organisé.

— À moins qu'il n'ait voulu piéger quelqu'un, ai-je
dit.

— Ou à moins, a renchéri Cindy, que la chimère ne
ramène pas du tout à un groupuscule raciste. Peut-être
que ce livre est le moyen pour lui de nous dire autre
chose.

Je l'ai dévisagée. Les autres aussi.

— On est tout ouïe, Einstein.

Elle a cillé faiblement, puis secoué la tête.

— Je pensais à haute voix, c'est tout.

Jill a annoncé qu'elle allait fouiller pour déterrer
toute affaire de doléance contre un policier noir qui
aurait lésé ou blessé un Blanc. Le moindre acte de vengeance qui pourrait éclairer la mentalité de l'assassin.
Cindy ferait la même chose au *Chronicle*.

La journée avait été longue, j'étais épuisée. J'avais
une réunion avec le détachement spécial à sept heures
et demie, le lendemain matin. J'ai regardé chacune de
mes amies au fond des yeux.

— Merci, merci.

— On va résoudre ce truc avec toi, a affirmé Jill. On
va choper Chimère.

— Un must, a ajouté Claire. On a besoin que tu
continues à régler la note du bar.

Quelques instants encore, on a parlé de ce qu'on
allait faire le lendemain, toutes tant qu'on était, et de la
date de notre prochaine réunion. On allait bosser dur,

maintenant. Jill et Claire avaient leurs voitures garées au parking. J'ai demandé à Cindy qui habitait le quartier de Castro, près de chez moi, si elle voulait que je la dépose.

— En fait, m'a-t-elle répondu en souriant, j'ai rendez-vous.

— Bravo, bonne nouvelle. Et quelle est ta prochaine victime? s'est exclamée Claire. Quand est-ce qu'on le voit?

— Si vous, femmes matures et évoluées soi-disant, avez envie de le mater comme une bande d'écolières, je n'ai qu'un mot à vous dire : *maintenant*. Il va passer me prendre.

— Moi, je suis toujours partante pour mater, a dit Claire.

J'ai étouffé un rire.

— Tu pourrais bien sortir avec Mel Gibson *et* Russell Crowe, ça ne me ferait pas chavirer le cœur ce soir.

Comme on franchissait la porte, Cindy m'a tirée par le bras.

— Accroche-toi aux rames, matelot.

On l'a toutes vu en même temps. On l'a toutes maté et j'ai bel et bien eu le cœur chaviré.

Aaron Winslow patientait à l'extérieur, sexy et beau à la fois, vêtu de noir de pied en cap.

25

J'avais du mal à y croire. Je suis restée bouche bée, j'ai piqué un fard. J'ai regardé Cindy, puis Winslow à nouveau, ma surprise cédant lentement la place à un sourire.

— Bonsoir, lieutenant, m'a saluée Winslow, coupant court à l'embarras. Quand Cindy m'a dit qu'elle rencontrait des amies, je ne m'attendais pas à vous trouver ici.

— Ma foi, moi non plus, ai-je bafouillé en réponse.

— On va au *Blue Door*, a lancé Cindy à la cantonade, en faisant les présentations. Pinetop Perkins est en ville.

— Super, a dit Claire.

— Une vraie béatitude, a ajouté Jill.

— L'une d'entre vous veut-elle se joindre à nous ? a proposé Aaron Winslow. Si vous n'en avez jamais entendu, rien ne ressemble au blues de Memphis.

— Je dois être au bureau demain à six heures, a fait Claire. Allez-y, vous deux.

Je me suis penchée vers Cindy et lui ai chuchoté :

— Tu sais, quand on parlait gourbi, l'autre jour, je plaisantais.

— Je sais que tu plaisantais, m'a répondu Cindy, nouant son bras au mien. Mais pas moi.

Claire, Jill et moi sommes restées babas en les voyant disparaître tous deux au coin de la rue. À vrai dire, ils formaient un couple plutôt bien assorti et, après tout, leur rendez-vous n'était que musical.

— Bon, a fait Jill, dites-moi que je n'ai pas rêvé.

— Tu n'as pas rêvé, petite, a embrayé Claire. J'espère simplement que Cindy sait où elle met les pieds.

— Non, non, ai-je fait. J'espère que lui le sait.

Tout en prenant le volant, j'ai joué avec l'idée du couple Cindy et Aaron Winslow. Ça m'a presque ôté de la tête ce qui avait provoqué notre réunion.

J'ai engagé mon Explorer dans Brannan en faisant au revoir à Claire, qui se dirigeait vers la 280. En tournant, j'ai vaguement aperçu une Toyota blanche démarrer derrière moi, un peu plus loin.

J'avais l'esprit absorbé par ce que je venais de faire : impliquer les filles dans cette terrible affaire, en contrevenant à un ordre exprès du maire *et* de mon supérieur hiérarchique. Cette fois, personne ne me soutiendrait. Ni Roth ni Mercer.

Une Mazda, deux adolescentes à son bord, pila derrière moi. On venait de stopper à un feu sur la Septième. La conductrice parlait comme une mitraillette dans son portable, sa passagère, elle, chantait manifestement en chœur avec la stéréo.

Au redémarrage, je les ai tenues à l'œil sur une

longueur de bloc, jusqu'à ce qu'elles tournent dans la Neuvième. Un minibus bleu a remplacé la Mazda.

J'ai pénétré dans Potrero en passant sous le passage inférieur pour la 101, en direction du sud. Le minibus bleu a tourné.

À ma grande surprise, j'ai encore aperçu la Toyota blanche qui traînaillait à une trentaine de mètres derrière moi.

J'ai poursuivi ma route. Une BMW argent, accélérant dans la voie de gauche, est venue me coller au parechocs. Derrière elle, un bus municipal. La voituremystère semblait avoir disparu.

Qui pourrait te reprocher d'être un petit peu nerveuse, étant donné la situation? me suis-je dit. Ma photo avait paru dans les journaux et été diffusée aux infos télévisées.

J'ai pris à droite comme d'habitude par Connecticut et entamé l'ascension de la colline de Potrero. J'espérais que Mme Taylor, ma plus proche voisine, était allée promener Martha. Je songeais à m'arrêter au supermarché de la Vingtième pour un cornet à la vanille d'Eddy.

Deux blocs plus haut, j'ai jeté un dernier coup d'œil dans le rétro. La Toyota blanche s'y est encadrée.

Soit cet enfoiré habitait mon quartier, soit ce salopard me filait.

Ça devait être Chimère.

26

Mon cœur battait à tout rompre, les poils follets de ma nuque se hérissaient. J'ai fixé intensément le rétroviseur pour me remémorer le numéro de la plaque minéralogique : Californie... PCV 182. Je n'arrivais pas à distinguer le conducteur. *C'était de la folie...* Mais j'étais certaine de ne pas fantasmer.

Il y avait une place libre devant chez moi et je m'y suis garée. J'ai attendu dans l'habitacle, puis j'ai aperçu le capot de la Toyota se profiler en haut de la Vingtième avant de marquer un temps d'arrêt au pied de la dernière côte. Tout mon sang s'est figé.

J'avais laissé ce salaud me filer jusqu'à mon domicile.

J'ai passé la main dans la boîte à gants et j'en ai sorti mon Glock. J'ai vérifié le chargeur. *Reste calme. Tu vas le choper, ce connard. Tu vas poisser Chimère incessamment sous peu.*

Je me suis tassée dans la voiture, passant en revue mes options. Je pouvais lancer un appel. Une voiture de patrouille serait là en quelques minutes. Mais il fallait que je découvre de qui il s'agissait. L'apparition d'un véhicule de police le ferait s'enfuir.

Mon cœur battait follement. Mon arme en main, j'ai ouvert la portière. Je me suis faufilée dans la nuit. *Et maintenant, quoi?*

Au rez-de-chaussée de mon immeuble, il y avait une porte de service qui donnait sur une ruelle. À partir de là, je pouvais contourner le pâté de maisons près du parc au sommet de la colline. Si ce salopard restait à l'extérieur, je pouvais peut-être le surprendre en revenant sur mes pas.

J'ai hésité sur le seuil, juste assez longtemps pour voir la Toyota grimper lentement la rue. Mes mains ont cherché la clé à tâtons dans mon sac. Je l'ai enfoncée dans la serrure.

J'étais à l'intérieur. Par un fenestron, j'ai surveillé la Toyota. J'ai tenté de distinguer son conducteur mais l'habitacle n'était pas éclairé.

J'ai déverrouillé la porte de service et me suis engagée dans la ruelle derrière mon immeuble.

J'ai couru à l'abri des maisons jusqu'au cul-de-sac en haut de la colline. Une fois là, j'ai rebroussé chemin, restant dans l'ombre, rasant les bâtiments du côté opposé de la rue.

Derrière lui...

La Toyota stationnait en face de chez moi, tous feux éteints.

Le conducteur fumait une cigarette au volant.

Je me suis accroupie derrière une Honda Accord, agrippant mon arme. *Te voilà au pied du mur, Lindsay...*

Pouvais-je alpaguer Chimère dans sa voiture? Et s'il avait verrouillé les portières?

Soudain, j'ai vu la portière de la Toyota s'ouvrir,

allumant brièvement le plafonnier. Cette ordure est descendue de voiture en me tournant le dos.

Il portait une veste sombre imperméable, une casquette rabattue sur les yeux. Il a levé la tête vers mon immeuble. *Vers mon appartement.*

Puis il a traversé la rue. D'un pas tranquille.

Chope-le. Maintenant. Ce salopard venait me chercher. Il m'avait menacée par le biais du livre de Mercer. J'ai quitté le couvert de l'alignement des voitures en stationnement.

Mon cœur battait si fort et si vite que j'ai craint qu'il ne se retourne brusquement. *Maintenant. Vas-y. Tu le tiens !*

Je me suis avancée, serrant le Glock d'une main ferme. Je lui ai entouré le cou de l'autre bras et j'ai tiré d'un coup sec, tout en le déséquilibrant d'un croc-en-jambe.

Il s'est effondré sur le sol, qu'il a heurté violemment du visage. Je l'y ai maintenu de force. Et lui ai enfoncé le canon de mon arme dans la nuque.

— Police, connard ! Écarte les bras.

Il a poussé un gémissement de douleur et m'a obéi. S'agissait-il bien de Chimère ?

— Tu me cherchais, espèce de salaud, eh bien tu m'as trouvée. Et maintenant, retourne-toi.

J'ai relâché la pression de mon genou juste assez pour qu'il effectue la manœuvre. En le voyant faire, mon cœur a manqué cesser de battre.

Mon regard plongeait dans celui de mon père.

27

Marty Boxer a roulé sur le dos en geignant, le souffle coupé. Il conservait encore des vestiges de la beauté fruste dont j'avais le souvenir, mais d'une façon différente – il était plus vieux, plus frêle, usé. Sa chevelure s'était clairsemée et son œil bleu autrefois si vivant semblait éteint.

Je ne l'avais pas revu depuis dix ans. Et ne lui avais plus parlé depuis vingt-deux.

— Qu'est-ce que tu fiches ici? ai-je voulu savoir.

— Pour l'instant, a-t-il hoqueté, en basculant sur le flanc, je me fais tabasser par ma propre fille.

J'ai senti quelque chose de dur dépasser de la poche de sa veste. J'en ai retiré un vieux Smith & Wesson de service, calibre .40.

— C'est quoi ce joujou? Ta façon de dire bonjour?

— On vit dans un monde dangereux, m'a-t-il fait avec un nouveau gémissement.

Je l'ai lâché. Il m'offensait la vue, faisant ressurgir dans une illumination soudaine de vieux souvenirs, refoulés depuis des années. Je ne lui ai pas proposé de l'aider à se relever.

— Qu'est-ce que tu avais à me suivre ?

Lentement, il s'est mis en position assise.

— On va dire que tu ignorais que ton vieux père venait te faire une petite visite, Bouton d'Or.

— S'il te plaît, ne m'appelle pas comme ça, lui ai-je balancé.

Bouton d'Or, c'était le surnom qu'il me donnait quand j'avais sept ans et qu'il était encore avec nous à la maison. Celui de Cat, ma sœur, était Libellule. Réentendre ce petit nom me ramena une bouffée de mauvais souvenirs.

— Tu crois que tu peux rappliquer comme ça après toutes ces années, me fiche une frousse bleue et t'en tirer les doigts dans le nez en m'appelant Bouton d'Or ? Je ne suis plus ta petite fille. Je suis lieutenant de la brigade criminelle.

— Je sais ça. Et tu viens de faire très fort, mon bébé.

— Dis-toi que t'as eu du bol, lui ai-je balancé en remettant le cran de sûreté de mon Glock en place.

— À qui t'attendais-tu, bon Dieu ? m'a-t-il dit en se frottant les côtes.

— Pas d'importance. Ce qui compte, c'est la raison de ta présence ici.

Il a reniflé, l'air coupable.

— Décidément, je commence à piger, Bouton d'Or, que t'es pas vraiment enchantée de me revoir.

— J'en sais rien. Tu es malade ?

Ses yeux bleus ont étincelé.

— Un père peut pas venir voir son aînée sans qu'on lui demande pourquoi ?

J'ai examiné les rides de son visage.

— Je t'ai pas revu depuis dix ans et tu agis comme si ça remontait à la semaine dernière. Tu veux que je te mette au courant? Je me suis mariée, j'ai divorcé. Je suis entrée à la crime. Aujourd'hui, je suis lieutenant. Je sais que c'est extrêmement résumé, mais te voilà au courant, papa.

— Tu crois qu'il s'est passé trop de temps pour que tu ne me considères plus comme un père?

— Je sais pas comment tu me considères, ai-je répondu.

Son regard s'est soudain radouci et il m'a souri.

— Mon Dieu, que tu es belle... Lindsay.

Sa bouille affichait le même air pétillant d'innocence que je lui avais vu des milliers de fois, enfant. J'ai secoué la tête, agacée.

— Réponds simplement à ma question, Marty.

— Écoute, a-t-il fait en déglutissant. Je sais bien que venir te trouver en catimini ne me vaut aucun bon point, mais tu crois pas que je pourrais au moins t'exposer mes raisons devant une tasse de café?

J'ai dévisagé avec incrédulité cet homme qui avait abandonné son foyer quand j'avais treize ans. Qui était resté absent tout le temps que ma mère avait été malade. Que j'avais jugé comme un lâche, un mufle et même pire, une bonne partie de ma vie d'adulte. Je n'avais plus revu mon père depuis le jour où il avait assisté au dernier rang à ma prestation de serment. Je ne savais trop si j'avais envie de lui cogner dessus ou de le prendre dans mes bras en le serrant très fort.

— Rien qu'une alors..., lui ai-je dit, en lui tendant la main pour l'aider à se relever.

J'ai fait tomber quelques gravillons de son revers.

— Tu me parleras aussi de toi devant cette tasse de café, Bouton d'Or.

28

J'ai préparé du café pour mon père et une tasse de Red Zinger pour moi. Je lui ai fait faire un rapide tour du propriétaire, l'ai présenté à Martha qui, à l'encontre de mes objurgations muettes, s'est prise d'une affection instantanée pour ce cher vieux papa.

On s'est installés sur mon canapé en toile blanche, Martha roulée en boule aux pieds de mon père. Je lui ai donné un gant humide dont il s'est tamponné une égratignure sur la joue.

— Désolée pour ce bleu, lui ai-je dit, en tenant la tasse chaude sur mes genoux.

Désolée, tu parles.

— Je méritais pire, m'a-t-il fait avec un sourire et un haussement d'épaules.

— Ouais, en effet.

On était assis face à face. Ni l'un ni l'autre ne savions tout à fait par où commencer.

— Bon, je subodore que maintenant, tu vas me mettre au courant de ce que tu as fabriqué ces vingt-deux dernières années?

Il a avalé une gorgée et reposé sa tasse.

— Bien sûr. Je peux faire ça.

Il m'a passé sa vie en revue, qui m'a parue plutôt une spirale cahotante de malchance. Il avait été second, d'après ce que je savais, là-bas, à Redondo Beach. Puis avait démissionné pour entrer dans une agence de sécurité privée. Des célébrités pour clientèle. Kevin Costner. Whoopi Goldberg.

— J'ai même assisté aux Oscars, a-t-il gloussé.

Il s'était remarié. Cette fois, ça n'avait duré que deux ans.

— J'ai découvert que je n'avais pas les compétences requises, a-t-il dit d'un ton railleur avec un geste de modestie.

À l'heure actuelle, il s'occupait à nouveau de sécurité, au coup par coup, mais plus de celle des VIP.

— Tu joues toujours ? ai-je demandé.

— Des paris fictifs, dans ma tête, m'a-t-il répliqué. J'ai dû renoncer quand les fonds sont venus à manquer.

— Toujours supporter des Giants ?

Quand j'étais petite, après le boulot, il m'emmenait dans ce bar appelé l'*Alibi* sur Sunset. Il me plantait sur le comptoir où ses potes et lui regardaient les matches de l'après-midi à la télé. J'adorais être en sa compagnie à cette époque-là.

Il a fait non de la tête.

— Hum, j'ai arrêté quand ils ont transféré Will Clark. Je suis fan des Dodger aujourd'hui. J'aimerais bien aller au nouveau stade, pourtant.

Puis il m'a regardée un long moment.

Mon tour était venu. Comment retracer à mon père les vingt-deux années écoulées ?

Je lui en ai appris le plus possible, laissant de côté

tout ce qui concernait maman. Je lui ai parlé de mon ex, Tom, et des raisons qui avaient fait que ça n'avait pas marché. (« Ton père tout craché », a-t-il ricané. « Ouais, mais, moi, au moins, je suis pas partie », lui ai-je rétorqué.) Comment j'avais brigué la crime et comment je l'avais obtenue pour finir.

Il a opiné d'un air sombre.

— J'ai lu des trucs sur cette grosse affaire sur laquelle tu as travaillé. Même, là-bas, dans le Sud, c'était partout aux infos.

— Un vrai coup de pouce pour un CV.

Je lui ai raconté comment, un mois plus tard, on m'avait proposé le poste de lieutenant.

Mon père s'est penché en avant et a posé une main sur mon genou.

— J'ai eu envie de te voir, Lindsay. Des centaines de fois... je sais pas pourquoi je l'ai pas fait. Je suis fier de toi. La crime, c'est le top. Quand je te regarde... tu es... si forte, si maîtresse de toi. Si belle. J'aimerais bien pouvoir m'en attribuer un peu le mérite.

— Tu peux. Tu m'as appris que je ne pouvais compter sur personne, sauf sur moi-même.

Je me suis levée et resservie avant de me rasseoir en face de lui.

— Écoute, je regrette que les choses n'aient pas bien tourné pour toi. Vraiment, je le regrette. Mais vingt-deux ans ont passé. Qu'est-ce que tu viens faire ici ?

— J'ai appelé Cat pour savoir si tu aurais envie d'avoir de mes nouvelles. Elle m'a dit que tu avais été malade.

Je n'avais pas besoin de revivre ça. C'était déjà bien assez dur, rien que de le regarder.

— J'ai été malade, oui, ai-je reconnu. Je vais mieux maintenant. J'ai bon espoir que ça s'en tiendra là.

J'avais le cœur serré. La situation devenait désagréable.

— Bon, depuis quand me suis-tu ?

— Depuis hier. Je suis resté au volant devant le palais pendant trois heures, en essayant d'imaginer comment prendre contact. Je savais pas si tu aurais envie de me revoir.

— J'en sais toujours rien, papa.

J'ai tenté de trouver les mots justes et j'ai senti mes yeux s'emplir de larmes.

— Tu n'étais jamais là. Tu nous as abandonnées. Je ne peux pas effacer tout à trac ce que j'ai ressenti pendant tant d'années.

— Je n'y compte pas, Lindsay, m'a-t-il répondu. Je me fais vieux. Et je suis un vieil homme qui sait qu'il a commis énormément d'erreurs. Tout ce que je peux faire aujourd'hui, c'est tenter d'en réparer certaines.

Je l'ai dévisagé avec incrédulité, faisant à peine non de la tête, mais en souriant et en m'essuyant les yeux.

— La situation actuelle, c'est du délire. Tu es au courant pour Mercer ?

— Bien entendu.

Mon père a poussé un soupir. J'ai attendu qu'il dise quelque chose, mais il s'est contenté de hausser les épaules.

— Je t'ai vue aux infos. Tu es fantastique. Tu sais ça, Lindsay ?

— Arrête, s'il te plaît, papa.

Cette affaire exigeait de moi toutes mes capacités.

C'était de la folie pure. Et j'étais là, face à mon père, à nouveau.

— Je sais pas si je peux gérer ça en ce moment.

— J'en sais rien, moi non plus, m'a-t-il répliqué, en me tendant timidement la main. Mais on pourrait pas essayer?

29

Le lendemain matin, à neuf heures, Morris Ruddy, l'agent du FBI le plus âgé des deux, a gribouillé une info sur un calepin.

— Très bien, lieutenant, quand avez-vous déterminé pour la première fois que le symbole de la chimère désignait le mouvement suprématiste blanc?

La tête me tournait encore suite aux événements de la veille au soir. La dernière situation dans laquelle je désirais me trouver, c'était bien cloîtrée dans une réunion du détachement spécial à m'adresser aux fédés.

— C'est votre bureau de Quantico qui nous a rencardés, lui ai-je balancé.

C'était légèrement mensonger, bien entendu. Stu Kirkwood n'avait fait que confirmer ce que Cindy m'avait appris.

— Et depuis que vous êtes au courant, a insisté lourdement l'agent du FBI, combien de ces groupuscules avez-vous contrôlés?

Je lui ai lancé un regard agacé qui signifiait *on pourrait faire avancer les choses si on sortait de cette salle à la con.*

— Vous avez lu les dossiers que je vous ai remis. On a enquêté sur deux ou trois.

— Vous n'avez enquêté que sur *un seul*, a-t-il rectifié en haussant le sourcil.

— Écoutez, lui ai-je expliqué, on n'a pas l'historique des groupuscules qui opèrent dans le secteur. La méthode utilisée dans ces meurtres m'a paru recouper d'autres affaires sur lesquelles j'ai travaillé. J'ai déterminé que l'on avait affaire à un tueur en série. Je veux bien admettre que c'est purement viscéral.

— Et en vous basant sur ces quatre cas distincts, a continué Ruddy, vous avez conclu de façon limitative qu'il n'était question que d'un seul et unique tireur, c'est bien ça ?

— Ouais. Et en me basant aussi sur mes sept ans à la crime.

Je n'aimais pas son ton.

— Écoutez, agent Ruddy, on n'est pas au tribunal, a fini par intervenir Sam Ryan, l'inspecteur principal qui me chapeautait.

— Je tente simplement d'établir l'effort de coordination que l'on doit encore fournir en ce domaine, lui a rétorqué l'agent du FBI.

— Écoutez, ai-je insisté, ces indices « chimériques » ne nous ont pas sauté aux yeux dans les communiqués de presse. La fourgonnette blanche a été aperçue par un enfant de six ans. Le deuxième dessin était graffité sur le mur de l'un des lieux du crime. Notre médecin légiste a suggéré que la petite Catchings avait pu ne pas être touchée par une balle perdue.

— Mais à l'heure actuelle, a repris Ruddy, même après l'assassinat de votre propre chef de la police, vous persistez à croire que ces meurtres n'ont pas de mobiles politiques?

— Il se pourrait qu'ils en aient. J'ignore dans sa globalité le programme du tueur. Mais il agit seul et c'est un dingue. Bon Dieu, à quoi tout cela nous mène-t-il?

— Au meurtre *numéro trois*, a pris la relève Hull, l'autre agent. Celui par balles de Davidson.

Hissant sa lourde carcasse hors de son siège, il s'est dirigé vers un chevalet où un diagramme répertoriait chaque meurtre et les détails pertinents en colonnes bien distinctes.

— Les assassinats un, deux et quatre, a-t-il expliqué, sont tous liés à ce Chimère. Celui de Davidson ne s'y rattache en rien. On veut savoir ce qui vous rend si certaine que l'on a affaire au même individu.

— Vous n'avez pas étudié le tir, lui ai-je dit.

— Selon les éléments en ma possession – Hull a feuilleté ses notes –, la balle qui a tué Davidson provenait d'une arme complètement différente.

— Je n'ai pas parlé *balistique*, Hull, mais du coup de feu. Il était d'une extrême précision, la marque d'un tireur d'élite. Exactement comme celui qui a tué Tasha Catchings.

— Je dirais que de mon point de vue, a poursuivi Hull, l'on n'a aucune preuve tangible reliant le meurtre de Davidson aux trois autres. Si l'on colle simplement aux faits et non pas à la petite idée du lieutenant Boxer, rien ne suggère que l'on ne soit pas en présence d'une série d'agissements à visées politiques. Rien.

À cet instant, on a frappé à la porte de la salle de conférence. Charlie Clapper a passé sa tête dans la pièce. Telle une espèce de timide marmotte sortant le nez de son terrier.

Clapper a fait un signe de tête aux deux fédés, puis un clin d'œil à mon adresse.

— J'ai pensé que ça pourrait vous être utile.

Il a déposé sur la table l'agrandissement noir et blanc d'une large empreinte de basket.

— Vous vous rappelez cette empreinte de chaussure qu'on a relevée dans le goudron, là où le tireur était posté, dans le meurtre d'Art Davidson?

— Bien sûr, ai-je dit.

Il a déposé un second agrandissement près du premier.

— En voici une autre qu'on a pu relever dans un carré de terre humide, à l'endroit où l'on a abattu Mercer.

Les deux empreintes étaient identiques.

Un silence a empli la pièce. J'ai regardé à tour de rôle les agents Ruddy et Hull.

— Évidemment, ce sont celles de baskets Reebok, tout ce qu'il y a d'ordinaire, a expliqué Charlie.

De la poche de sa blouse blanche, il a retiré une lamelle. On voyait posés dessus de minuscules grains de poudre.

— On a récupéré ça à l'endroit où l'on a tué le chef.

En me penchant, j'ai distingué des traces de la même craie blanche.

— Un seul assassin, ai-je dit. Un seul tireur.

30

J'ai convoqué les filles pour un déjeuner en coup de vent. J'étais impatiente de les revoir.

On s'est retrouvées à Yerba Buena Gardens; on s'est installées dans le jardin, devant le nouvel IMAX, à regarder les enfants jouer dans les fontaines tout en mâchonnant salades et sandwiches à emporter. Je leur ai tout raconté, depuis le moment où je les avais quittées *Chez Susie*, depuis ma filature par un inconnu suspect jusqu'à la neutralisation de mon propre père, en bas de chez moi.

— Mon Dieu, a lâché Claire. Le Père Prodigue.

Un instant, une chape de silence a paru nous couper du reste du monde. Toutes trois me fixaient avec une incrédulité peinte sur le visage.

— Quand l'avais-tu vu pour la dernière fois? m'a demandé Jill.

— Il avait assisté à ma remise de diplôme à l'Académie. Je ne l'avais pas invité, mais il était au courant je ne sais comment.

— Et il t'a filée? a hoqueté Jill. À l'issue de notre réunion ? Comme le premier dégueu venu ? *Beurk,* a-t-elle fait, avec un léger recul.

— Du Marty Boxer tout craché, ai-je lâché. Ça, c'est mon père.

Claire m'a posé une main sur le bras.

— Bon, il te voulait quoi ?

— Je ne sais pas trop encore. On dirait qu'il veut faire amende honorable. Il a prétendu que ma sœur Cat lui avait appris que j'étais malade. Il a suivi l'affaire des jeunes mariés. Et m'a dit qu'il tenait à ce que je sache combien il était fier de moi.

— Ça remonte à plusieurs mois, a renâclé Jill, prenant un morceau d'un sandwich poulet-avocat. Il a mis le temps.

— C'est ce que je lui ai répondu, ai-je confirmé.

Cindy a hoché la tête.

— Il a décidé *comme ça* de venir frapper à ta porte au bout de vingt ans ?

— Je pense que c'est une bonne chose, Lindsay, est intervenue Claire. Tu sais comment je suis – je positive.

— *Une bonne chose* que vingt ans après il s'en revienne avec un poids sur la conscience ?

— Non, c'est une bonne chose qu'il ait besoin de toi, Lindsay. Il vit seul, pas vrai ?

— Il m'a dit qu'il s'est remarié mais qu'il a divorcé deux ans plus tard. Imagine un peu, Claire : découvrir des années après que ton père a refait sa vie.

— Là n'est pas le problème, Lindsay, m'a répliqué Claire. Il te tend la main. Tu ne devrais pas trop faire la fière et la saisir.

— Comment tu te sens ? s'est enquise Jill.

Je me suis essuyé la bouche, ai avalé une gorgée de thé glacé avant de respirer un bon coup.

— Franchement? J'en sais rien. On dirait un fantôme du passé qui ramène avec lui des mauvais souvenirs à la pelle. Tout ce qu'il a touché a fait du mal aux autres.

— C'est ton père, ma chérie, m'a dit Claire. Tu traînes cette blessure depuis que je te connais. Tu ne devrais pas le laisser à la porte, Lindsay. Tu pourrais obtenir quelque chose que tu n'as jamais eu.

— Il pourrait tout aussi bien lui reflanquer un coup dans les tibias, a averti Jill.

— Ah ben ça alors, a fait Cindy en regardant Jill. La perspective d'être mère ne t'a pas rendue exactement tendre et guimauve, pas vrai?

— Un seul rendez-vous avec le révérend, lui a rétorqué Jill avec entrain, et te voilà devenue la conscience du groupe? Ça m'impressionne vachement.

On a toutes les trois dévisagé Cindy en réprimant un sourire.

— C'est vrai ça, a acquiescé Claire. Tu crois pas que tu vas t'en tirer comme ça, hein?

Cindy a rougi. Depuis que je la connaissais, je n'avais jamais vu Cindy Thomas rougir.

— Vous faites un beau couple, tous les deux, ai-je soupiré.

— Je l'aime bien, a lâché Cindy. On a parlé pendant des heures. Dans un bar. Puis il m'a raccompagnée. Point final.

— Naturellement, a fait Jill avec un grand sourire. Il est craquant, il a une situation stable et si tu connais une fin tragique, tu n'as pas d'inquiétude à avoir : c'est lui qui assurera le service funèbre.

— Je n'avais pas pensé à ça, a dit Cindy en finissant par sourire. Écoutez, c'était rien qu'un rendez-vous. Je fais un article sur lui et le quartier. Je suis sûre qu'il ne m'invitera pas à sortir une autre fois.

— Et toi, tu ne le réinviteras pas ? a insisté Jill.

— On est amis. Non, on a des rapports amicaux. J'ai passé quelques heures super. Je parie que toutes tant que vous êtes, vous vous seriez éclatées. C'est purement du travail de *recherche,* a conclu Cindy en croisant les bras.

Sourire général de nous trois. Mais Cindy avait raison – aucune d'entre nous n'aurait refusé de passer quelques heures en compagnie d'Aaron Winslow. J'avais encore des frissons quand je repensais à son discours aux funérailles de Tasha Catchings.

Pendant qu'on remballait nos déchets, je me suis tournée vers Jill.

— Alors comment tu te sens ? Bien ?

— Plutôt bien, en fait, m'a-t-elle répondu en souriant.

Puis elle a noué ses mains autour de son ventre à peine proéminent et a gonflé les joues comme pour dire *grosse...*

J'ai juste ce dernier procès à mener à son terme. Puis, qui sait, je prendrai peut-être un congé.

— Ça, j'y croirai quand je le verrai, a dit Cindy en pouffant.

Claire et moi avons fait des yeux blancs à l'appui.

— Eh bien, je pourrais vous surprendre, a ajouté Jill.

— Alors, que vas-tu faire ? m'a dit Claire au moment où on se levait pour s'en aller.

— Continuer à tâcher de relier les victimes entre elles.

Elle ne m'a pas quittée du regard.

— Je veux dire à propos de ton père.

— Je sais pas. C'est pas une bonne période, Claire. Et voilà Marty qui débarque en plein dedans. S'il veut sa part, qu'il attende son tour.

Claire m'a décoché l'un de ses fins sourires qui en disaient long.

— Tu as une suggestion à me faire, ça crève les yeux, lui ai-je dit.

— Évidemment. Pourquoi ne pas faire ce que tu fais en temps normal quand tu doutes ou que tu stresses ?

— À savoir... ?

— Lui préparer un bon dîner.

31

Cet après-midi-là au *Chronicle,* installée face à son écran d'ordinateur, Cindy déroulait les résultats d'une nouvelle vaine recherche, en sirotant un jus d'orange.

Quelque part, tout au fond de la poubelle de sa mémoire, se trouvait quelque chose qu'elle y avait stocké, un souvenir tenace qu'elle n'arrivait pas à retrouver. *La Chimère...* le mot utilisé dans un autre contexte, sous une autre forme, et qui aiderait à résoudre l'affaire.

Elle avait compulsé CAL, les archives en ligne du *Chronicle,* et était restée bredouille. Elle avait eu recours aux moteurs de recherche habituels : Yahoo, Jeeves, Google. Ses antennes persos bourdonnaient à haute tension. Elle pressentait, comme Lindsay, que ce monstre fantastique conduisait ailleurs qu'à des groupuscules racistes. Il menait à un esprit très tordu et très intelligent.

Allez. Elle soupira, appuyant sur la touche *ENTER* avec frustration. *Je sais que tu es quelque part là-dedans.*

La journée était presque finie et elle n'avait rien découvert. Pas la moindre piste pour l'édition du lendemain matin. Son rédac'chef aurait les boules. *On a des lecteurs*, maugréerait-il. *Les lecteurs désirent une certaine continuité.* Elle devrait lui promettre de lui donner quelque chose. *Mais quoi ?* L'enquête piétinait.

Quand elle tomba dessus, elle était branchée sur Google, en train de lire avec lassitude la huitième page de réponses. Cela la frappa comme une gifle.

Chimère... L'Enfer en Cellule, compte rendu de la vie en prison à Pelican Bay, par Antoine James. Publication posthume sur les rigueurs, les cruautés et l'existence criminelle en milieu carcéral.

Pelican Bay... Pelican Bay, c'était là qu'on jetait le pire des pires fauteurs de troubles du système pénitentiaire californien. Les délinquants violents qu'on n'arrivait à contrôler nulle part ailleurs.

Elle se rappelait à présent qu'elle avait lu quelque chose sur Pelican Bay dans le *Chronicle*, deux ans plus tôt, peut-être. C'était là qu'elle avait entendu parler de Chimère. Tout se recoupait. C'était *ça* qui l'avait tellement tarabustée.

Elle fit pivoter son fauteuil vers le terminal CAL sur une étagère voisine. Remontant ses lunettes sur son front, elle tapa l'objet de sa demande. *Antoine James.*

Cinq secondes plus tard, une réponse apparut. Un article daté du 10 août 1998. Deux ans auparavant. Son auteur n'était autre que Deb Meyer, l'un des rédacteurs du supplément du dimanche. Il était intitulé : « UN JOURNAL POSTHUME DÉCRIT AVEC FORCE DÉTAILS UN UNIVERS DE CAUCHEMAR ET DE VIOLENCE DERRIÈRE LES BARREAUX ».

Elle cliqua sur la barre du menu et, en quelques secondes, un fac-similé de l'article surgit sur l'écran. C'était un reportage Tranches de Vie du cahier *Métro-*

pole du Dimanche. Antoine James, purgeant une peine d'une dizaine d'années à Pelican Bay pour vol à main armée, avait été poignardé à mort lors d'une bagarre dans la prison. Il avait tenu un journal qui retraçait avec de nombreux détails inquiétants la vie des détenus, en prétendant que mouchardage forcé, agressions racistes, tabassage par les gardiens et violence permanente des gangs étaient leur lot quotidien.

Elle imprima l'article, quitta CAL et fit repivoter son fauteuil vers son plan de travail. Elle s'y adossa, les pieds calés sur une pile de livres. Elle parcourut la page.

« À l'instant où l'on franchit les portes de Pelican Bay, l'existence devient une guerre permanente face à l'intimidation des gardiens et à la violence des gangs, avait écrit James dans un cahier noir d'écolier. Les gangs sont garants de votre statut, de votre identité et aussi de votre protection. Tout un chacun prête serment et quel que soit le groupe auquel on appartient, c'est lui qui contrôle qui vous êtes et ce que l'on attend de vous. »

Cindy sauta quelques lignes plus bas. La prison était un nœud de vipères où les gangs faisaient régner la loi du talion. Les Blacks se divisaient entre Bloods et Daggers, à égalité avec les Muslims. Les Latinos se divisaient entre Nortenos en bandana rouge et Serranos en bandana bleu, plus la Mafia mexicaine, Los Eme. Chez les Blancs, on trouvait les Guineas et les Bikers, plus un groupe de sous-racaille surnommé les Stinky Toilet People. Plus les Aryens, suprématistes.

« Certains de ces groupes sont ultrasecrets », écrivait James. « Une fois admis, on devient intouchable. L'un de ces groupes de race blanche est particulièrement dangereux. Constitué de types condamnés à une peine maximale pour des crimes avec violence. Ils avaient ouvert le ventre d'un Black simplement à cause d'un pari sur ce qu'il avait mangé. »

La phrase suivante provoqua une décharge d'adrénaline chez Cindy.

James donnait le nom de ce groupe – *Chimère*.

32

Je venais de terminer ma journée – rien de nouveau sur les quatre victimes, la craie blanche gardait toujours son mystère –, quand j'ai reçu un appel de Cindy.

— Le palais est toujours sous la loi martiale? m'a-t-elle dit sur le ton de la plaisanterie, faisant référence au moratoire du maire sur la presse.

— Fais-moi confiance, c'est pas la joie non plus *intra muros*.

— Pourquoi tu me retrouverais pas quelque part? J'ai découvert un truc.

— D'accord. Où ça?

— Regarde par la fenêtre. Je suis juste en dessous.

J'ai jeté un coup d'œil et aperçu Cindy, appuyée à une voiture garée devant le palais. Il était presque sept heures. J'ai rangé mon bureau, souhaité brièvement bonne soirée à Lorraine et à Chin et me suis faufilée par l'entrée de service. J'ai traversé la rue en courant pour rejoindre Cindy. Elle était en minijupe et veste en jeans brodé, une sacoche kaki décolorée en bandoulière.

— Répétition de la chorale? lui ai-je demandé avec un clin d'œil.

— Tu peux parler. La prochaine fois que je te vois en tenue commando, j'en déduirai que t'as rendez-vous avec ton père.

— Puisqu'on parle du loup, je l'ai appelé. Je l'ai invité demain soir. Bon, Gorge Profonde, qu'y a-t-il de si important pour qu'on se retrouve ici ?

— Une bonne et une mauvaise nouvelle, m'a dit Cindy.

Elle a tiré de sa sacoche une enveloppe grand format.

— Je crois que j'ai trouvé, Lindsay.

Elle m'a tendu l'enveloppe, je l'ai ouverte : un article du *Chronicle* vieux de deux ans à propos du journal d'un prisonnier, *L'Enfer en Cellule*, dû à un certain Antoine James. On avait surligné certains passages en jaune. Je me suis mise à lire.

« *Des Nazis... pire que des Nazis. Rien que des condamnés au max. Blancs, teigneux, haineux. On sait pas ceux qu'ils détestent le plus, nous, la "vermine", dont ils doivent partager les repas, ou les flics et les gardiens qui les ont mis à l'ombre. Ces ordures ont un nom bien à eux. Ils se font appeler Chimère...* »

Impossible de décoller mes yeux du mot.

— Ce sont des brutes épaisses, Lindsay. Les pires fauteurs de troubles du système carcéral. Ils se chargent même d'exécuter mutuellement leurs contrats à l'extérieur. Voilà pour la bonne nouvelle, a-t-elle ajouté. La mauvaise, c'est qu'il s'agit de Pelican Bay.

33

Dans le paysage géographique du système pénitentiaire californien, Pelican Bay est *l'endroit où le soleil ne
brille jamais.*

Le lendemain, j'ai pris Jacobi avec moi et « réquisi-
tionné » un hélico de la police pour le vol d'une heure,
en remontant la côte jusqu'à Crescent City, près de la
frontière de l'Oregon. Je m'étais rendue à Pelican Bay à
deux reprises précédemment, pour rencontrer une
balance dans une affaire de meurtre et assister à
l'audience de libération conditionnelle d'un quidam
que j'avais expédié derrière les barreaux. Chaque fois,
survoler la forêt dense de séquoias qui ceinturait l'établissement m'avait laissé un creux à l'estomac.

Quand on est représentant de l'ordre – surtout du
sexe féminin – c'est le genre de lieu où l'on se passe
volontiers d'aller. Un panneau, au-dessus du portail
d'entrée, vous avertit qu'en cas de prise d'otage, on est
livré à soi-même. *Aucune négociation.*

J'avais rendez-vous avec Roland Estes, le directeur-
adjoint, dans le principal bâtiment administratif. Il
nous a fait poireauter quelques minutes. Estes s'est

révélé être grand, sérieux, visage dur et œil bleu sévère. Il était doté de cette méfiance invétérée qui provient de plusieurs années d'existence sous une discipline de fer.

— Pardon pour mon retard, nous a-t-il dit, en prenant place derrière son vaste bureau de chêne. Il vient d'y avoir un incident au Bloc O. L'un des détenus, un Norteno, a poignardé un rival dans le cou.

— Comment s'est-il procuré le couteau? a demandé Jacobi.

— Pas question de couteau ici, a fait Estes avec un sourire imperceptible. Il s'est servi du tranchant d'une binette, limé par ses soins.

Je n'aurais voulu du poste d'Estes pour rien au monde; mais je ne prisais guère plus la réputation du lieu pour les tabassages, l'intimidation et sa devise « Le Mouchardage, la Conditionnelle ou la Mort ».

— Bon, d'après vous, ceci entretient un rapport avec le meurtre de Mercer, lieutenant? m'a demandé le directeur-adjoint en se penchant vers moi.

J'ai acquiescé en sortant un dossier de mon sac.

— Avec une série de meurtres, peut-être. Je m'intéresse à ce que vous savez sur un gang de prisonniers qui sévit dans cet établissement.

Estes a haussé les épaules.

— La plupart des détenus font partie d'un gang depuis l'âge de dix ans. Vous découvrirez que chaque territoire ou domaine d'un gang existant à Oakland ou L.A. existe aussi entre ces murs.

— Le gang auquel je fais allusion s'appelle Chimère, ai-je dit.

Estes n'a pas manifesté de franche surprise.

— Pas de temps à perdre avec le menu fretin, hein, lieutenant? Bien, que voulez-vous savoir?

— Si cette série de meurtres mène aux membres de Chimère. Je veux savoir s'ils sont aussi épouvantables qu'ils en ont la réputation. Et aussi le nom de certains des membres les plus réputés qui ne sont plus à présent sous les verrous.

— La réponse à toutes vos questions est oui, a dit Estes, catégorique. C'est une sorte d'épreuve du feu. Les prisonniers qui peuvent encaisser le pire, on peut les corriger. Ceux qui ont été en QHS, à l'isolement, une durée appréciable. Ils y gagnent un certain rang – et certains privilèges.

— Des privilèges?

— La liberté. Telle qu'on la définit ici. De ne plus faire de comptes rendus, de balancer.

— J'aimerais une liste des membres de ce gang libérés sous conditionnelle.

Le directeur-adjoint a souri.

— Peu obtiennent la conditionnelle. Certains sont transférés dans d'autres centres de détention. Je soupçonne qu'il y a des ramifications de Chimère dans chaque établissement de haute sécurité de l'État. Ça ne veut pas dire qu'on tient un répertoire sur qui en est ou qui n'en est pas. C'est plutôt à celui qui siégera à la droite du Grand Fouteur de Merde.

— Mais vous êtes au courant, non? Vous savez qui en fait partie.

— On le sait, a opiné le directeur-adjoint, en se levant pour me signifier que l'entretien était terminé. Ça prendra du temps. J'ai besoin d'examiner certains éléments. Mais je verrai ce que je peux faire.

— Tant que je suis ici, autant que je le rencontre.

— Qui ça, lieutenant?

— Le Grand Fouteur de Merde. Celui qui est à la tête de Chimère.

Estes m'a dévisagée.

— Désolé, lieutenant, personne ne fait ça. Personne ne pénètre dans le Réservoir.

J'ai fixé Estes au fond des yeux.

— Vous voulez m'obliger à revenir avec une ordonnance d'État? Écoutez, notre DG est mort. Le moindre homme politique de Californie souhaite l'arrestation de ce type. J'ai des appuis à tous les échelons. Vous le savez déjà. Amenez-moi ce salopard.

L'expression tendue du directeur-adjoint s'est radoucie.

— À votre guise, lieutenant. Mais il ne sort pas. C'est vous qui irez à lui.

Estes a décroché et composé un numéro. Après un temps, il a murmuré sèchement :

— Préparez-moi Weiscz. Il a de la visite. Une femme.

On a suivi un long passage souterrain, accompagnés par Estes et un gardien-chef du nom d'O'Koren, portant matraque.

En atteignant un escalier marqué QHS-C, le directeur-adjoint nous a invités à monter, faisant un geste en direction d'un écran de contrôle, puis nous a fait franchir une lourde porte insonorisée qui donnait accès au quartier de la prison ultramoderne.

Pendant le trajet, il m'a mise au parfum.

— Comme la majorité de nos détenus, Weiscz vient d'un autre établissement, Folsom, en l'occurrence. Il y était le leader de la Fraternité Aryenne jusqu'à ce qu'il étrangle un gardien black. Ça fait dix-huit mois qu'il est à l'isolement ici. À moins qu'on se mette à expédier les gens dans le couloir de la mort dans cet État, on ne peut rien faire de plus pour lui.

Jacobi s'est penché vers moi pour me chuchoter :

— Tu es bien sûre de ce que tu fais, Lindsay ?

Je n'étais sûre de rien. Mon cœur galopait sous l'effet de la nervosité et j'avais les mains moites de sueur.

— C'est pour ça que je t'ai demandé de me suivre.

— Ouais, a maugréé Jacobi.

Le quartier d'isolement de Pelican Bay ne ressemblait à rien de ce que j'avais déjà vu. Tout était peint en blanc, d'un blanc stérile, terne. Des gardiens baraqués en uniforme kaki, des deux sexes, mais de race blanche exclusivement, se trouvaient aux postes de commandement vitrés.

Il y avait des moniteurs de contrôle et des caméras de sécurité partout. *Partout.* La configuration du quartier était celle d'une cosse munie de dix cellules, aux portes insonorisées, fermées hermétiquement.

Estes, le directeur-adjoint, s'est arrêté devant une porte métallique à large judas.

— Bienvenue au *ground zero* de l'espèce humaine, m'a-t-il dit.

Un gardien musclé d'un certain âge, atteint de calvitie, muni d'une visière faciale et d'un *taser gun* genre Uzi, s'est pointé.

— On a dû extraire Weiscz, monsieur le directeur. Je crois qu'il va avoir besoin de quelques instants pour décompresser.

J'ai levé la tête vers Estes.

— *Extraire ?*

Estes a reniflé.

— On penserait qu'après avoir été au trou quelques mois, il serait heureux de sortir. Pour votre gouverne quant à ce qui va suivre, Weiscz ne s'est pas montré coopératif. On a dû lui envoyer une équipe pour le rendre présentable à vos yeux.

Il a désigné le judas de la tête.

— Voici votre homme...

Je me suis campée devant la solide porte pressurisée.

La tête rentrée dans les épaules, un malabar musclé était sanglé sur une chaise métallique, les fers aux pieds, les mains menottées devant lui. L'homme avait le cheveu long, gras, en bataille et arborait un bouc mal taillé. La combinaison orange à manches courtes dont il était vêtu, ouverte sur le torse, révélait les tatouages ouvragés qui lui couvraient les bras et la poitrine.

— Un gardien restera avec vous à l'intérieur, m'a annoncé le directeur-adjoint, et on effectuera une surveillance permanente. Gardez vos distances. Ne vous approchez pas de lui à moins d'un mètre cinquante. Au moindre mouvement du menton dans votre direction, on le maîtrisera.

— Il est déjà attaché et enchaîné, lui ai-je fait remarquer.

— Cet enfoiré est capable de ronger ses chaînes, m'a dit Estes. Croyez-moi.

— Je peux lui promettre quelque chose ?

— Ouais, a fait Estes avec un rictus. Un Happy Meal de chez MacDo. Prête... ?

J'ai fait un clin d'œil à Jacobi, qui m'a incitée *de visu* à la prudence. Mon cœur était à deux doigts de s'arrêter de battre comme un pigeon d'argile explosé en plein ciel.

— Bon voyage, a murmuré Estes.

Puis il a fait un signe à la cabine de contrôle. J'ai entendu un *ka-chouche*, signe qu'on déverrouillait la lourde porte pressurisée.

35

J'ai pénétré dans la cellule blanche et nue. Elle était complètement vide, mis à part une table métallique et quatre chaises, boulonnées au sol, et deux caméras de surveillance en haut des murs. Un gardien muet, lèvres pincées, armé d'un *stun gun* était posté dans un angle.

Weiscz m'a vaguement saluée. Il avait les jambes entravées et les mains menottées serrées derrière la chaise. Son regard, inhumain, était d'une dureté d'acier.

— Lieutenant Lindsay Boxer, me suis-je présentée, ne dépassant pas le mètre cinquante prescrit.

Weiscz n'a rien répondu, se contentant de tourner ses yeux vers moi. Deux étroites fentes, quasi phosphorescentes.

— Je dois vous parler de certains meurtres qui viennent d'avoir lieu. Je ne peux pas vous promettre grand-chose. J'espère que vous m'écouterez jusqu'au bout. Et que vous m'aiderez peut-être.

— Suce-moi, a-t-il craché d'une voix rauque.

Le gardien a fait un pas dans sa direction et Weiscz

s'est raidi comme s'il avait reçu une décharge du *taser*.
J'ai levé ma main pour retenir le gardien.

— Vous savez peut-être quelque chose à ce sujet,
ai-je continué, l'échine parcourue d'un frisson. Je veux
simplement savoir si ça vous dit quelque chose. Ces
assassinats...

Weiscz m'a regardée avec curiosité, tâchant probablement d'évaluer s'il pouvait me soutirer un gain
quelconque.

— Qui est mort ?

— Quatre personnes. Deux flics. L'un était mon
supérieur, le chef de la police. Plus une veuve et une
fillette. Tous étaient des Blacks.

Un sourire amusé a éclairé le visage de Weiscz.

— Au cas où vous l'auriez pas remarqué, m'dame,
j'ai un alibi béton.

— J'espère que vous savez quand même quelque
chose.

— Pourquoi moi ?

De la poche de ma veste, j'ai sorti les deux photos de
chimère que j'avais montrées à Estes et je les lui ai
mises sous les yeux.

— Le tueur a laissé ça derrière lui. Je crois savoir que
vous en connaissez la signification.

Weiscz s'est fendu d'un large sourire.

— Je vois pas pourquoi z'êtes venue me trouver,
mais vous savez pas combien vous me réchauffez le
cœur, bordel.

— Le tueur, c'est Chimère, Weiscz. Si vous coopérez,
vous pouvez récupérer certains privilèges. Y a toujours
moyen de vous tirer de ce trou.

— Vous comme moi, on sait très bien que je sortirai jamais d'ici.

— Il existe toujours une monnaie d'échange, Weiscz. Tout le monde a envie de quelque chose.

— Il y a quelque chose, a-t-il fini par dire. Approchez.

Je me suis raidie.

— Je ne peux pas. Vous le savez bien.

— Z'avez une glace sur vous, pas vrai?

J'ai acquiescé. J'avais un miroir à maquillage dans mon sac.

— Braquez-la sur moi.

J'ai lancé un regard au gardien. Weiscz me fixait dans les yeux.

— Braquez-la sur moi. Ça fait plus d'un an que je me suis pas maté. Même les installations de douches sont ternies ici, pour éviter les reflets. Ces ordures veulent vous faire oublier à quoi vous ressemblez. Je veux me voir.

Le gardien s'est avancé.

— Tu sais que c'est impossible, Weiscz.

— Je t'emmerde, Labont.

Il a fusillé les caméras d'un regard noir.

— Je t'emmerde aussi, Estes.

Puis il s'est retourné vers moi.

— On vous a pas envoyée ici avec grand-chose à marchander, pas vrai?

— On m'a dit que je pouvais vous emmener manger un Happy Meal chez McDo, ai-je répondu avec un léger sourire.

— En tête-à-tête, rien que vous et moi, hum?

J'ai coulé un regard vers le gardien.

— Et lui.

Le bouc de Weiscz s'est fendu sous l'effet d'un sourire.

— Ces ordures s'y entendent pour tout gâcher.

Je suis restée sans réaction, pleine de nervosité. Je n'ai pas ri. Je désirais ne montrer aucune empathie pour Weiscz.

Mais je me suis attablée face à lui. J'ai fouillé dans mon sac et j'en ai tiré mon poudrier. Je m'attendais à tout instant à ce qu'une voix tonitruante beugle dans l'interphone ou à ce que le gardien impassible se précipite et ne l'envoie valser. À ma grande stupéfaction, personne n'est intervenu. J'ai ouvert mon poudrier puis, après avoir échangé un regard avec Weiscz, je l'ai tourné dans sa direction.

J'ignorais à quoi il ressemblait auparavant, mais il était horrible à voir à l'heure actuelle. Il s'est contemplé, les yeux écarquillés, prenant la mesure des rigueurs de sa réclusion. Il fixait la glace du poudrier comme s'il ne devait plus rien revoir d'autre sur terre. Puis il m'a regardée avec un large sourire.

— Pas fameux pour vous encourager à cette sucette, pas vrai ?

Sans savoir pourquoi, je lui ai souri malgré moi.

Puis il s'est à nouveau détourné vers les caméras :

— Je t'emmerde, Estes, a-t-il rugi. Tu vois ? Je suis toujours là. T'as essayé de me neutraliser, mais je suis encore là. Le Jugement continue sans moi. Chimère, mon bébé... Gloire à la main sans tache qui réduit au silence la populace et la vermine.

— Qui peut faire une chose pareille ? l'ai-je pressé. Dites-le-moi, Weiscz.

Il savait. Je savais qu'il savait. Quelqu'un dont il avait partagé la cellule. Quelqu'un avec qui il avait échangé des souvenirs dans une cour de prison.

— Aidez-moi, Weiscz. Quelqu'un que vous connaissez assassine ces gens. Vous n'avez plus rien à y gagner.

Ses yeux soudain ont étincelé de fureur.

— Vous croyez que vos nègres crevés, j'en ai quelque chose à battre ? Ou de vos flics crevés ? De toute façon, l'État bientôt les rassemblera pour les boucler dans des enclos. Une petite pute de douze ans, des singes déguisés en flics. Mon seul regret, c'est que ça ait pas été moi qu'aie appuyé sur la détente. On le sait bien, vous et moi, que, quoi que je vous dise, ces ordures me fileront même pas double ration. À peine vous serez sortie d'ici que Labont va me balancer ma dose d'électricité. Il y a plus de chances que vous me suciez la bite.

J'ai fait non de la tête, me suis levée et me suis dirigée vers la porte.

— Peut-être qu'un de vous autres, bande de connards, a retrouvé son bon sens, m'a-t-il crié avec un sourire en coin. Peut-être qu'il s'agit de ça, d'un boulot interne.

Je tremblais d'une rage qui me brûlait. Weiscz était une bête brute, sans la moindre trace d'humanité en lui. Je n'avais qu'une seule envie : lui claquer la porte en pleine figure.

— Je vous ai donné quelque chose, même si ça n'a duré qu'un instant, lui ai-je rappelé.

— Soyez pas si sûre que vous ayez rien eu en retour. Vous le choperez jamais. C'est Chimère...

Weiscz a baissé d'un coup sec sa tête sur sa poitrine, en désignant un tatouage au haut de l'épaule. J'ai distingué seulement la queue d'un serpent.

— On peut endurer autant que vous pouvez nous en faire baver, lady flic. Regardez-moi... on m'a fourré dans ce trou à rat, on m'a fait bouffer ma propre merde, mais je peux encore gagner.

Soudain, redevenu furieux, il a élevé la voix, en se contorsionnant dans ses liens.

— La victoire finale sera pour nous. La race blanche est l'élue de Dieu. Longue Vie à Chimère...

Je me suis éloignée de lui, tandis que Weiscz se tortillait d'un air de défi.

— Et ce Happy Meal, au fait, salope?

En atteignant la porte, j'ai entendu un *zap* suivi d'un grognement confus. En me retournant, j'ai vu le gardien décharger un millier de watts dans le poitrail contracté de Weiscz.

36

On est revenus en ville avec quelques noms, grâce à l'obligeance d'Estes. Ceux de libérés récents sous conditionnelle qu'on pensait être des membres de Chimère. De retour au palais, Jacobi en a distribué la liste à Cappy et à Chin.

— De mon côté, je vais appeler quelques contrôleurs judiciaires, m'a-t-il dit. Tu veux te joindre à moi ?

J'ai refusé d'un signe de tête.

— Il faut que je rentre tôt, Warren.

— Qu'est-ce qui s'passe ? Me dis pas que t'as rendez-vous ?

— Si, ai-je acquiescé.

Sans nul doute, un sourire incrédule devait éclairer mon visage.

— J'ai rendez-vous.

La sonnette de la rue a retenti sur le coup de sept heures.

Quand j'ai ouvert la porte, mon père me jetait un regard hésitant derrière un masque de base-ball.

— Amis ? m'a-t-il demandé, en hasardant un sourire d'excuse.

— Dîner...

J'ai souri malgré moi.

— Rien pu faire de mieux.

— C'est un début, m'a-t-il dit en entrant.

Il avait fait des frais de toilette. Il portait une veste sport marron, un pantalon fraîchement repassé, une chemise blanche à col ouvert. Il m'a tendu une bouteille de vin rouge enveloppée de papier.

— Il ne fallait pas, lui ai-je dit en la démaillotant.

J'ai hoqueté de surprise en lisant l'étiquette. C'était un bordeaux premier cru. Un château latour *1965*.

J'ai regardé mon père. 1965, l'année de ma naissance.

— Je l'ai acheté un an après ta naissance. C'est à peu près la seule chose que j'ai emportée quand je suis parti. Je m'étais toujours dit qu'on la boirait pour ton diplôme ou autre, peut-être ton mariage.

— Tu l'as conservée toutes ces années, ai-je fait en hochant la tête.

Il a haussé les épaules.

— Comme je viens de te le dire, je l'avais achetée pour toi. De toute façon, Lindsay, je n'ai qu'une seule envie : la boire ici, ce soir.

Une chaleur m'a envahie.

— Tu me compliques la tâche : comment puis-je continuer à te détester totalement ?

— Ne me déteste pas, Lindsay, a-t-il fait en me lançant le masque. Il me va pas. J'en aurai plus jamais l'utilité.

Je l'ai emmené au salon, lui ai servi une bière et me suis assise. Je portais un pull Eileen Fisher lie-de-vin et m'étais fait une queue de cheval. Il me contemplait, les yeux pleins de petites étoiles.

— Tu es superbe, Bouton d'Or, m'a dit mon père.

En me voyant tiquer, il a souri.

— Je peux pas m'en empêcher. Et tu es vraiment superbe.

On a bavardé un petit moment, Martha couchée près de lui comme s'il s'agissait d'un vieil ami. On a parlé de choses et d'autres, de banalités qui nous concernaient. Lesquels de ses vieux potes restaient en service. Cat et sa nouvelle fille qu'il ne connaissait pas. On a discuté pour savoir si, à quarante ans, Jerry Rice allait raccrocher. On a évité le sujet de Mercer et de l'affaire.

Et comme si je le rencontrais pour la première fois, je l'ai trouvé différent de ce que j'imaginais. Ni volubile, ni vantard, ni raconteur de bobards comme dans mon souvenir, mais humble et réservé. Presque contrit. Il avait conservé cependant son sens de l'humour.

— J'ai quelque chose à te montrer, lui ai-je dit.

Je suis allée dans la penderie du couloir et j'en suis revenue avec le blouson de satin des Giants qu'il m'avait donné vingt-cinq ans plus tôt. Il portait brodé le numéro 24 et le nom Mays sur le devant.

Les yeux de mon père se sont emplis de surprise.

— J'avais oublié ça. Je l'avais obtenu du directeur de l'équipement en 1968.

Il l'a tenu devant lui et examiné un bon moment, comme une relique qui redonnait soudain au passé ses vives couleurs.

— Tu as une idée de ce que ça vaut aujourd'hui?

— Je me suis toujours dit que c'était mon seul héritage, lui ai-je répondu.

37

J'avais fait du saumon grillé à la sauce gingembre-soja, du riz frit aux poivrons, poireaux et petits pois. Je m'étais souvenue que mon père aimait manger chinois. On a débouché le château-latour 1965. C'était un vin de rêve, soyeux, couleur rubis. On s'était installés dans l'alcôve dominant la baie. Mon père a décrété qu'il n'avait jamais bu de meilleur vin.

La conversation a glissé peu à peu vers des sujets plus personnels. Il m'a demandé quel type d'homme j'avais épousé et j'ai reconnu, hélas, que c'était quelqu'un qui lui ressemblait. Il m'a demandé si je lui en voulais et j'ai bien été obligée de lui dire la vérité : « Beaucoup, papa. »

Petit à petit, on en est même venus à parler de l'affaire. Je lui ai avoué combien elle était difficile à résoudre, comme je devais batailler ferme contre ma conviction que je n'y arriverais pas. Que j'étais sûre qu'il s'agissait d'un tueur en série, mais qu'après déjà quatre meurtres, le dossier était toujours vide.

On a parlé pendant des heures, Martha endormie à ses pieds. De temps à autre, je devais me remémorer que je parlais à mon propre père. Que j'étais assise en face de lui pour la première fois de ma vie d'adulte. Et lentement, j'ai commencé à y voir clair. Ce n'était qu'un homme qui avait commis des erreurs et les avait payées. Il n'était plus quelqu'un contre lequel je pouvais nourrir une rancune aveugle ni même que je pouvais détester. Il n'avait tué personne. Ce n'était pas lui, Chimère. À l'aune de celles que je rencontrais quotidiennement dans mon travail, ses fautes étaient éminemment pardonnables.

Pour finir, je n'ai plus pu retenir la question qui me brûlait les lèvres depuis tant d'années :

— Il faut que tu me répondes. Pourquoi es-tu parti ?

Il a pris une gorgée de vin et s'est adossé au canapé. Ses yeux bleus étaient si tristes.

— Rien de ce que je pourrais en dire n'aurait de sens pour toi. Pas maintenant... tu es une femme. Tu fais partie de la police. Tu sais comment vont les choses. Ta mère et moi... disons qu'on n'a jamais formé un bon couple, même à l'ancienne mode. J'avais dilapidé le plus gros de nos ressources au jeu. J'avais tout un tas de dettes, j'avais emprunté de l'argent sous le manteau. Pas vraiment réglo pour un flic. J'avais fait tout un tas de trucs dont j'étais pas très fier... en tant qu'homme et en tant que flic.

J'ai remarqué que ses mains tremblaient.

— Tu sais comment, parfois, on commet un crime simplement parce que la situation empire tellement qu'une après l'autre, les issues se ferment et qu'on se retrouve dans l'impossibilité d'agir autrement. C'est ce qui m'est arrivé. Les dettes, ce qui se passait dans mon boulot... je ne voyais pas d'autre solution. Je suis parti.

Je sais que c'est un peu tard pour dire ça, mais je l'ai regretté chaque jour de ma vie depuis.

— Et quand maman est tombée malade... ?

— J'ai été navré qu'elle tombe malade. Mais à cette époque-là, j'avais refait ma vie et rien ni personne ne m'a donné l'impression que mon retour serait le bienvenu. J'ai cru que ça lui ferait plus de mal que de bien que je revienne.

— Maman m'a toujours dit que tu étais un menteur pathologique, tu sais.

— C'est vrai, Lindsay, m'a dit mon père.

J'ai aimé sa façon de l'admettre. J'aimais bien mon père, en fait.

Il fallait que je me lève. J'ai emporté les couverts à la cuisine. J'étais au bord des larmes. Mon père était de retour et je comprenais maintenant comme il m'avait manqué. De façon insensée, j'avais toujours envie d'être sa petite fille.

Mon père m'a aidée à débarrasser la table. J'ai rincé plats et assiettes dont il a chargé le lave-vaisselle. On a à peine échangé un mot. Je tremblais de tout mon corps.

Une fois la question vaisselle réglée, on s'est tourné l'un vers l'autre et on s'est regardé droit dans les yeux.

— Où tu habites, alors ? lui ai-je demandé.

— Chez un pote à moi, un ancien flic, Ron Fazio. Il était sergent dans le secteur de Sunset. Il me prête son canapé.

J'ai passé sous l'eau la casserole des pâtes.

— J'ai un canapé, moi aussi, lui ai-je dit.

38

Toute la journée, le lendemain, on a planché sur les noms de la liste qu'Estes, le directeur-adjoint, et son équipe nous avaient donnée. On en a barré deux immédiatement. Une vérification par ordinateur nous a indiqué qu'ils avaient repris contact avec le système carcéral de Californie, étant détenus à l'heure actuelle dans d'autres établissements.

Quelque chose que Weiscz m'avait dit la veille s'était logé dans ma cervelle.

Je vous ai donné quelque chose, lui avais-je dit alors qu'il délirait sur la supériorité de la race blanche.

Et je vous ai donné quelque chose en retour, m'avait-il répondu. Ces mots s'attardaient dans ma tête. Ils m'avaient d'abord réveillée à deux heures du matin, je m'étais retournée dans mon lit et rendormie. Ils ne m'avaient pas quittée pendant mon trajet vers mon bureau. Et persistaient là encore maintenant.

Je vous ai donné quelque chose en retour...

J'ai retiré mes escarpins et regardé par la fenêtre la rampe de l'autoroute qui commençait à refouler la circulation. J'ai tenté de me retracer mon entrevue avec Weiscz.

C'était une bête fauve qui n'avait jamais eu la chance de voir la lumière du jour. Pourtant, je pressentais que j'avais failli nouer un lien avec lui, un court instant. Tout ce qu'il désirait dans cet enfer, c'était voir de quoi il avait l'air. *Je vous ai donné quelque chose en retour.*

Que m'avait-il donné alors?

Vous croyez que, vos nègres crevés, j'en ai quelque chose à battre? m'avait-il dit bouillonnant de rage. *Longue Vie à Chimère...*, avait-il hurlé tandis qu'on le soumettait à...

Puis lentement, j'ai mis le doigt dessus.

Peut-être qu'un de vous autres, bande de connards, a re-trouvé son bon sens. Peut-être qu'il s'agit de ça, d'un boulot interne.

J'ignorais si je me laissais emporter trop loin ou quoi. Est-ce que je cherchais quelque chose qui n'existait pas? Weiscz m'avait-il vraiment dit quelque chose dont on ne pourrait jamais lui être redevable?

Un boulot interne...

J'ai téléphoné à Estes à Pelican Bay.

— L'un de vos pensionnaires serait-il un ex-flic par hasard? lui ai-je demandé.

— Un flic...?

Le directeur-adjoint a gardé le silence.

— Oui.

Je lui ai expliqué pourquoi je tenais à le savoir.

— Pardonnez-moi l'expression, m'a répliqué Estes, mais Weiscz vous a bourré le mou. Il a tenté de s'infil-trer dans votre tête. Ce salopard déteste les flics.

— Vous ne m'avez pas répondu, monsieur le direc-teur.

— Un flic... ?

Estes a reniflé avec dérision.

— On a eu chez nous un inspecteur des stups ripou de L.A., Bellacora. Il avait flingué trois de ses balances. Mais on l'a transféré ailleurs. À ma connaissance, il est encore à Fresno.

Je me suis rappelé avoir lu quelque chose sur l'affaire Bellacora. C'était d'une bassesse et d'une dégueulasserie auxquelles seule la police pouvait s'attendre.

— On a aussi eu un inspecteur des douanes, Benes, qui arrondissait ses fins de mois en dirigeant un réseau de dealers à l'aéroport de San Diego.

— Quelqu'un d'autre ?

— Non, pas depuis six ans que je suis là.

— Et avant ça, Estes ?

Il a eu un grognement d'impatience.

— Vous voulez que je remonte jusqu'à quand, lieutenant ?

— Ça fait combien de temps que Weiscz est chez vous ?

— Douze ans.

— Eh bien voilà jusqu'à quand.

Il était évident qu'Estes me jugeait dingue. Il a raccroché en disant qu'il me recontacterait.

J'ai posé le téléphone. C'était un pari risqué – de faire confiance à Weiscz pour commencer. Il détestait les flics. J'étais flic. Il détestait sans doute les femmes, aussi.

Ma secrétaire, Karen, est entrée en coup de vent. Elle avait l'air anéantie.

— L'assistante de Jill Bernhardt vient d'appeler. Mme Bernhardt s'est évanouie.

— Évanouie... ?

Karen a acquiescé, l'œil dans le vague.

— Elle perd du sang. Là-haut. Elle a besoin de vous là-haut, *tout de suite.*

39

J'ai couru d'une traite jusqu'à l'ascenseur au bout du couloir, puis jusqu'au bureau de Jill.

En entrant, je l'ai aperçue, allongée sur le canapé.

Une équipe du Samu, qui se trouvait par bonheur à la morgue, était déjà sur place. On avait fourré des serviettes, des serviettes *ensanglantées*, sous sa jupe bleu foncé. Elle avait beau détourner son visage, elle avait une mine grisâtre, un air apathique et effrayé que je ne lui connaissais pas. En un éclair, j'ai compris ce qui était arrivé.

— Oh Jill, ai-je dit en m'agenouillant près d'elle. Oh, ma chérie, je suis là.

Elle a souri en m'apercevant, légèrement méfiante et apeurée. Ses yeux d'un bleu intense en temps normal étaient de la couleur d'un ciel d'orage.

— Je l'ai perdu, Lindsay, m'a-t-elle annoncé. J'aurais dû m'arrêter de travailler. J'aurais dû les écouter. T'écouter, toi. Je croyais que je voulais ce bébé plus que tout au monde, mais peut-être pas. Je l'ai perdu.

— Oh Jill, ai-je fait en lui prenant la main. Ce n'est pas ta faute. Ne dis pas une chose pareille. C'est pour des raisons médicales. Il y avait un risque, tu le savais au départ. Il y a toujours un risque.

— C'est ma faute, Lindsay.

Ses yeux se sont soudain emplis de larmes.

— Je crois que je ne le voulais pas assez fort.

Une infirmière du Samu m'a demandé de m'écarter et on a relié Jill à un goutte-à-goutte et à un monitoring. J'étais de tout cœur avec elle. Elle qui était si forte et si indépendante, d'habitude. Mais je l'avais vue se transformer ; elle avait tant espéré ce bébé. Qu'avait-elle fait pour mériter ça ?

— Où est Steve, Jill ? lui ai-je demandé en me penchant.

Elle a repris son souffle.

— À Denver. Avril l'a joint au téléphone. Il est en route.

Claire a surgi tout à coup dans la pièce.

— Je suis venue dès que j'ai appris la nouvelle, a-t-elle dit.

Elle m'a lancé un regard inquiet, puis a demandé à l'infirmière :

— Où en est-on ?

On lui a répondu que les organes vitaux de Jill étaient en parfait état, mais qu'elle avait perdu beaucoup de sang. Quand Claire a mentionné le bébé, l'infirmière a fait non de la tête.

— Oh ma chérie, a dit Claire en serrant la main de Jill et en s'agenouillant. Tu te sens comment ?

Des larmes coulaient sur le visage de Jill.

— Oh, Claire, je l'ai perdu. J'ai perdu mon bébé.

Claire a repoussé d'une caresse une mèche de cheveux humide du front de Jill.

— Ça va aller. Ne t'inquiète pas. On va prendre bien soin de toi.

— Il faut qu'on l'emmène maintenant, a dit l'infirmière du Samu. On a prévenu son médecin. Elle nous attend à Cal Pacific.

— On vient avec toi, ai-je dit. On sera avec toi tout le temps.

Jill s'est obligée à sourire, puis s'est raidie.

— On va me forcer à accoucher, hein?

— Je ne crois pas, lui a répondu Claire.

— Je sais que si, a fait Jill en secouant la tête.

Elle était la personne la plus résolue de mon entourage, mais la vérité effroyable qui se faisait jour en elle et se reflétait dans ses yeux était quelque chose dont je me souviendrais le restant de mes jours.

La porte s'est ouverte et un autre infirmier du Samu est entré en faisant rouler une civière.

— Il est temps d'y aller, a dit la femme qui s'était occupée d'elle.

Je me suis penchée tout près de Jill.

— On sera avec toi, lui ai-je chuchoté.

— Ne me quittez pas, a-t-elle dit en me prenant la main.

— Tu ne vas pas te débarrasser de nous aussi facilement.

— C'est ça, les nanas de la crime, pas vrai? a murmuré Jill avec un sourire crispé.

Ils l'ont installée sur la civière. Claire et moi, on leur a donné un coup de main. Une serviette ensanglantée est tombée mollement sur le sol sans tache du bureau de Claire.

— Ça sera un garçon, a murmuré Jill, respirant avec

peine. Je voulais un garçon, je pense que je peux l'avouer maintenant.

J'ai croisé doucement ses mains sur ses genoux.

— Simplement, je ne l'ai pas voulu assez fort, a fait Jill.

Puis elle s'est mise à sangloter sans pouvoir s'arrêter.

40

On est arrivées à l'hôpital avec Jill, à l'arrière de l'ambulance du Samu; on a couru le long de la civière tandis qu'on la montait en obstétrique et on a attendu pendant que ses médecins tentaient de sauver l'enfant.

Au moment où elle entrait en salle d'opération, elle m'a agrippé la main.

— On dirait qu'ils gagnent toujours, m'a-t-elle murmuré. On a beau en mettre à l'ombre un paquet, ces ordures s'arrangent toujours pour gagner.

Cindy nous avait rejointes en cinq sec et on est restées toutes les trois à attendre de revoir Jill. Deux heures plus tard environ, Steve, son mari, est arrivé en hâte. On a échangé des embrassades gênées; une partie de moi avait envie de lui crier *Bordel, tu piges pas que ce bébé, c'était pour toi?* Quand le médecin est sorti, on les a laissés seuls.

Jill avait raison. Elle avait perdu l'enfant. Ils ont appelé ça rupture utérine, aggravée par le stress du boulot. La seule bonne nouvelle, c'était qu'on avait retiré le fœtus chirurgicalement. Jill n'avait pas eu à l'expulser.

Après ça, Claire, Cindy et moi, on est sorties sur California Street. Aucune de nous trois n'avait envie de rentrer. Cindy connaissait un bistrot japonais dans le coin. On y est allées et on a commandé du saké et de la bière.

C'était dur d'avaler que Jill, travailleuse infatigable au bureau, qui faisait de la varappe à Moab et du VTT à Sedona, se voie refuser une seconde fois le plaisir d'un enfant.

— Cette pauvre petite est bien trop dure avec elle-même, a soupiré Claire, en se chauffant les mains à son bol de saké. On lui avait toutes conseillé de lever le pied.

— Jill ne connaît pas la pédale douce, a noté Cindy.

J'ai pris un petit pain que j'ai tourné et retourné dans la sauce.

— Elle a fait ça pour faire plaisir à Steve. Ça se lisait sur son visage. Elle a gardé ce planning impossible. Elle n'a renoncé à rien. Et lui qui sillonne le pays à conquérir des banquiers d'affaires.

— Elle l'aime, a protesté Cindy. Ils forment une équipe.

— Ils ne font pas équipe, Cindy. Claire et Edmund, si. Eux deux, ils participent à une course.

— C'est vrai, a reconnu Claire. Cette fille doit toujours être numéro un. Elle ne peut pas échouer.

— Et laquelle d'entre nous est différente d'elle? a demandé Cindy.

Elle nous a dévisagées, attendant une réponse.

Le silence s'est prolongé. On s'est regardées avec des sourires contrits.

— Mais ça va plus loin que ça, ai-je expliqué. Jill est

différente. Elle est dure à cuire, mais dans son cœur, elle se sent seule. N'importe laquelle d'entre nous pourrait être où elle se trouve à l'heure actuelle. On n'est pas invincibles. Sauf toi, Claire. Tu es dotée de ce mécanisme qui vous unit, Edmund, toi et les enfants, sans discontinuer, comme ce sacré lapin à piles.

Claire a souri.

— Il faut bien que quelqu'un fournisse un certain équilibre parmi nous. Au fait, tu as vu ton papa hier au soir ?

— Oui. Et ça s'est plutôt bien passé, d'après moi. On a parlé, certaines choses sont sorties.

— Pas de baston ? a demandé Cindy.

— Pas de baston, ai-je confirmé, aux anges. Quand j'ai ouvert la porte, il portait un masque de base-ball. Je ne plaisante pas.

Et Claire et Cindy de s'esclaffer.

— Il m'a apporté une bouteille de vin. Un premier cru français. 1965. Il l'avait achetée l'année où je suis née. Il l'avait gardée tout ce temps. Vous imaginez un peu ? Il ne savait même pas s'il me reverrait un jour.

— Mais si, il le savait, a dit Claire en me souriant.

Elle a siroté son saké.

— Tu es sa fille, tu es belle. Il t'adore.

— Alors, ça s'est terminé comment, Lindsay ? a interrogé Cindy.

— Je crois qu'on peut dire qu'on a convenu d'un second rendez-vous. En fait, je lui ai dit qu'il pouvait venir habiter chez moi quelque temps.

Cindy et Claire ont échangé un clin d'œil entendu.

— On t'avait dit de te montrer coulante et de le

revoir, Lindsay, a ricané Cindy. Pas de lui demander de partager ton loyer.

— Que puis-je te dire? Il squattait le canapé de quelqu'un. Ça m'a eu l'air d'être la bonne chose à faire.

— Ça l'est, ma chérie, a fait Claire en souriant. À ta santé.

— Hum-hum.

J'ai secoué la tête.

— À la santé de Jill, a renchéri Cindy, en levant sa bière.

On a trinqué. Puis un bref silence a suivi.

— Je m'en veux de changer de sujet, a dit Cindy, mais tu tiens à cohabiter pendant que tu es sur l'affaire?

J'ai acquiescé.

— On fouille parmi les noms de Chimère qu'Estes nous a donnés. Mais aujourd'hui, j'ai élaboré une nouvelle théorie.

— Une nouvelle théorie? a répété Cindy en fronçant les sourcils.

— Écoutez, ce type est un tireur chevronné. Il n'a commis aucune erreur. Il nous a toujours devancés d'une longueur. Il sait comment on fonctionne.

Cindy et Claire étaient tout ouïe. Je leur ai appris ce que Weiscz m'avait dit. *Un boulot interne...*

— Et si jamais Chimère n'était pas un tueur fou raciste, membre d'un groupuscule extrémiste? ai-je suggéré en me penchant. Et si jamais c'était un flic?

41

Dans le bar plongé dans la pénombre, Chimère sirotait sa Guinness. La meilleure pour les meilleurs, songeait-il.

Près de lui, un homme à cheveux blancs, visage couperosé et parcheminé, éclusait des Tom Collins, la tête levée vers la télé. C'était l'heure des infos. Un journaliste insipide donnait les dernières nouvelles de l'affaire Chimère, mélangeant tout, insultant le public et l'insultant, *lui*.

Il gardait les yeux scotchés sur l'autre côté de la rue, à travers la grande devanture vitrée du bar. Il avait suivi la prochaine victime jusqu'ici. Celle-là, il allait s'en délecter. Tous ces flics, embarqués sur de fausses pistes. Cet assassinat leur remettrait les yeux en face des trous.

— C'est pas fini, marmonna-t-il entre ses dents. *Et n'allez pas vous imaginer que je sois prévisible. C'est pas du tout le cas.*

Le vieux poivrot, son voisin, lui fila un coup de coude.

— J'crois que ce salaud-là, c'est l'un d'entre eux, lui fit-il.

— L'un d'entre eux? demanda Chimère. Attention les coudes. De quoi tu parles, merde?

— Noir comme l'as de pique, reprit le vieil homme. Ils épluchent ces groupes racistes. Ah, ah, ah, je me marre. C'est un de ces négros barjos avec une case en moins. Probable qu'y joue à la NFL. Eh, Ray, héla-t-il le barman. Probable qu'y joue dans la NFL...

— Qu'est-ce qui te fait dire ça? demanda Chimère, lançant des coups d'œil furtifs de l'autre côté de la rue.

Il était curieux de ce que pensait son public. Peut-être qu'il devrait faire plus d'interviews d'homme-de-la-rue comme celle-là.

— Parce que tu crois qu'un enfoiré avec un brin de jugeote laisserait traîner des indices pareils? chuchota le vieillard d'un ton de conspirateur.

— Je crois que tu vas un peu vite en besogne, grand-père, dit Chimère en souriant enfin. Je trouve ce tueur pas mal intelligent.

— Qu'est-ce que ça a d'intelligent, bordel, d'être un tueur?

— Suffisamment intelligent pour pas se faire prendre, en tout cas, ajouta Chimère.

Le vieux fusilla l'écran d'un regard mauvais.

— Ouais, ben, quand ça éclatera, tu verras. Y cherchent pas là où il faut. Va y avoir une grosse surprise. C'est peut-être O.J. Eh, Ray, on devrait vérifier si O.J., il serait pas en ville, des fois...

Il avait quasiment tiré tout ce qu'il y avait à tirer de cet alcoolo. Mais il avait raison sur un point. Les flics de San Francisco étaient paumés grave. Ils n'avaient

aucune piste, bordel. Le lieutenant Lindsay Boxer
pédalait dans la choucroute. Pas même tiède.

— Je vais te parier un truc, fit Chimère au vieux avec
un grand sourire.

Il se rapprocha de lui en écarquillant les yeux.

— Si on le chope, je te parie qu'il a les yeux verts.

Soudain, de l'autre côté de la rue, il aperçut sa cible.
*Bon, peut-être que ça aidera le lieutenant Boxer à voir moins
flou. Un tir vraiment proche du centre de la cible. Un petit
écart auquel il ne pouvait tout bonnement pas résister.* Il jeta
une poignée de dollars sur le bar.

— Oh, y a le feu ? fit le vieux en se tournant vers lui.
Laisse-moi te payer une autre mousse. Eh, oh, merde,
t'as les yeux verts, mon poteau.

Chimère quitta son siège en pivotant.

— Faut que j'y aille. Mon rancard rapplique.

42

Pendant le long trajet de retour, Claire Washburn ne cessa de repenser à ce qui venait d'arriver à la pauvre Jill. Tout le long de la 101 jusqu'à son domicile de Burlingame, elle ne put chasser cette terrible vision.

Elle quitta la nationale à Burlingame, s'enfonça dans les collines en montant. La lassitude lui martelait la tête. La journée avait été interminable. Ces meurtres horribles qui déchiraient la ville. Puis Jill qui perdait son bébé.

La pendule numérique du tableau de bord indiquait vingt-deux heures vingt. Edmund jouait ce soir. Il ne serait de retour qu'après onze heures. Elle aurait aimé qu'il soit là. Ce soir entre tous les autres soirs.

Claire s'engagea dans Skytop et, quelques mètres plus loin, dans l'allée de sa maison de style géorgien moderne. Elle était plongée dans le noir ; c'était souvent le cas ces temps-ci avec Reggie parti à l'université. Willie, son lycéen de fils, était sans doute dans sa chambre en train de jouer avec sa console de jeux vidéo.

Elle n'avait qu'une envie : retirer sa tenue de travail

et se glisser tranquillement dans son pyjama. Mettre un terme à cette épouvantable journée...

Une fois entrée, Claire appela Willie et, n'obtenant pas de réponse, parcourut rapidement le courrier posé sur la table de la cuisine et l'emporta dans le bureau. Elle feuilleta d'un air absent un catalogue.

Le téléphone sonna. Claire laissa choir le catalogue et décrocha.

— Allô...

Il y eut un blanc, comme si quelqu'un attendait.

Peut-être l'un des amis de Willie.

— Allô...? répéta Claire. Un, deux... dernière chance...

Toujours pas de réponse.

— Au revoir.

Elle raccrocha.

Un frisson nerveux la parcourut. Même après toutes ces années, quand elle était seule à la maison, un bruit inattendu, les lumières allumées au sous-sol la faisaient trembler.

Le téléphone se remit à sonner. Cette fois, elle décrocha sans attendre.

— Allô...

Nouveau silence exaspérant. Elle commençait à en avoir assez.

— Qui est-ce? fit-elle d'un ton ferme.

— Devinez, répondit une voix d'homme.

Claire en eut le souffle coupé. Elle jeta un coup d'œil à la présentation de numéro.

— Écoutez-moi, 9014476, dit-elle, je ne sais pas à quel jeu vous jouez ou comment vous avez eu notre numéro. Si vous avez quelque chose à dire, dites-le et vite.

— Vous savez qui est Chimère? répliqua la voix. Vous êtes en train de lui parler. Que d'honneur, n'est-ce pas?

Claire s'immobilisa, le dos collé au dossier, l'esprit en éveil: *Seule la police connaissait le nom de Chimère.* L'avait-on publié quelque part? Qui savait qu'elle était mêlée à l'enquête?

Elle appuya sur le bouton d'une autre ligne, prête à composer le 911.

— Vous feriez mieux de me dire qui vous êtes vraiment, dit-elle.

— Je vous l'ai dit. La petite choriste black a été la première, répondit la voix. La vieille salope, le gros flic qui se méfiait pas, le grand patron... vous savez ce qu'ils avaient tous en commun, pas vrai? Réfléchissez bien, Claire Washburn. Vous avez quelque chose en commun avec les quatre premières victimes?

Claire tremblait de tous ses membres. Elle revit mentalement les tirs acrobatiques qui avaient tué deux des victimes.

Son regard glissa à l'extérieur de la fenêtre du bureau, vers l'obscurité qui cernait la maison.

La voix reprit:

— *Vous voulez bien vous pencher un petit peu à gauche, toubib?*

43

Claire pivota à l'instant même où la vitre explosait sous l'impact de la première balle.

Le second coup de feu fracassa la fenêtre du bureau et Claire sentit une brûlure douloureuse au cou. Elle était par terre quand les tirs trois et quatre éclatèrent dans la pièce.

Elle poussa un cri étranglé. Il y avait du sang sur le sol, du sang qui s'écoulait de son cou, dégouttant sur sa robe, ses mains. Son cœur battait la breloque. *C'était grave à quel point ? La carotide était-elle sectionnée ?*

Puis elle tourna son regard vers le seuil de la pièce et son sang se figea dans ses veines. *Willie...*

— Maman ! s'exclama-t-il, les yeux exorbités de terreur.

Il était en T-shirt et en slip. *Une cible toute désignée.*

— Couche-toi, Willie, lui hurla-t-elle. Quelqu'un mitraille la maison.

Le garçon se plaqua au sol. Claire le rejoignit en crapahutant.

— Tout va bien. Reste allongé. Laisse-moi réfléchir, lui murmura-t-elle. Ne relève surtout pas la tête.

La douleur dans son cou était insupportable, comme si la peau en avait été cisaillée. Elle n'avait pas perdu sa respiration, cependant. Si la balle lui avait transpercé la carotide, elle serait en train d'étouffer. L'estafilade devait être superficielle, c'était obligé.

— Qu'est-ce qui s'passe, m'man? chuchota Willie, en tremblant comme une feuille.

Claire ne l'avait jamais vu dans cet état.

— J'en sais rien... reste à plat ventre, Willie.

Soudain, quatre nouveaux coups de feu éclatèrent en provenance de l'extérieur. Elle serra très fort son fils contre elle. Le tireur, quel qu'il soit, tirait à l'aveuglette, tâchant de toucher n'importe quoi. *Le tueur savait-il qu'elle était encore vivante?* Elle eut un sursaut de panique. *Et s'il pénétrait dans la maison? Le tueur était-il au courant de la présence de son fils? Il connaissait bien son nom à elle!*

— Willie, hoqueta-t-elle, en lui prenant la tête entre ses mains. Descends au sous-sol. Verrouille la porte. Appelle le 911. Rampe! Maintenant! Rampe sur le ventre!

— Je veux pas te laisser, s'écria-t-il.

— Va, lui enjoignit-elle sèchement. Va maintenant. Fais ce que je t'ai dit. Reste à plat ventre! Je t'aime, Willie.

Claire poussa son fils en avant.

— Appelle le 911. Dis-leur qui tu es et ce qui se passe. Puis appelle papa dans sa voiture. Il doit être sur le chemin du retour.

Willie lui lança un dernier regard suppliant, mais il avait compris. Il rampa, le corps collé au sol, face contre terre. *Tu es brave, mon garçon. Ta mère n'élève pas des nunuches.*

Une autre salve éclata dehors. Retenant son souffle, Claire pria : « Mon Dieu, je vous en supplie, faites que ce salaud n'entre pas chez nous. Empêchez que cela arrive, je vous en prie. »

Chimère balança quatre balles supplémentaires dans la fenêtre brisée, faisant tourner en douceur le fusil PSG-1 entre ses mains.

Il savait qu'il l'avait touchée. Pas au premier coup, elle l'avait esquivé à l'ultime seconde. Mais au suivant, alors qu'elle essayait de se jeter par terre. Il ne savait tout bonnement pas s'il avait rempli son contrat. Il voulait expédier un message au lieutenant Lindsay Boxer et blesser son amie ne suffisait pas. Claire Washburn devait mourir.

Il était assis dans sa voiture, dissimulé par l'ombre de la rue, le canon du fusil dépassant de la vitre ouverte de la portière. Il fallait qu'il s'assure qu'elle était bien morte, mais, nom de Dieu, il ne voulait pas entrer dans la baraque. Elle avait un fils qui était peut-être là. L'un des deux avait pu appeler le 911.

Soudain, on alluma l'éclairage extérieur d'une maison, un peu plus loin dans la rue. Quelqu'un sortit sur la pelouse d'une autre.

— Bordel de merde, fulmina-t-il. Enfoiré.

Il brûlait d'envie de charger la fenêtre brisée et

d'arroser la pièce d'un tir nourri. Claire Washburn devait mourir. Il ne voulait pas partir sans l'avoir achevée.

Il entendit du bruit dans son dos. Une voiture enfilait la rue en quatrième vitesse, le Klaxon à fond, les phares s'allumant et s'éteignant alternativement. La voiture fonçait vers lui tel un météore déboulant dans son champ de vision.

— Et merde, quoi encore?

Peut-être qu'elle avait appelé les flics. Peut-être, dès qu'ils avaient entendu tirer, que les voisins s'en étaient chargés. Il ne pouvait pas courir le risque. Ce n'était pas pour elle qu'il se mettrait en danger. Il ne serait pas pris.

Sans cesser ses coups de Klaxon ni ses appels de phares, la voiture tourna vivement dans l'allée. Et s'arrêta dans un crissement de pneus. Les voisins sortaient des maisons.

Il frappa le volant du plat de la main et rentra son flingue. Il mit sa voiture en prise et démarra, pied au plancher.

C'était la première fois qu'il foirait son coup. Jamais encore. Nom de Dieu, il ne faisait jamais d'erreurs.

T'as du bol, toubib. Mais t'étais qu'une cible pour garder la main, de toute façon.

C'était la suivante qui comptait.

45

Démaquillée et roulée en boule, je m'apprêtais à regarder les dernières infos quand Edmund m'a appelée.

Le mari de Claire, aux cent coups, bafouillait. L'impossibilité de ce qu'il tentait de me décrire m'a frappée avec la force d'un train lancé à pleine vitesse.

— Elle s'en tirera, Lindsay. On l'a emmenée au Peninsula Hospital.

J'ai enfilé un pull en polaire par-dessus ma tête, sauté dans un jean et, balançant un gyrophare sur le toit de ma voiture, foncé à Burlingame. J'ai couvert les quarante minutes de trajet en à peine plus d'un quart d'heure.

J'ai retrouvé Claire, encore en salle de soins, assise dans son lit, vêtue du même tailleur rouille qu'elle portait quand je l'avais quittée trois heures plus tôt. Un médecin lui appliquait un pansement sur le cou. Edmund et Willie étaient à ses côtés.

— Mon Dieu, Claire..., me suis-je bornée à exprimer.

Les larmes m'aveuglaient. Je me suis effondrée contre Edmund et, ma tête sur son épaule, je l'ai serré contre moi très chaleureusement, avec gratitude. Puis j'ai pris Claire dans mes bras.

— Modère tes effusions, ma chérie.

Elle a grimacé de douleur, libérant son cou. Puis elle s'est arraché un sourire.

— Je t'ai toujours dit qu'un jour ou l'autre ces cellules graisseuses prouveraient leur utilité. Faudrait un tir d'enfer pour qu'on atteigne un point vital chez moi.

Je ne la lâchais toujours pas.

— Tu as une petite idée de la chance que tu as eue?

— Oui, a-t-elle soufflé, et son regard ne mentait pas. Crois-moi, je le sais.

La balle n'avait fait que l'effleurer. L'urgentiste avait nettoyé la plaie, l'avait bandée et laissait repartir Claire sans même la garder une nuit. À quelques centimètres près, l'on n'aurait pas été en train de lui parler.

Claire a tendu la main vers celles d'Edmund et de Willie. Elle leur a souri.

— Mes hommes ont été à la hauteur, pas vrai? Tous les deux. Edmund a fait s'enfuir le *sniper* avec sa voiture.

Edmund a fait la grimace.

— J'aurais dû le poursuivre, ce salopard. Et si je l'avais rattrapé...

— On se calme, terreur, lui a intimé Claire en souriant. Laisse Lindsay faire le flic. Reste musicien. Je t'ai toujours dit, a-t-elle continué en lui pressant la main, qu'il a beau avoir Rachmaninov en tête, quand il s'agit de courage, c'est la fidèle Lassie tout craché.

Presque aussitôt, ce qui avait failli arriver en réalité a paru submerger Edmund. Sa bravade a fondu comme neige au soleil. Il s'est contenté de s'asseoir, s'appuyant contre Claire un petit moment, et quand il a essayé de parler, a mis une main devant ses yeux. Claire lui tenait l'autre sans dire un mot.

À peine une heure plus tard, après avoir retracé l'incident à la police de Burlingame, on foulait la pelouse à l'extérieur de la maison de Claire.

— C'était lui. N'est-ce pas, Claire, que c'était Chimère?

Elle a fait oui de la tête.

— C'est un véritable enfoiré, Lindsay. Je l'ai entendu me demander « Vous voulez bien vous pencher un petit peu à gauche, toubib? » Puis il s'est mis à tirer.

Les flics du coin et le bureau du shérif du comté de San Mateo se bousculaient encore par toute la maison et dans le jardin. J'avais déjà appelé Clapper en lui demandant de venir me donner un coup de main.

— Pourquoi moi, Lindsay?

— J'en sais rien, Claire. Tu es black. Tu travailles pour les forces de l'ordre. Je n'y comprends rien moi-même. Pourquoi changerait-il de mode opératoire?

— Il parlait d'un ton calme et délibéré, Lindsay. Comme s'il jouait avec moi. À sa voix, ça semblait une chose... *intime.*

J'ai cru déceler en elle un sentiment nouveau pour moi. De la peur. Qui pouvait l'en blâmer?

— Peut-être que tu devrais prendre quelques jours de congé, Claire, lui ai-je dit. Ne te montre pas.

— Tu crois que je vais le laisser m'obliger à me planquer? C'est inenvisageable, Lindsay. Impossible qu'il ait le dernier mot.

Je l'ai serrée avec douceur dans mes bras.

— Ça va?

— Oui, ça va. Il a eu sa chance. À mon tour, maintenant.

46

Je me suis finalement traînée jusqu'à mon appartement un peu après deux heures du matin.

Les événements de cette longue et épouvantable journée – Jill perdant son enfant, l'épreuve terrifiante de Claire – défilaient comme la séquence de cauchemar d'un classique de l'horreur. Celui que je poursuivais avait failli tuer ma meilleure amie. *Pourquoi Claire ? Qu'est-ce que cela pouvait bien vouloir dire ?* Je me sentais en partie responsable, souillée par ce crime.

Mon corps me faisait mal. J'avais envie de dormir ; j'avais besoin de me laver de cette sale journée. Soudain, la porte de la chambre d'amis s'est ouverte et mon père en est sorti d'un pas traînant. Après cette folle journée, j'avais presque oublié sa présence chez moi.

Il portait un long T-shirt blanc et un boxer-short imprimé de coquillages. D'un certain côté, le manque de sommeil en plus, j'ai trouvé ça cocasse.

— Tu dors en boxer-short, Boxer, lui ai-je dit en guise de salutation. Tu manques pas d'humour pour un vieux briscard.

Puis je lui ai raconté ce qui venait de se passer. En tant qu'ancien flic, il comprendrait. À ma grande surprise, mon père savait très bien écouter. Exactement ce dont j'avais besoin à l'heure actuelle.

Il est venu s'asseoir près de moi sur le canapé.

— Tu veux un café? Je vais t'en préparer, Lindsay.

— Du cognac ferait mieux l'affaire. Mais il y a du thé Moonlight Sonata sur le comptoir si tu te sens de t'en occuper.

C'était agréable d'avoir quelqu'un chez soi; il semblait désireux de m'apaiser.

Revautrée sur le canapé, j'ai fermé les yeux en tentant d'imaginer ce que j'allais faire ensuite. *Davidson, Mercer et maintenant, Claire Washburn...* Pourquoi Chimère s'en prendrait-il à Claire? Qu'est-ce que ça signifiait?

Mon père est revenu avec une tasse de thé et un petit verre plein de Courvoisier :

— J'imagine que t'es une grande fille. Alors pourquoi pas les deux.

J'ai siroté une gorgée de thé et bu la moitié du cognac d'un seul trait.

— Ah, j'avais besoin de ça. Presque autant que d'un coup de bol dans cette affaire. Il laisse des indices, mais je ne pige toujours pas.

— Te mets pas martel en tête, Lindsay, m'a dit mon père de sa plus douce voix.

— Qu'est-ce qu'on fait, ai-je demandé, quand tous les yeux sont braqués sur soi et qu'on n'a pas la moindre idée de ce qu'on va faire ensuite? Quand on comprend que ce qu'on combat ne cède pas un pouce de terrain, qu'on affronte un monstre?

— C'est à peu près à ce stade qu'on fait appel à la crime d'habitude, m'a répondu mon père en souriant.

— N'essaie pas de me faire rire, l'ai-je supplié.

Mais mon père m'a fait sourire en dépit de tout. Fait encore plus surprenant pour moi, je commençais à penser à lui comme à mon père.

Puis son ton a changé du tout au tout.

— Je peux te dire ce que je faisais quand ça devenait vraiment duraille. Je me barrais. Tu ne feras pas ça, Lindsay, je vois ça d'ici. Tu me vaux cent fois.

Il me regardait bien en face. Et ne souriait plus.

Ce qui est arrivé ensuite, je ne l'aurais jamais cru possible. Mon père a ouvert ses bras et en résistant à peine, je me suis surprise à me nicher contre son épaule. Il a refermé ses bras sur moi, un peu timidement au début, puis, comme tout père avec sa fille, il m'a serrée contre lui avec tendresse et affection. Je n'ai plus résisté. Je sentais la même eau de toilette que celle qu'il portait quand j'étais petite. Ça me paraissait à la fois bizarre et le plus naturel du monde.

On aurait dit que cette étreinte inattendue de mon père m'ôtait soudain des strates de souffrance.

— Tu vas le coincer, Lindsay, l'ai-je entendu me chuchoter, tout en me serrant et en me berçant. Tu vas y arriver, Bouton d'Or...

C'était exactement ce que j'avais besoin d'entendre.

— Oh! papa, ai-je dit.

Mais rien de plus, cependant.

47

— Lieutenant Boxer, Estes, le directeur de Pelican Bay. Ligne deux, m'a annoncé Brenda le lundi de bonne heure.

J'ai décroché sans grand espoir.

— Vous m'aviez demandé si l'on avait eu un policier en détention ici, m'a fait Estes d'entrée.

J'ai immédiatement dressé l'oreille.

— Oui?

— Notez bien que je me fiche éperdument des délires d'un Weiscz. Mais j'ai repris d'anciens dossiers. On a eu un cas qui pourrait à peu près coller. Ça remonte à douze ans. J'étais directeur à Soledad quand cette ordure est arrivée ici.

J'ai coupé l'ampli et j'ai porté le récepteur à mon oreille.

— On l'a gardé cinq ans ici, dont deux à l'isolement. Puis on l'a réexpédié à San Quentin. Un cas particulier. Son nom vous rappellera peut-être quelque chose.

J'ai pris un stylo, tout en fouillant dans ma mémoire. Un flic à Pelican? San Quentin?

— Frank Coombs, m'a dit Estes.

J'ai reconnu le nom. Comme un gros titre revenant en un éclair de ma jeunesse. *Coombs*. Un simple flic. Il avait tué un gamin des cités vingt ans plus tôt. On l'avait condamné. Puis incarcéré. Pour tous les policiers de San Francisco, son nom résonnait comme une sirène d'alarme contre le recours à des brutalités incontrôlées.

— Coombs est devenu une encore plus belle ordure en cabane qu'il ne l'était déjà à l'extérieur, a poursuivi Estes. Il a étranglé un de ses compagnons de cellule à San Quentin, ce qui explique pourquoi on l'a expédié ici. Après un séjour en QHS, on a pu le guérir de certaines tendances antisociales.

Coombs... j'ai noté le nom par écrit. Je ne me rappelais rien de l'affaire sauf qu'il avait étranglé et tué ce gamin black.

— Qu'est-ce qui vous fait croire que Coombs pourrait coller? lui ai-je demandé.

— Comme je vous l'ai déjà dit...

Estes s'est éclairci la gorge.

— Je ne fais pas grand cas des délires de Weiscz. Ce qui m'a poussé à vous appeler, c'est que j'ai questionné certains membres du personnel. Pendant son séjour parmi nous, Coombs a été l'un des fondateurs de votre petit groupe.

— Mon groupe?

— Oui, lieutenant. *Chimère*.

48

On connaît le dicton – quand une porte vous claque au nez, une autre s'ouvre. Une demi-heure plus tard, j'ai tapoté sur ma vitre pour convoquer Jacobi.

— Que sais-tu de Frank Coombs? lui ai-je demandé dès qu'il est entré dans mon bureau.

Warren a haussé les épaules.

— Un salaud de flic. Il a fait une prise d'étranglement à un ado pendant une opération antidrogue, y a des années de ça. Le gosse en est mort. Gros scandale dans le service. J'étais encore en uniforme. Il n'a pas été en taule là-haut, à San Quentin?

— Si, si, vingt ans.

J'ai fait glisser le dossier personnel de Coombs vers lui.

— Maintenant, dis-moi quelque chose qui ne figure pas là-dedans.

Warren a ouvert la chemise.

— Dans mon souvenir, ce type était un dur à cuire, décoré, avec un palmarès béton côté arrestations, mais en même temps, j'imagine que ce dossier renferme assez de blâmes de l'OCC pour brutalités pour le faire rivaliser avec l'affaire Rodney King.

J'ai opiné.

— Continue...

— Tu as lu le dossier, Lindsay. Il est intervenu pendant un match de basket dans une cité. Il a confondu l'un des joueurs avec un gamin qu'il avait fait tomber pour trafic mais qu'on avait remis dans la circulation. Le gosse lui a dit un truc puis s'est barré. Coombs l'a pris en chasse.

— Il s'agit d'un gamin black, ai-je précisé. On lui a filé vingt ans pour homicide volontaire.

Jacobi a tiqué.

— Où tout ça nous mène, Lindsay ?

— À Weiscz, Warren. À Pelican Bay. Je croyais qu'il délirait, mais une chose qu'il m'a dite s'est imprimée. Weiscz a prétendu m'avoir donné quelque chose. Il m'a dit que ça avait l'air d'un boulot interne.

— Tu as déterré ce vieux dossier parce que Weiscz t'a dit que c'était un boulot interne ? s'est récrié Jacobi, en fronçant le sourcil.

— Coombs faisait partie de Chimère. Il a passé deux ans en QHS. Écoute... le bonhomme avait suivi un entraînement commando. C'est un tireur d'élite qualifié. Et un raciste déclaré. Et il est dehors. Coombs a quitté San Quentin il y a quelques mois.

Jacobi est resté impassible.

— Il te manque toujours un mobile, lieutenant. Je veux dire, j'admets que ce type est une enflure de première. Mais il a été flic. Quelle dent il aurait contre d'autres flics ?

— Il a plaidé la légitime défense, prétendu que le

gamin lui avait résisté. Personne ne l'a soutenu, Warren. Ni son coéquipier ni les autres agents présents, ni sa hiérarchie. Tu trouves que je pousse un peu?

Je me suis emparée du dossier, l'ai feuilleté et me suis arrêtée à un passage que j'avais entouré au feutre rouge.

— Tu m'as bien dit que Coombs avait tué ce gamin dans une cité?

Jacobi a confirmé d'un signe de tête.

J'ai poussé la page vers lui.

— *Bay View*, Warren. *La Salle Heights.* C'est là qu'il a étranglé ce garçon. Cette cité a été démolie et reconstruite en 1999. On l'a rebaptisée...

— ... Whitney Young, a terminé Jacobi.

À deux pas de là, on avait tué Tasha Catchings.

Ma démarche suivante a été de téléphoner à Madeline Akers, directrice-adjointe de la prison de San Quentin. Maddie était une amie. Elle m'a rapporté ce qu'elle savait de Coombs.

— Mauvais flic, mauvais mec, très mauvais compagnon de cellule. Un enfoiré de première.

Maddie m'a dit qu'elle allait questionner son entourage à son sujet. Peut-être Frank Coombs avait-il confié à quelqu'un quels étaient ses projets à sa sortie.

— Madeline, il ne doit y avoir absolument aucune fuite, ai-je insisté.

— Mercer était un ami, Lindsay. Je ferai tout ce que je pourrai. Donne-moi quelques jours.

— Rien qu'un, Maddie. C'est vital. Il va tuer à nouveau.

Je suis restée longtemps à mon bureau à tâcher de faire tenir ensemble les éléments en ma possession. Je ne pouvais pas rattacher Coombs à l'une des scènes de crime. Je n'avais pas d'arme. J'ignorais même où il se trouvait. Mais pour la première fois depuis la mort de

Tasha Catchings, j'avais le sentiment de tenir un bon filon.

Mon instinct me soufflait de demander à Cindy de partir à la pêche dans les archives du *Chronicle*. Ces événements remontaient à plus de vingt ans. Il ne restait plus qu'une poignée de gens dans le service à avoir connu cette époque.

Puis je me suis rappelé qu'une personne dans le même cas logeait sous mon toit.

J'ai trouvé mon père devant les infos du soir en passant la porte.

— Eh, m'a-t-il hélée. Voilà que tu rentres à une heure décente. Tu as résolu l'affaire?

Je me suis changée, j'ai attrapé une bière dans le frigo, puis j'ai tiré un fauteuil en face de lui.

— Il faut que je te parle de quelque chose, lui ai-je dit en le fixant dans les yeux. Tu te souviens d'un certain Frank Coombs?

Mon père a acquiescé.

— Ça fait un bail que j'ai pas entendu son nom. Bien sûr que je me souviens de lui. Le flic qui a étranglé un gamin des cités. On l'a jugé pour meurtre. Et on l'a bouclé.

— Tu étais en service, hein?

— Oui et je le connaissais. Le flic le plus lamentable sur lequel j'sois jamais tombé. Il en impressionnait certains. Il procédait à des arrestations, faisait tourner la machine. À sa façon. C'était différent à l'époque. Y avait pas de commissions d'examen qui venaient regarder par-dessus ton épaule. Tout ce qu'on faisait ne finissait pas imprimé dans les journaux.

— Ce gosse qu'il a étranglé, papa, il avait quatorze ans.

— Qu'est-ce que tu veux savoir sur Coombs ? Il est à l'ombre.

— Non, il n'y est plus. Il est sorti.

J'ai rapproché mon fauteuil.

— J'ai lu que Coombs avait déclaré avoir tué ce gamin en légitime défense.

— Quel flic ferait pas pareil ? Il a dit que le gamin a essayé de le piquer avec un objet pointu qu'il a pris pour un couteau.

— Tu te souviens de son coéquipier, à ce moment-là, papa ?

— Bon Dieu, a fait mon père en haussant les épaules. Stan Dragula, si je me rappelle bien. Ouais, il a témoigné au procès. Mais je crois que ça fait plusieurs années qu'il est mort maintenant. Personne ne voulait bosser avec Coombs. On avait la frousse de patrouiller avec lui dans certains quartiers.

— Stan Dragula était-il blanc ou black ? ai-je demandé.

— Stan était blanc, m'a répondu mon père. Italien, je crois, ou juif, peut-être bien.

Ce n'était pas la réponse à laquelle je m'attendais. Personne n'avait soutenu Coombs. Mais pourquoi tuait-il des *noirs* ?

— Papa, si Coombs est l'auteur de ces meurtres... il poursuit une sorte de vengeance, pourquoi contre des Blacks ?

— Coombs était une brute, mais c'était aussi un flic. Les choses étaient différentes à l'époque. Y avait ce fameux mur bleu du silence... On l'enseignait à chaque flic à l'Académie : fermez votre clapet. Le mur vous protégera. Eh ben, ç'a pas été le cas pour Frank Coombs ; il s'est écroulé sur lui. Tout le monde était ravi de le lâcher. Ça remonte à quand, vingt ans en arrière ? L'*affirmative action*[1] était fortement implantée dans la police. Noirs et Latinos commençaient à occuper des postes clés. Et puis y avait ce lobby black, l'APJ...

— Les Agents pour la Justice, ai-je terminé. Ils existent toujours.

Mon père a confirmé.

— Les tensions étaient fortes. L'APJ menaçait de faire grève. Bientôt, y a eu des pressions de la municipalité, aussi. Quoi qu'il en soit, Coombs a senti qu'on le livrait, pieds et poings liés.

Ça devenait de plus en plus clair pour moi. Coombs jugeait que le lobby black du service l'avait acculé. Il avait ruminé sa haine en prison. Aujourd'hui, vingt ans plus tard, il était de retour dans les rues de San Francisco.

— Peut-être qu'à un autre moment, on aurait balayé ce genre de chose sous le tapis, ai-je conclu. Mais pas là. L'APJ l'a pas loupé.

Soudain, une prise de conscience écœurante a germé dans ma tête.

— Earl Mercer a trempé là-dedans, c'est ça ?

Mon père a acquiescé.

— Mercer était le lieutenant de Coombs.

---

1. Mouvement datant de 1965, visant à améliorer l'emploi et l'éducation des minorités et des femmes, récemment adapté en France sous le nom de *discrimination positive*. (N.d.T.)

Le mur bleu du silence

1

Le lendemain matin, la piste Frank Coombs qui, un jour à peine auparavant, avait paru peu solide craquait aux entournures. J'étais crevée.

Première chose, Jacobi a frappé à ma porte.

— Un bon point pour toi, lieutenant. Du côté Coombs, c'est de mieux en mieux.

— Comment ça ? Tu as avancé grâce au contrôleur judiciaire de Coombs ?

— Si on veut. Il a disparu, Lindsay. Selon son contrôleur judiciaire, Coombs s'est cassé de cet hôtel sur Eddy, sans laisser d'adresse. Il ne s'est pas présenté à lui, n'a pas contacté son ex-femme.

J'avais beau être déçue que Coombs soit porté manquant, c'était aussi bon signe. J'ai demandé à Jacobi de continuer à chercher.

Quelques minutes plus tard, Madeline Akers m'a appelée de San Quentin.

— Je crois que j'ai ce que tu cherches, m'a-t-elle annoncé.

Je n'en revenais pas qu'elle me rappelle si vite.

— Au cours de l'année dernière, Coombs a partagé

sa cellule avec quatre compagnons différents. Deux d'entre eux ont bénéficié d'une conditionnelle, mais j'ai parlé aux deux autres en personne. L'un d'eux m'a envoyée paître, mais en ce qui concerne le second, un certain Toracetti... je n'ai même pas eu à lui dire ce que je cherchais. Il m'a déclaré qu'à la minute où il avait entendu les nouvelles concernant Davidson et Mercer, il avait su que c'était Coombs. Ce dernier lui avait annoncé qu'il allait tout faire remonter au grand jour.

J'ai remercié Maddie avec effusion. *Tasha, Mercer, Davidson...* le puzzle commençait à se mettre en place.

Mais où Estelle Chipman s'inscrivait-elle dans le tableau ?

Poussée par une force inconnue, je suis sortie fouiller dans les dossiers. Ça faisait des semaines que je n'y avais plus jeté un œil.

Je l'ai retrouvé, enseveli sous la pile. Le dossier personnel que j'avais fait extraire des archives, celui d'*Edward C. Chipman*.

De ses trente ans de service sans histoire, une seule chose ressortait.

Il avait été le représentant de l'APJ... des *Agents pour la Justice* de son secteur.

Il était temps de rendre ça officiel. J'ai bigophoné au chef Tracchio. Sa secrétaire, Helen, qui avait été celle de Mercer, m'a dit qu'il était en réunion à huis clos. Je lui ai répondu que je montais.

J'ai emporté le dossier Coombs et enfilé l'escalier jusqu'au quatrième. Il fallait que je fasse état de ma découverte. J'ai déboulé dans le bureau du chef.

Et je me suis immobilisée, sans voix, sous le choc.

À ma grande surprise, siégeant à la table de conférence, j'ai aperçu Tracchio, les agents spéciaux du FBI, Ruddy et Hull, Carr, l'attaché de presse, et l'inspecteur principal Ryan.

On ne m'avait pas conviée à la dernière réunion du détachement spécial.

2

— C'est quoi, cette connerie ? les ai-je apostrophés. Cette connerie en barre, je dirais même plus. À quoi ça rime, cette espèce de club réservé aux hommes ?

Tracchio, Ruddy et Hull du FBI, Carr, Ryan. Cinq mecs assis autour de la table – moins moi, seule femme du groupe.

Le DG par intérim s'est levé, rouge comme un coquelicot.

— On allait vous prévenir, Lindsay.

Je savais ce que cela signifiait et ce qui se passait. Tracchio allait passer la main dans l'affaire. *Mon affaire*. Ryan et lui allaient la confier au FBI.

— On a atteint une phase critique, a fait Tracchio.

— Un peu, mon neveu, l'ai-je coupé.

J'ai balayé le groupe du regard.

— *J'ai trouvé qui c'est.*

Tous les regards se sont soudain tournés vers moi. Les mecs gardaient le silence. On semblait avoir augmenté la lumière, la peau me picotait comme si on l'avait cautérisée.

J'ai reposé mes yeux sur Tracchio.

— Voulez-vous que je vous expose le tout ? Ou voulez-vous que je m'en aille ?

Apparemment abasourdi, il m'a avancé un fauteuil.

Je ne l'ai pas pris, je suis restée debout. Puis je leur ai déballé tout le truc avec un plaisir non dissimulé. Mon scepticisme de départ, puis comment ça avait commencé à coller. Chimère, Pelican Bay... la rancune de Coombs contre les forces de police. À l'énoncé du nom de Coombs, ceux du service ont ouvert de grands yeux. J'ai relié les victimes au fait que Coombs soit un tireur d'élite qualifié, ajoutant que seul un tireur de ce calibre avait pu réussir de tels cartons.

Une fois que j'en ai eu fini, un nouveau silence a suivi. Ils se contentaient de me regarder. J'ai eu envie de lever mon bras plusieurs fois en signe de victoire.

L'agent Ruddy s'est raclé la gorge.

— Jusque-là, je n'ai pas entendu un seul détail qui rattache directement Coombs à l'une des scènes de crime.

— Accordez-moi encore un jour ou deux et ce sera possible, ai-je répliqué. Coombs est l'assassin.

Hull, le coéquipier baraqué de Ruddy, a eu un haussement d'épaules optimiste à l'adresse du DG.

— Vous voulez qu'on prenne la suite ?

Je n'en croyais pas mes oreilles. C'était *mon* affaire. *Ma* grande découverte. Celle de la crime. On avait tué des gens de chez nous.

Tracchio a paru ruminer la chose. Il a pincé ses lèvres charnues comme s'il aspirait une dernière goutte de sirop à travers une paille. Puis il a fait non de la tête au représentant du FBI.

— Ça ne sera pas nécessaire, agent Hull. Cette affaire a toujours été du ressort de la ville. On en verra le bout avec le personnel municipal.

3

Ne restait plus qu'un seul obstacle à franchir : retrouver Frank Coombs.

Le casier judiciaire de Coombs mentionnait une épouse, Ingrid : elle avait divorcé de lui pendant qu'il était sous les verrous et s'était remariée. C'était tiré par les cheveux. D'après le contrôleur judiciaire, il n'avait pas repris contact avec elle. Mais tirer par les cheveux était désormais à l'ordre du jour.

— Allez, Warren, ai-je bousculé Jacobi. Tu viens avec moi. Comme au bon vieux temps.

— Wouah, c'est pas bath, ça.

Ingrid Thiasson habitait une rue agréable dans un quartier relativement chic, non loin de Laguna.

On s'est garés en face de chez elle, on a traversé et sonné. Personne ne nous a répondu. On ignorait si la femme de Coombs travaillait, il n'y avait pas de voiture garée en vue.

Au moment où on rebroussait chemin, un break Volvo ancien modèle s'est arrêté dans l'allée.

À première vue, Ingrid Thiasson avait la cinquantaine, le cheveu brun et laineux ; elle portait une robe bleue informe sous un gros pull gris. À peine descendue de voiture, elle est allée ouvrir le hayon arrière pour décharger le ravitaillement.

En tant qu'ancienne épouse d'un flic, elle nous a identifiés au premier coup d'œil.

— Qu'est-ce que vous me voulez? nous a-t-elle demandé.

— Quelques minutes d'entretien. On cherche à localiser votre ex-mari.

— Vous ne manquez pas d'air de venir ici, nous a-t-elle dit, sourcils froncés, deux sacs de provisions dans les bras.

— On ne fait que vérifier toutes les possibilités, a précisé Jacobi.

— Je l'ai déjà dit à son contrôleur judiciaire, lui a-t-elle rétorqué d'un ton sec, je n'ai plus eu aucune nouvelle de lui depuis qu'il est sorti.

— Il n'est pas venu vous voir?

— Si, une seule fois, à peine dehors. Il est passé prendre des affaires personnelles qu'il croyait que j'avais conservées. Je lui ai dit que j'avais tout jeté.

— Quel genre d'affaires? ai-je demandé.

— Des lettres sans valeur, des articles de journaux sur le procès. Probablement les armes qu'il conservait. Frank a toujours aimé les armes. Des affaires auxquelles seul un homme qui n'a plus rien à faire valoir dans sa vie attache un certain prix.

Jacobi a acquiescé.

— Qu'est-ce qu'il a fait, alors?

— Ce qu'il a fait? a ricané Ingrid Thiasson. Il est reparti sans poser une seule question sur la vie qu'on a menée, mon fils et moi, pendant ces vingt dernières années. Il n'a pas eu un seul mot ni pour Rusty ni pour moi. Vous y croyez à une chose pareille ?

— Et vous n'avez aucune idée où l'on pourrait le joindre ?

— Aucune. Cet homme est du poison violent. J'ai trouvé quelqu'un qui m'a traitée avec respect. Qui a servi de père à mon garçon. Je ne veux plus jamais revoir Frank Coombs.

— Vous ne savez pas s'il serait resté en contact avec votre fils ?

— Impossible. Je les ai toujours tenus éloignés l'un de l'autre. Mon fils n'a aucun lien avec son père. Et n'allez pas l'asticoter. Il est étudiant à Stanford.

Je me suis avancée.

— Quiconque saurait où le trouver, madame Thiasson, nous aiderait grandement. Il s'agit d'une affaire criminelle.

J'ai perçu chez elle une infime hésitation.

— Je mène une vie sans accroc depuis vingt ans. Nous formons une famille à présent. Je tiens à ce que personne n'apprenne que cela est venu de moi.

J'ai opiné. Le sang me montait à la tête.

— Frank est resté en relations avec Tom Keating. Même pendant sa détention. Si quelqu'un sait où il se trouve, ça ne peut être que lui.

Tom Keating. Ce nom me disait quelque chose.

C'était un flic en retraite.

4

Moins d'une heure plus tard, Jacobi et moi, on s'arrêtait devant le condo 3A de la communauté résidentielle Blakesly, sur la côte à Half Moon Bay.

Le nom de Keating était resté logé dans ma tête depuis mon enfance. C'était un habitué de l'*Alibi* où de nombreux après-midi, après sa journée de neuf à seize heures, mon père m'avait hissée sur le bar. Dans mon souvenir, Keating avait le visage rougeaud et une crinière prématurément blanchie. *Mon Dieu*, ai-je pensé, *ça fait presque trente ans.*

On a frappé à la porte du modeste condo de Keating. Une femme svelte à cheveux gris et à l'air avenant nous a répondu.

— Madame Keating? Lieutenant Lindsay Boxer de la brigade criminelle de San Francisco. Et voici l'inspecteur Jacobi. Votre mari est-il là?

— La criminelle...? a-t-elle dit, surprise.

— Ça concerne une vieille affaire, ai-je précisé en souriant.

Une voix s'est élevée à l'intérieur.

— Helen, je trouve cette foutue zapette nulle part.

— Une minute, Tom. Il est au fond, nous a-t-elle dit en nous invitant à entrer.

On a traversé la maison à la décoration spartiate jusqu'à un solarium donnant sur un petit patio. Plusieurs photos de service encadrées étaient accrochées aux murs. Keating était tel que dans mon souvenir, avec simplement trente ans de plus. Émacié, cheveux blancs clairsemés, mais toujours le teint vermeil.

Il était installé devant un bulletin d'infos de l'après-midi, les résultats de la bourse défilant au bas de l'écran, je me suis aperçue qu'il était dans un fauteuil roulant.

Helen Keating a fait les présentations, puis, dénichant la zapette, a baissé le son. Keating a paru enchanté d'avoir une visite de membres de la police.

— Il me reste plus grand-chose à faire depuis que mes jambes m'ont lâché. L'arthrite, à ce qu'on m'a dit. Je dois ça à une balle dans la quatrième lombaire. Je peux plus jouer au golf.

Il a pouffé.

— Mais je peux toujours regarder pousser ma pension vieillesse.

J'ai remarqué qu'il me dévisageait.

— Tu es la petite de Marty Boxer, pas vrai ?

J'ai souri.

— L'*Alibi*... et plus d'un 5-0-1, hein, Tom ?

Un 5-0-1 correspondait à « appel en renfort », c'était leur nom de code pour leur boisson préférée, du whisky irlandais arrosé de bière.

— À ce que j'ai entendu dire, t'es devenue l'une des big boss, ces temps-ci.

Keating a approuvé avec un sourire plein de dents.

— Bon, qu'est-ce qui amène deux grands chefs comme vous à venir parler avec un vieux flicaillon comme moi?

— Frank Coombs, ai-je répondu.

Les traits de Keating se sont durcis aussitôt.

— Frank? À propos de quoi?

— On le recherche, Tom. On m'a dit que vous pourriez savoir où il se trouve.

— Pourquoi ne pas le demander à son contrôleur judiciaire? C'est pas moi.

— Il s'est cassé, Tom. Ça fait un mois. Il a quitté son boulot.

— Depuis quand on envoie ceux de la crime après ceux qu'ont violé leur conditionnelle?

J'ai soutenu son regard.

— Qu'est-ce que vous en dites, Tom?

— Qu'est-ce qui vous fait croire que j'ai mon idée là-dessus?

Il a jeté un coup d'œil à ses jambes.

— Le passé, c'est le passé.

— J'ai entendu dire que vous étiez restés en contact tous les deux. C'est important.

— Ben, vous perdez votre temps, ici, lieutenant, m'a-t-il dit, devenant soudain cérémonieux.

Je savais qu'il mentait.

— Quand avez-vous parlé avec Coombs pour la dernière fois?

— Juste après sa sortie, possible. Une fois ou deux depuis ça. Il avait besoin qu'on l'aide à se remettre en selle. Je lui ai tendu la main.

— Et où séjournait-il, l'a interrompu Jacobi, quand vous lui avez tendu cette main secourable?

Keating a hoché la tête.

— Un hôtel quelque part sur Eddy ou O'Farrell. Le *Saint-François*, peut-être bien, a-t-il répondu.

— Et vous ne lui avez plus reparlé depuis?

Mon regard s'est porté sur Helen Keating.

— Qu'est-ce que vous lui voulez, au fait? nous a dit Keating sèchement. Il a purgé sa peine. Pourquoi vous lui fichez pas la paix?

— Ça faciliterait les choses, Tom, ai-je dit, si vous vouliez bien nous renseigner.

Keating a pincé ses lèvres desséchées, tâchant d'évaluer où placer sa loyauté.

— Vous avez eu trente ans de maison, n'est-ce pas? lui a demandé Jacobi.

— Vingt-quatre, a-t-il rectifié en tapotant sa jambe. Ça a été abrégé au final.

— Vingt-quatre ans de bons et loyaux services. Ce serait une honte de vous déshonorer en ne coopérant pas avec nous aujourd'hui...

Il nous a répliqué du tac au tac:

— Vous voulez savoir qui était un putain d'expert en *manque de coopération*? Frank Coombs. Ce type n'a fait que son boulot et tous ces salopards, ses amis soi-disant, ont détourné la tête. Peut-être que c'est comme ça qu'on fait les choses aujourd'hui, avec vos réunions d'action communautaire et vos séminaires de formation. Mais à l'époque, fallait nettoyer les rues de la racaille. Avec les moyens du bord.

— Tom, a fait sa femme en élevant la voix. Frank Coombs a tué un jeune garçon. Ces gens-là sont dans ton camp. Ils veulent lui parler. J'ignore jusqu'où tu dois pousser ton idéal de loyauté envers un ami. Ton devoir t'appelle ici.

Keating l'a fusillée d'un regard peu amène.

— Ouais, c'est ça, mon devoir m'appelle ici.

Il s'est emparé de la zapette et s'est retourné vers moi.

— Vous pouvez rester ici toute la journée si ça vous chante ; je n'ai pas la moindre idée où se trouve Frank Coombs.

Et dans la foulée, il a remonté le son de la télé.

5

— Je l'emmerde, m'a dit Jacobi en sortant de la maison. C'est rien qu'un connard de la vieille école.

— Quitte à avoir descendu la moitié de la péninsule, lui ai-je dit, si on roulait jusqu'à Stanford ? Pour voir le gosse de Frankie ?

— Pourquoi pas ? m'a-t-il rétorqué avec un haussement d'épaules. Un peu de culture me fera pas de mal.

On a repris la 280 et rallié Palo Alto en une demi-heure.

En m'arrêtant dans l'allée de l'université – les grands palmiers qui la bordaient, les imposants bâtiments ocre aux toits rouges, la Tour Hoover dominant avec majesté la cour principale – j'ai éprouvé tout l'attrait de participer à la vie de campus. Chacun de ces gamins était particulièrement doué. J'ai même éprouvé une certaine fierté à ce que le fils de Coombs, en dépit de son départ difficile dans la vie, ait réussi à entrer ici.

On s'est présenté au bureau de l'administration. Un assistant du doyen nous a répondu que Rusty Coombs devait sans doute s'entraîner au foot dans le complexe sportif, avant d'ajouter que ce dernier était un bon élève et un super ailier. On a roulé jusque là-bas, où un délégué étudiant, coiffé de la casquette rouge de Stanford, nous a emmenés à l'étage et demandé d'attendre à l'extérieur de la salle de musculation.

Quelques instants plus tard, un gamin rouquin super baraqué, en T-shirt des Cardinals trempé de sueur, en est sorti d'un pas nonchalant. Rusty Coombs avait un air affable et des taches de rousseur. Nulle trace chez lui de la sombre et maussade belligérance que j'avais notée chez son père sur les photos.

— Je me doute de ce que vous venez faire ici, nous a-t-il dit en s'approchant de nous. Ma mère m'a appelé, elle m'a tout raconté.

Le bruit métallique des barres d'haltère et autres appareils claquait en fond sonore. Je lui ai souri avec amabilité.

— Nous recherchons votre père, Rusty. On se demandait si vous aviez une petite idée de l'endroit où il se trouve ?

— Ce n'est plus mon père, nous a répondu le garçon en faisant non de la tête. Mon père s'appelle Théodore Bell. C'est lui qui m'a élevé avec ma mère. Teddy m'a appris à jouer au foot. C'est lui qui m'a convaincu que je pouvais réussir à entrer à Stanford.

— Quand avez-vous entendu parler de Frank Coombs pour la dernière fois ?

— Qu'est-ce qu'il a fait, de toute façon ? Ma mère m'a dit que vous étiez de la crime. On suit les infos ici. Tout le monde est au courant de ce qui se passe. Pour ce qu'il a fait autrefois, il a payé sa dette, non ? Vous ne pouvez pas bêtement croire, à cause des erreurs qu'il a commises il y a plus de vingt ans, que c'est lui l'auteur de ces crimes abominables ?

— On ne serait pas descendus jusqu'ici si ce n'était pas important, a fait Jacobi.

Le footballeur sautait d'un pied sur l'autre. Il avait l'air d'un gamin responsable, coopératif.

— Il est venu ici une fois, nous a-t-il avoué en se frottant la paume des mains. Quand il est sorti. Je lui avais écrit quelquefois en prison. Je l'ai retrouvé en ville. Je voulais que personne ne le voie.

— Que vous a-t-il dit ? l'ai-je interrogé.

— Je crois que tout ce qu'il voulait, c'était tranquilliser sa conscience. Et savoir ce que ma mère pensait de lui. Il ne m'a pas dit une seule fois : « Super boulot, Rusty. Regarde où tu en es. T'as *réussi.* » Ni même : « Tu sais, je suis tous tes matches... » Ce qui l'intéressait davantage, c'était de savoir si ma mère avait jeté certaines de ses vieilles affaires.

— Quel genre d'affaires ? ai-je demandé.

Qu'est-ce qui pouvait être si important pour justifier le voyage et une confrontation avec son fils ?

— Des affaires de policier, m'a dit Rusty Coombs en hochant la tête. Ses flingues, peut-être.

Je lui ai souri avec sympathie. Je savais ce que c'était d'avoir pour son père tout sauf de l'admiration.

— Il vous a laissé entendre où il comptait aller ?

Rusty Coombs a secoué la tête sans un mot. Il avait l'air à deux doigts de craquer.

— Frank Coombs et moi, ça fait deux, inspecteurs. J'ai beau porter son nom, j'ai beau devoir vivre avec ce qu'il a fait, lui c'est *lui* et moi, c'est moi. S'il vous plaît, fichez la paix à notre famille. Je vous en prie.

6

Eh bien, ça craignait. Avoir réveillé de mauvais souvenirs chez Rusty Coombs m'a mise très mal à l'aise. Jacobi était au même diapason que moi.

On est rentrés au bureau vers seize heures. On avait roulé jusqu'à Palo Alto pour mieux aboutir dans une nouvelle impasse. La joie, quoi.

Un message téléphonique m'attendait. J'ai rappelé Cindy immédiatement.

— Une rumeur circule selon laquelle vous vous recentrez sur un seul suspect, m'a-t-elle fait. Info ou intox?

— On a un nom, Cindy, mais je ne peux pas t'en dire plus. On veut simplement l'interpeller et le soumettre à un interrogatoire.

— Alors il n'y a pas de mandat?

— Non, Cindy... pas encore.

— Il s'agit pas d'un article, Lindsay. Il s'en est pris à une amie à nous. T'as pas oublié? Si je peux t'aider en quoi que ce soit...

— J'ai une centaine d'hommes qui bossent là-dessus, Cindy. C'est déjà arrivé à certains d'entre nous de mener une enquête ou deux. S'il te plaît, fais-moi confiance.

— Si vous ne l'avez pas encore interpellé, alors ça veut dire que vous ne l'avez pas retrouvé, juste?

— Ou qu'on n'a pas encore assez d'éléments. Eh Cindy, tout ça n'est pas destiné à la publication.

— C'est moi qui te parle, Linds. Et Claire, aussi. Et Jill. On est sur l'affaire, Lindsay. Toutes les quatre.

Elle avait raison. Contrairement aux autres affaires criminelles sur lesquelles j'avais travaillé, celle-ci semblait devenir de plus en plus personnelle. *Pourquoi donc?* Je ne tenais toujours pas Coombs et je pouvais avoir besoin d'un coup de main. Tant qu'il restait en liberté, tout pouvait arriver.

— J'ai vraiment besoin de votre aide. Compulse tes archives, Cindy. Tu n'es pas remontée assez loin.

Elle a marqué un temps, ravalé son souffle.

— Tu avais raison, hein? Le bonhomme est un flic.

— Tu peux pas affirmer ça, ma chérie. Et si tu le faisais, tu aurais tout faux. Mais tu brûles vachement.

J'ai senti qu'elle cogitait et aussi qu'elle se mordait la langue.

— On se retrouve toujours comme prévu, hein?

— Ouais, ai-je répondu en souriant. On se retrouve. On fait équipe. Plus que jamais.

J'allais arrêter pour ce soir quand un appel a fait bourdonner ma ligne. J'étais là à penser que Tom Keating nous avait menti. Qu'il avait parlé à Coombs. Mais tant qu'on n'aurait pas de mandat, Keating pouvait nous taire tout ce qu'il voulait.

À ma grande stupéfaction, c'était sa femme au bout du fil. J'ai failli en lâcher le récepteur.

— Mon mari est une tête de mule, lieutenant, m'a-t-elle dit d'emblée, avec une nervosité évidente. Mais il a porté l'uniforme avec fierté. Je ne lui ai jamais réclamé de comptes. Et ce n'est pas maintenant que je vais commencer. Mais je ne peux pas rester sans rien faire. Frank Coombs a tué ce garçon. Et s'il a fait autre chose, je refuse de me réveiller tous les matins jusqu'à la fin de mes jours en sachant que j'ai été la complice d'un assassin.

— Il vaudrait mieux pour tout le monde, madame Keating, que votre mari nous dise ce qu'il sait.

— J'ignore ce qu'il sait, m'a-t-elle répondu, et je le crois quand il affirme qu'il n'a pas parlé à Coombs depuis un certain temps. Mais il n'a pas dit toute la vérité, lieutenant.

— Alors pourquoi ne pas vous y mettre.

Elle a hésité.

— Coombs est bien venu ici. Une seule fois. Il y a deux mois de ça, environ.

— Vous savez où il se trouve?

Le sang a afflué dans ma tête.

— Non, m'a-t-elle répondu. Mais j'ai noté un message de lui pour Tom. J'ai encore le numéro.

J'ai cherché un stylo à l'aveuglette.

Elle m'a lu le numéro. *434 9117.*

— Je suis quasiment sûre que c'était un genre de pension de famille ou d'hôtel.

— Merci, Helen.

J'allais raccrocher quand elle a ajouté :

— Il y a encore autre chose... quand mon mari vous dit qu'il a tendu la main à Coombs, il ne vous a pas raconté toute l'histoire. Tom lui a donné de l'argent. Il l'a laissé aussi fouiller dans des vieilleries stockées dans le débarras.

— Quelle sorte de vieilleries?

— Des vieilleries datant de l'époque où il était en service. Son ancien uniforme, peut-être, et son badge.

C'était ce que Coombs avait été chercher au domicile de son ex-femme. Son ancien uniforme de policier. Un déclic s'est fait dans ma tête. *Peut-être que c'est à cause de ça qu'il a pu approcher d'aussi près Mme Chipman et Mercer...*

— C'est tout? lui ai-je demandé.

— Non, m'a dit Helen Keating. Tom conservait des armes, là, en bas. Coombs les a emportées, elles aussi.

7

En l'espace de quelques minutes, j'avais identifié le numéro qu'Helen Keating m'avait donné : une pension de famille sur Larkin et McAllister. L'*Hôtel William Simon*. Mon pouls battait fort.

J'ai appelé Jacobi, l'attrapant à l'instant où il passait à table pour dîner.

— Rejoins-moi sur Larkin et McAllister. À l'*Hôtel William Simon*.

— Tu veux que je te rejoigne dans un hôtel ? Cool. J'arrive.

— Je crois qu'on a retrouvé Coombs.

On ne pouvait pas arrêter Frank Coombs. On n'avait pas la moindre preuve pouvant le relier directement à l'un des crimes. Cependant, j'étais en mesure d'obtenir un mandat de perquisition et de faire une descente dans sa chambre. Pour l'heure, le plus urgent était de s'assurer qu'il l'occupait toujours.

Vingt minutes plus tard, j'avais gagné le quartier miteux qui sépare le Civic Center d'Union Square. Le *William Simon*, trou à rats à ascenseur unique, était couronné d'un grand panneau où un mannequin efflanqué faisait la pub pour les sous-vêtements Calvin Klein. *Beurk*, comme aurait dit Jill.

Je n'avais pas envie de me présenter à la réception, d'y montrer mon badge et la photo de Coombs, avant qu'on soit prêts à passer à l'action. Pour finir, je me suis dit : *et puis merde* ; et j'ai appelé le numéro qu'Helen Keating m'avait donné. Au bout de trois sonneries, une voix d'homme m'a répondu :

— *William Simon...*

— Frank Coombs ? ai-je demandé.

— *Coombs...*

J'ai entendu le réceptionniste feuilleter le registre.

— Non.

Merde. Je lui ai demandé de bien vérifier. Il m'a répondu une deuxième fois par la négative.

À cet instant précis, la portière de mon Explorer côté passager s'est ouverte. Mes nerfs vibraient telles les cordes d'une guitare basse.

Jacobi est monté. Il portait une chemisette de golf à rayures et une sorte d'immonde veste courte « Réservé aux Membres ». Il avait le ventre renflé. Il m'a souri comme un micheton.

— Eh, m'dame, j'ai droit à quoi pour un billet de vingt ?

— À un dîner, peut-être, si c'est toi qui régales.

— Tu l'as identifié ? m'a-t-il demandé.

J'ai fait non de la tête. Et lui ai raconté ce que j'avais découvert.

— Peut-être qu'il a déménagé, a proposé Jacobi. Et si j'entrais là-dedans, histoire de montrer mon badge ? Et la photo de Coombs ?

J'ai refusé de la tête.

— Et si on restait ici à attendre.

Ce qu'on a fait pendant plus de deux heures. Planquer est incroyablement mortel. Ça rendrait dingue tout être normalement constitué. Les yeux scotchés sur le *William Simon*, on a passé en revue tout et n'importe quoi, d'Helen Keating à ce que l'épouse de Jacobi lui avait fait pour dîner, de l'équipe des 49*ers* à qui couchait avec qui au palais. Jacobi a même fait un saut pour aller chercher des sandwichs.

À dix heures, Jacobi a maugréé :

— Ça peut durer une éternité. Pourquoi tu me laisses pas entrer là-dedans, Lindsay ?

Il avait sans doute raison. On ignorait même si le numéro d'Helen Keating était encore bon. Elle l'avait noté il y avait plusieurs semaines de ça.

J'allais renoncer quand un quidam a tourné à l'angle de Larkin en se dirigeant vers l'hôtel. J'ai agrippé Jacobi par le bras.

— Regarde là-bas.

C'était Coombs. J'ai reconnu cette ordure sur-le-champ. Blouson en treillis, mains dans les poches, casquette rabattue sur les yeux.

— Enfoiré, a murmuré Jacobi.

En voyant ce salaud se faufiler jusqu'à l'hôtel, il m'a fallu prendre énormément sur moi pour ne pas jaillir de la voiture et le plaquer contre un mur. J'aurais aimé pouvoir lui passer les menottes. Mais on tenait Chimère à présent. On savait où il était.

— Je veux qu'on ne le lâche plus, nuit et jour, ai-je dit à Jacobi. S'il s'aperçoit qu'on le file, je veux qu'on le chope. On se débrouillera avec les chefs d'accusation plus tard.

Jacobi a acquiescé.

— J'espère que tu as fait suivre une brosse à dents, lui ai-je dit avec un clin d'œil. C'est toi qui t'y colles en premier.

8

Alors qu'ils marchaient main dans la main vers son appartement de Castro, Cindy s'avoua *in petto* qu'elle était morte de trouille.

C'était la cinquième fois qu'Aaron Winslow et elle sortaient ensemble. Ils avaient vu Cyrus Chestnut et Freddie Hubbard au Blue Door, assisté à *La Traviata* à l'Opéra, traversé la baie en ferry pour aller dans un petit café jamaïcain qu'Aaron connaissait. Ce soir, ils venaient de voir ce film ravissant, *Le Chocolat*.

Peu importe où tout cela aboutirait, elle avait du plaisir à être avec lui. Il était plus profond que la plupart des hommes avec lesquels elle était sortie, et plus sensible sans contredit. Non content d'avoir des lectures inattendues, par exemple *Une œuvre déchirante d'un génie renversant* de Dave Eggers ou encore *La Femme du dieu de feu* d'Amy Tan, il menait la vie qu'il prêchait. Il bossait douze à seize heures par jour, était adoré dans son quartier, tout en s'arrangeant pour tenir son ego en échec. En interrogeant les gens pour son papier, on le lui avait dit et redit : Aaron Winslow était quelqu'un de bien.

Tout ce temps-là, pourtant, Cindy avait senti ce moment se profiler à l'horizon. Se précipiter de plus en plus près. Le tic-tac du compte à rebours. C'était une évolution naturelle, se répétait-elle. Pour reprendre la comparaison de Lindsay, leur gourbi allait exploser.

— Vous me semblez bien silencieuse, ce soir, lui dit Aaron. Ça va, Cindy ?

— Super bien, lui mentit-elle.

Elle songeait qu'il était l'homme le plus gentil avec lequel elle soit sortie, mais, *bon Dieu, Cindy, c'est un pasteur. Pourquoi alors n'y as-tu pas pensé plus tôt ? Tu crois que c'est une bonne idée ? Réfléchis bien. Ne lui fais pas de mal. Ne t'en fais pas non plus.*

Ils atteignirent l'entrée de l'immeuble de Cindy et s'immobilisèrent sous le porche éclairé. Il fredonnait les paroles d'un vieil air de Rhythm and Blues « *I've Passed This Way Before* ». Il avait même une belle voix.

Inutile de tourner plus longtemps autour du pot.

— Écoutez, Aaron, il faut que l'un de nous se dévoue. Vous voulez monter ? J'aimerais que vous me disiez oui, je détesterais que vous me disiez non.

Il soupira et sourit.

— Je ne sais pas vraiment comment le prendre, Cindy. Je me sens un petit peu à côté de la plaque. Je, euh, je ne suis jamais sorti avec une blonde jusque-là. Je ne m'attendais pas du tout à ça.

— Je peux comprendre, fit-elle en souriant. Mais j'habite au premier. On pourrait parler de ça là-haut.

Sa bouche à lui tremblait légèrement et quand il lui effleura le bras, elle ressentit un frisson le long de l'échine. Mon Dieu, comme il lui plaisait. Et elle se sentait en confiance avec lui.

— Je me sens prêt à franchir le pas, dit-il. Mais ce n'est pas un pas que je peux franchir à la légère. Alors je dois savoir. On se trouve bien ici tous les deux? Au même endroit?

Cindy se hissa sur la pointe des pieds et effleura ses lèvres des siennes. Aaron parut surpris, se raidit au premier abord; puis lentement, il l'entoura de ses bras et s'abandonna à ce baiser.

Ce premier vrai baiser était en tout point comme elle l'avait espéré. Tendre, à couper le souffle. À travers sa veste, elle sentait battre son cœur, fort. Elle aimait bien qu'il ait peur, lui aussi. Ça la faisait se sentir encore plus proche de lui.

Quand ils se séparèrent, en le regardant au fond des yeux, elle lui dit :

— On se trouve bien ici. Au même endroit.

Elle sortit sa clé et le fit monter chez elle, le cœur en chamade.

— C'est super, dit-il. Et ce n'est pas une façon de parler.

Un mur de livres sur deux étagères et une cuisine à l'américaine.

— C'est vous... Cindy, ça me paraît tellement idiot de ne pas être venu ici plus tôt.

— C'est pas faute d'avoir essayé, repartit Cindy avec un grand sourire.

Mon Dieu, qu'elle était nerveuse.

Il la reprit contre lui, lui donnant cette fois un plus long baiser. Pas de doute, il savait embrasser. La moindre cellule de son corps était vivante. Les poils follets de ses bras, la chaleur entre ses cuisses; elle se serra contre lui. Elle avait envie, besoin d'être tout près de lui, maintenant. Il avait un corps mince, mais plein de force.

Cindy se remit à sourire.

— Alors, qu'est-ce que vous attendiez ?

— Je ne sais pas. Une sorte de signe, peut-être.

Elle se nicha au creux de son corps, le sentit prendre vie.

— Ça, c'est un signe, lui dit-elle tout près de son visage.

— Je suppose que mon secret est éventé à présent. Oui Cindy, je vous aime bien.

Soudain la sonnerie stridente du téléphone retentit.

— Ah, bon Dieu, gémit-elle. Arrête-toi, fiche-nous la paix.

Chaque sonnerie semblait plus importune que la précédente. Par bonheur, le répondeur se déclencha enfin.

— Cindy, c'est Lindsay, lança la voix. C'est important. S'il te plaît. Décroche. Vite.

— Allez-y, dit Aaron.

— Maintenant que vous êtes enfin chez moi, ne profitez pas du temps que je passe au téléphone pour vous raviser.

Elle glissa la main derrière le canapé, chercha à tâtons le récepteur, le porta à son oreille.

— Il n'y a que pour toi que je fais exception, dit-elle.

— C'est drôle, j'allais te dire la même chose. Écoute ça.

Lindsay lui fit part de la nouvelle. Cindy ressentit une bouffée triomphale. C'était ce qu'elle avait attendu. C'était sa trouvaille qui avait lancé Lindsay sur la piste. Oui !

— *A mañana*, dit-elle, et merci pour le coup de fil.

Elle raccrocha, se repelotonna contre Aaron et le regarda au fond des yeux.

— Vous vouliez un signe. Je crois qu'il ne peut pas y en avoir de meilleur, lui dit-elle, le visage rayonnant. On l'a retrouvé, Aaron.

9

On a planqué toute la nuit devant le *William Simon*. Officieusement. Jusque-là, Coombs n'était pas ressorti. Je savais où il était. Maintenant, il ne me restait plus qu'à bâtir le dossier.

C'était ce matin que Jill reprenait le travail. Je me suis dirigée vers son bureau pour la mettre au parfum. Au septième, en sortant de l'ascenseur, je me suis heurtée à Claire, qui avait dû avoir la même idée.

— Les grands esprits, etc., m'a-t-elle fait.

— J'ai une grande nouvelle, lui ai-je dit, rayonnante d'avance. Viens vite...

On a frappé à la porte et trouvé Jill fidèle au poste, l'air un peu patraque. Des piles de documents et de dossiers juridiques donnaient l'impression qu'elle n'avait pas perdu un seul jour. En nous apercevant, son œil bleu s'est animé, mais quand elle s'est mise debout, en tendant les bras pour nous embrasser, notre Jilly nous a paru carburer à la moitié de son énergie habituelle.

— Bouge pas, lui ai-je dit en m'avançant pour l'embrasser. Faut que tu te ménages.

— Je vais bien, m'a-t-elle répondu vivement. J'ai le ventre un peu ankylosé, le cœur un peu brisé. Mais je suis là. Et pour moi, il n'y a rien de mieux à faire.

— Es-tu bien certaine qu'il n'y a rien de plus intelligent à faire ? lui a demandé Claire.

— Pour moi, non, lui a répliqué Jill. Je te donne ma parole, toubib, que je me sens bien. Alors, par pitié, évite de vouloir me persuader du contraire. Si vous voulez m'encourager à guérir, mettez-moi simplement au courant de ce qui se passe.

On l'a regardée, un peu sceptiques. Et puis, j'ai bien dû lui faire part des derniers développements.

— Je crois qu'on l'a retrouvé.

— Qui ça ? a demandé Jill.

— Chimère, ai-je annoncé, l'air radieux.

Claire m'a dévisagée. Puis elle a fermé les yeux un instant, comme si elle priait, puis les a rouverts en soupirant.

Jill avait l'air impressionnée.

— Nom de Dieu, vous n'avez pas perdu de temps pendant mon absence, bande d'enfoirées.

Elles m'ont posé les questions qu'il fallait et je leur ai tout déballé. Quand j'ai prononcé le nom, Jill a marmonné :

— Coombs... je me souviens de l'affaire... j'étais en fac de droit...

Une lueur a étincelé dans son œil.

— Frank Coombs. Il avait tué un ado.

— Tu es certaine que c'est lui ? a demandé Claire, le cou toujours bandé.

— Je l'espère bien, ai-je répondu, avant d'ajouter sans le moindre doute : Oui, je suis sûre que c'est lui.

— Vous l'avez déjà arrêté? a demandé Claire. Je peux lui rendre visite dans sa cellule? Hmm? J'ai encore chez moi cette batte que j'ai toujours rêvé d'essayer.

— Pas encore. Il se terre dans un hôtel miteux du Tenderloin. On le surveille vingt-quatre heures sur vingt-quatre.

Je me suis tournée vers Jill.

— Qu'en dites-vous, maître? J'aimerais l'interpeller.

Elle s'est avancée, un peu sur des œufs, et a pris appui à un angle de son bureau.

— D'accord, dis-moi exactement ce que tu as en ta possession.

Je lui ai énuméré chaque élément : les vagues liens de Coombs avec trois des victimes; ses antécédents de tireur d'élite, sa rancune établie contre les Blacks, le fait que l'APJ avait scellé son destin. Mais à chaque élément de preuve, je me suis aperçue que sa conviction déclinait.

— Écoute, Jill, ai-je dit en levant la main. Il a récupéré un calibre .38 de service chez un flic à la retraite; et Mercer a été tué avec un .38. Trois de ses cibles ont un rapport direct avec son propre parcours. J'ai un témoin à San Quentin, auprès de qui il s'est vanté qu'il se vengerait à la sortie...

— Des calibres .38, on en trouve treize à la douzaine, Lindsay. Tu as un recoupement pour le flingue?

— Non. Mais Jill, le meurtre de Tasha Catchings a eu lieu dans le quartier même où Coombs est tombé, il y a vingt ans de ça.

Elle m'a interrompue.

— As-tu un témoignage qui pourrait le situer sur les lieux? Un seul témoignage, Lindsay?

J'ai fait non de la tête.

— Une empreinte, alors, ou un lambeau de vêtement. Quelque chose qui le rattache à l'un des assassinats?

J'ai réagi en soufflant avec exaspération.

— Non.

— Des preuves indirectes suffisent pour une mise en examen, Jill, est intervenue Claire. Coombs est un monstre. On ne peut simplement pas le laisser se balader où il veut.

Jill nous a fixées toutes deux avec sévérité. Bon Dieu, c'était quasiment la Jill d'autrefois.

— Vous pensez que je n'ai pas envie de le tenir tout autant que vous? Tu crois qu'en te voyant devant moi, Claire... j'oublie qu'on est passées très, très près...? Mais il n'y a pas d'arme, à peine un mobile. On ne l'a même pas aperçu sur l'un des lieux du crime. Si jamais tu fais une descente et que tu ne trouves rien, tu l'as perdu pour de bon.

— Coombs et Chimère ne font qu'un, Jill, ai-je affirmé. Je sais que je n'ai pas encore tout bien ficelé, mais j'ai un mobile et des liens qui le rattachent à trois des victimes. Et aussi un témoignage qui corrobore ses intentions.

— Le témoignage d'un taulard, a rectifié Jill. Ça fait marrer les jurés de nos jours.

Elle s'est levée, s'est approchée et a posé une main sur la mienne et celle de Claire.

— Écoute, je sais combien tu as envie de boucler ce dossier. Je suis dans ton camp, mais je représente aussi

le droit. Apporte-moi n'importe quoi, quelqu'un qui l'a
vu sur place, une empreinte qu'il a laissée sur une
porte. Donne-moi *n'importe quoi*, Lindsay, et j'enfonce-
rai sa porte pour m'en prendre à lui, tout comme toi.
Pour le bousculer et le secouer jusqu'à ce que sa petite
monnaie tombe par terre.

J'étais plantée là, débordant de frustration et de
colère, tout en sachant que Jill avait raison. Puis je me
suis dirigée vers la porte en hochant la tête.

— Que vas-tu faire ? m'a demandé Claire.

— Bousculer cet enfoiré. Lui mener une vie infer-
nale.

10

Un quart d'heure plus tard, Jacobi et moi avons pris Cappy au passage, devant le *William Simon*, et mis le cap sur la réception de l'hôtel. Un Sikh feuilletait, d'un œil endormi, un journal dans sa langue maternelle. Jacobi a poussé la photo de Coombs et son badge sous le regard ébahi du bonhomme.

— Quelle chambre?

Il a fallu à peine trois secondes au réceptionniste enturbanné pour zieuter la photo, compulser un registre à reliure noire et nous dire avec un accent pincé :

— Deux zent zept. Il est enregiztré zous le nom de *Burns*.

Puis en nous le montrant du geste :

— L'azenzeur à droite.

Quelques instants plus tard, on était dans le couloir lugubre à la peinture écaillée du deuxième étage, devant la porte de Coombs, en train de retirer le cran de sûreté de nos armes.

— Souvenez-vous, on vient bavarder, les ai-je

avertis. Ouvrez l'œil, et le bon, pour tout ce qu'on peut utiliser.

Jacobi et Cappy ont acquiescé. Puis chacun a pris position de part et d'autre de la porte. Cappy a frappé.

Pas de réponse.

Il a refrappé.

— Monsieur Frank Burns ?

Enfin, une grosse voix a grommelé :

— Foutez le camp. Barrez-vous, hein. J'ai payé jusqu'à vendredi.

— Police de San Francisco, monsieur Burns, a gueulé Jacobi. On vous apporte le petit déj.

Un long silence a succédé. J'ai entendu du remue-ménage, une chaise qu'on tirait et un tiroir qu'on fermait. Puis, pour finir, le bruit de pas qui se rapprochaient et une voix qui aboyait :

— Vous voulez quoi, bordel ?

— Vous poser simplement quelques questions. Ça vous gênerait d'ouvrir la porte ?

Il nous a fallu attendre une bonne minute, nos doigts crispés sur la détente, pour qu'on déverrouille enfin la porte.

S'ouvrant à la volée, elle nous a révélé un Coombs furieux.

Chimère.

Il avait la figure ronde, les traits lourds, les yeux tombant dans des poches profondes, en cratère. Le cheveu court et grisonnant, le nez gros et camus, la peau marbrée. Il portait un tricot de corps blanc à manches courtes sur un pantalon gris froissé. Son regard brûlait d'une haine dédaigneuse.

— Tenez..., s'est exclamé Jacobi, en le frappant en

pleine poitrine d'un *Chronicle* roulé. Le journal du matin. Ça vous dérange qu'on entre ?

— Ouais, ça me dérange, a dit Coombs, l'air renfrogné.

Cappy lui a souri.

— On vous a déjà dit que vous étiez le portrait craché de ce mec qu'était dans la police autrefois ? C'était quoi son nom, déjà, à çui-là ? Ah ouais, Coombs. *Frank Coombs*. Personne vous l'a encore jamais dit ?

Coombs a cillé, impassible, puis ses lèvres ont ébauché un sourire.

— Z'allez pas me croire, on m'embarque en avion à sa place, tout le temps.

S'il avait reconnu Jacobi ou Cappy de l'époque où il était dans la police, il n'en a rien laissé paraître. Mais quand son regard est tombé sur moi, son expression a trahi que mon visage lui était familier.

— Me dites pas qu'après toutes ces années, vous êtes le comité d'accueil et de bienvenue du service, bande de rigolos ?

— Et si vous nous laissiez entrer ? a insisté Jacobi.

— Z'avez un mandat ? a répliqué Coombs du tac au tac.

— Je vous l'ai dit gentiment, on vous apporte juste le journal du matin.

— Alors, bordel, faites-le, votre numéro. Allez-y, a grogné Coombs entre ses dents.

Son regard, c'était quelque chose : son œil vous transperçait jusqu'au fond du crâne.

Cappy a poussé fermement le battant de la porte au nez de Coombs, puis Jacobi et lui se sont faufilés dans la chambre.

— Tant qu'on est là, autant qu'on vous soumette quelques questions.

Coombs, se frottant son menton mal rasé, nous fusillait de ses regards mauvais. Il a tiré finalement une chaise en bois loin d'une petite table et s'y est assis à califourchon, les bras autour du dossier.

— Enfoirés, a-t-il maugréé. Bande de connards et d'inutiles !

La minuscule pièce était jonchée de journaux. Des bouteilles de Budweiser s'alignaient sur le rebord de la fenêtre, des mégots de cigarettes emplissaient des canettes de Coca. J'avais la sensation que si seulement je pouvais fureter, je trouverais quelque chose.

— Lieutenant Boxer de la brigade criminelle, m'a présentée Jacobi. Moi, c'est l'inspecteur Jacobi et lui, l'inspecteur McNeil.

— Bravo, a fait Coombs avec un grand sourire. On se sent tout de suite en sécurité. Qu'est-ce que vous me voulez, billes de clown ?

— Comme je vous l'ai déjà dit, a repris Jacobi, vous devriez lire les journaux. Vous tenir au parfum de ce qui se passe. Vous suivez beaucoup l'actualité ?

— Si vous avez un truc à dire, dites-le.

— Pourquoi ne pas commencer par nous raconter où vous étiez il y a quatre nuits de ça ? me suis-je lancée. C'est-à-dire vendredi ? Autour de onze heures du soir ?

— Et si vous alliez vous faire foutre ? a ricané Coombs. Vous voulez faire joujou, alors on va s'amuser. J'assistais soit à un ballet soit à l'inauguration d'une expo d'art moderne. Je me souviens plus auquel des deux. Mon calendrier est surchargé ces temps-ci.

— Simplifiez-nous la tâche, lui a dit Cappy d'un ton sec.

— Ouais, bien sûr. En fait, j'étais avec des amis.

— Ces amis, l'a interrompu Jacobi, ils ont des noms, des numéros de téléphone ? Je suis sûr qu'ils seraient ravis de se porter garants pour vous.

— Et pourquoi ? a demandé Coombs dont la bouche s'est plissée en un demi-sourire. Quelqu'un vous a dit que je me trouvais ailleurs ?

— Je crois que ce que j'avais en tête – je l'ai fixé droit dans les yeux – c'était à quand remonte la dernière fois où vous êtes allé à Bay View ? Votre ancien secteur de patrouille ? Peut-être devrais-je dire secteur de zigouille ?

Coombs m'a lancé un regard assassin. Je n'ai eu aucun mal à y déchiffrer l'envie qu'il avait de nouer ses mains autour de mon cou.

— Ah, mais il lit donc les journaux, a pouffé Cappy.

L'ex-taulard ne désarmait pas.

— Bordel de merde, inspecteur, vous me prenez pour une bleusaille qu'a les genoux qui tremblotent quand on lui agite une bite en pleine gueule ? Bien entendu que je lis les journaux. Comme vous arrivez pas à résoudre cette affaire, bande de connards, vous venez ici me secouer les puces à cause de cette vieille histoire. Vous avez que dalle contre moi, sinon vous seriez pas en train de vous contorsionner sous mon nez et on aurait cette discussion au palais. Si vous croyez que j'ai buté cette bande de chiens, alors bouclez-moi. Sinon, eh z'avez vu l'heure qu'il est... Ma voiture de fonction m'attend. On a fini ?

Je n'avais qu'une envie, le prendre à la gorge et lui

écraser son air suffisant contre le mur. Mais Coombs avait raison. On ne pouvait pas l'interpeller. Pas avec les éléments en notre possession.

— Il y a quelques questions auxquelles vous allez devoir répondre, monsieur Coombs. Vous allez devoir nous dire pourquoi trois des victimes ont un lien avec votre condamnation pour meurtre d'il y a vingt ans. Vous allez devoir nous dire ce que vous faisiez le soir où on les a tuées.

Les veines du front de Coombs ont sailli. Puis il s'est calmé et un sourire a retroussé ses lèvres.

— Si vous êtes là, lieutenant, c'est que vous devez avoir un témoin oculaire qui m'a aperçu sur l'une des scènes de crime.

Je l'ai dévisagé sans répondre.

— Ou mes empreintes digitales sur une arme quelconque ? Ou bien encore des fibres de ce tapis, hein, ou de mes vêtements ? Vous êtes juste venue me trouver pour que je me livre avec dignité ?

Je me tenais à quelques centimètres de Chimère et de son rictus arrogant.

— Vous croyez, simplement parce que vous autres, espèces de larbins de l'APJ, êtes venus me faire les gros yeux, que je vais vous montrer mon cul en disant « Ben, allez-y, défoncez-moi bien profond... » C'est vraiment le pied pour moi de voir ces connards tomber comme des mouches. Vous m'avez volé ma vie. Si vous voulez me foutre les boules, lieutenant, alors faites semblant d'être de vrais flics. Trouvez quelque chose qui tienne debout.

J'ai fixé ces yeux hautains et froids. J'avais une envie folle de lui démolir le portrait. J'ai résisté à la tentation.

— Considérez-vous comme soupçonné de meurtre, monsieur Coombs. Vous connaissez la chanson. Ne quittez pas la ville. On repassera vous voir bientôt.

J'ai fait un signe de tête à Cappy et à Jacobi. On s'est dirigés vers la porte.

— Une dernière chose, ai-je dit en me retournant avec un grand sourire de mon cru. Avant que j'oublie... de la part de Claire Washburn... Penche-toi un petit peu à gauche, hein, connard ?

11

J'étais complètement à cran après le boulot. Mais pas question de rentrer chez moi et de décompresser.

J'ai dévalé Brannan vers Potrero, en repassant dans ma tête mon entretien à couteaux tirés avec Coombs. Il s'était moqué de nous, nous riant au nez, sachant qu'on ne pouvait pas l'interpeller.

Je savais qui était Chimère... mais il était hors d'atteinte.

Je me suis arrêtée à un feu, ne voulant pas rentrer tout en ne sachant où aller. Cindy avait rendez-vous ; Jill et Claire étaient chez elles, auprès de leurs maris ; j'aurais pu sans doute avoir un rendez-vous moi aussi si je me rendais un tant soit peu disponible.

J'ai pensé appeler Claire, mais mon portable était mort – il fallait que je recharge cette saleté de batterie. J'avais envie de faire quelque chose – l'urgence me taraudait.

Si seulement je pouvais pénétrer dans la chambre d'hôtel de Coombs... Je me sentais déchirée entre le désir de retourner chez moi et celui de commettre sans doute la plus grosse bourde de ma carrière. La voix de la raison me soufflait : *Rentre chez toi, Lindsay, tu le choperas demain... il ne va pas tarder à merder.*

Mais mon cœur qui cognait me disait : *ouais, ouais, baby... le lâche pas. Bouscule-moi cet enfoiré.*

J'ai foncé avec mon Explorer sur la Septième en direction du quartier du Tenderloin. Il était presque vingt et une heures.

Ma voiture a paru rouler toute seule jusqu'au *William Simon.* J'étais oppressée. Pete Worth et Ted Morelli assuraient la planque de nuit. En m'arrêtant, je les ai repérés dans une Acura bleue. Ils avaient des ordres : si Coombs sortait, ils devaient le suivre en prévenant par radio. Plus tôt dans la journée, Coombs était allé se balader, avait fait, sans se cacher, le tour du pâté de maisons avant de s'installer pour finir dans un *coffee shop* et d'y lire le journal. *Il savait qu'on le surveillait.*

Je suis descendue de mon Explorer et j'ai rejoint Worth et Morelli.

— Quoi de neuf ?

Morelli s'est penché par la vitre de la portière passager.

— Nada, lieutenant. Il est probablement là-haut en train de se mater le match des Kings. L'ordure. Il sait qu'on est scotchés ici. Pourquoi vous rentrez pas chez vous ? On le garde au chaud pour la nuit.

J'avais beau détester le reconnaître, il avait probablement raison. Je ne pouvais pas servir à grand-chose ici.

J'ai redémarré et ai salué de la main les hommes au passage. Mais arrivée à l'angle, sur Eddy, une pulsion déterminante m'a empêchée de m'en aller. Comme si quelque chose me soufflait : *ce que tu veux est ici.*

Il sait qu'on le surveille... et alors... ? Il veut fiche la honte au SFPD.

J'ai roulé sur Polk, revenant vers le *William Simon.* Je

suis passée devant des boutiques de prêt, un magasin d'alcool et de spiritueux ouvert toute la nuit, un fast-food chinois. Un véhicule de patrouille était garé à l'extrémité du bloc.

J'ai gagné l'arrière de l'hôtel en voiture. Plusieurs poubelles à l'extérieur. Pas grand-chose d'autre. La rue était déserte. J'ai éteint les phares et j'ai attendu. J'ignorais ce que j'espérais qu'il arrive, mais je devenais dingue.

Je suis descendue pour finir de l'Explorer et j'ai franchi la porte de service de l'hôtel. *Bouscule-moi cet enfoiré.* Je songeais à remonter dans les étages pour parler encore une fois à Coombs. Ouais, on pourrait même regarder le match des Kings ensemble.

Il y avait un bar étroit et miteux, juste à côté du hall. J'y ai jeté un coup d'œil, j'ai aperçu quelques vrais soiffards, mais pas de Frank Coombs. Bordel, un assassin se trouvait dans cet hôtel, un flic assassin et on ne pouvait rien faire.

Un mouvement près de l'escalier de secours a attiré mon attention. Je me suis replanquée à l'intérieur du bar plongé dans la pénombre. Le juke-box jouait une vraie rengaine d'antan, *Soul Man* de Sam and Dave. J'ai aperçu un individu qui descendait l'escalier, en jetant des regards autour de lui tel *Le Fugitif* du feuilleton.

Et merde, ça voulait dire quoi, ça ?

J'ai reconnu le blouson en treillis, la casquette rabattue sur le visage. J'ai bien regardé pour être sûre.

C'était Frank Coombs.

Chimère mettait les voiles.

12

Coombs a disparu dans la cuisine d'une gargote qui faisait partie de l'hôtel. J'ai attendu quelques secondes, puis je l'ai suivi.

À mon tour maintenant de garder la tête baissée et de jeter des regards furtifs. J'ai aperçu Coombs, mais il s'était changé. Il avait enfilé une veste blanche de cuisinier et coiffé une toque de chef graisseuse. Je me suis souvenue de mon portable – puis qu'il était mort. Je n'étais pas en service ; je n'en avais pas vraiment besoin.

Coombs a enfilé tout droit la porte de service de l'hôtel. Avant que j'aie pu faire un signe à la voiture de patrouille, discrètement, il s'est engouffré dans une ruelle.

En jetant un coup d'œil dans ladite ruelle, je l'ai vu qui obliquait vers la rue où j'étais garée. J'ai couru jusqu'à ma voiture.

Dieu merci, je ne l'avais pas perdu de vue. Coombs a traversé la rue vite fait, à cinq mètres à peine devant moi. J'ai espéré avoir une chance de faire signe au véhicule de patrouille, mais non.

Coombs a pénétré dans un terrain vague, se dirigeant vers Van Ness. J'étais furieuse contre mes hommes – ils l'avaient laissé sortir. Ils avaient merdé.

J'ai attendu qu'il disparaisse dans le terrain vague, puis, faisant effectuer un demi-tour à l'Explorer, j'ai gagné le carrefour. Au feu, j'ai viré à droite, rallumant les phares. La rue était bondée, commerçante. Un Kinko's, un Circuit City, des passants.

J'ai regardé là où, d'après moi, débouchait le terrain vague.

Je suis restée là, à scruter le bloc d'un bout à l'autre. *Avait-il pu m'avoir semée ? Avait-il pu se fondre dans la foule ? Merde !*

Soudain, un peu plus loin, j'ai aperçu le blouson en treillis s'extraire d'un passage entre le Kinko's et un magasin de chaussures.

Il avait largué veste et toque de cuisinier.

J'étais quasiment certaine qu'il ne m'avait pas repérée. Il a regardé à droite et à gauche, puis, les mains dans les poches, a pris en direction du sud, vers Market Street. J'ai eu envie de l'écraser.

Au carrefour suivant, j'ai fait faire demi-tour à l'Explorer et je suis repartie en sens inverse, vingt mètres derrière Coombs, de l'autre côté de la rue.

Il était assez doué pour ça. Il avançait d'un bon pas. Il était évident qu'il était en pleine forme. Finalement, il a paru se satisfaire de s'être échappé sans accroc. Il avait failli réussir.

Une fois à Market Street, Coombs a gagné au petit trot un arrêt du BART au milieu de la rue. Il a sauté dans un tramway en direction du sud.

J'ai suivi le tram qui a poursuivi son parcours sur

Mission. À chaque arrêt, je levais le pied, freinais et tendais le cou pour voir si Coombs était descendu. Mais non, jamais. Il avait pris le tramway pour quitter le centre-ville.

Près de Bernal Heights, à l'arrêt de Glen Park, le tram s'est attardé quelques secondes. Au moment où il redémarrait, Coombs en a sauté d'un bond.

Il était trop tard pour que je m'arrête. Je n'avais pas d'autre choix que de le dépasser, la tête rentrée dans les épaules, les nerfs à cran. J'avais participé à des tas de surveillances, filé des dizaines de voitures, mais jamais avec autant de risques.

Coombs est resté sur le terre-plein, scrutant dans les deux sens. Je n'avais pas d'autre choix que de continuer. Dans le rétroviseur, je le surveillais. Il a paru suivre ma voiture tout en disparaissant de mon champ de vision.

Merde... je ne pouvais que rouler. J'étais dans une colère incroyable, réellement furax. Quand j'ai été certaine d'être hors de vue, j'ai accéléré, grimpé une colline résidentielle, effectué un demi-tour dans une allée particulière tout en priant que Coombs soit encore là.

Traversant la rue à toute allure, j'ai tourné pour revenir à l'arrêt Glen Park par l'autre côté.

Ce fils de pute avait disparu ! J'ai regardé comme une folle dans toutes les directions, mais aucun signe de lui, nulle part. J'ai frappé le volant avec fureur.

— Enfoiré ! ai-je hurlé.

Alors, à une trentaine de mètres devant moi, j'ai repéré une Bonneville moutarde qui surgissait d'une rue latérale avant de se garer. Ce qui a attiré mon attention sur elle, c'est que rien d'autre ne bougeait dans les parages.

Soudain, Coombs a réapparu. Il est sorti d'une boutique et s'est engouffré d'un bond dans la Bonneville par la portière passager.

C'est reparti, mon kiki, me suis-je dit.

Puis la Bonneville a démarré sur les chapeaux de roues.

Je l'ai aussitôt imitée.

13

J'ai suivi, à une dizaine de voitures d'écart. La Bonneville a enfilé la bretelle d'accès à la 280 et pris la
direction du sud. J'ai gardé mes distances, mon pouls
battant à cent à l'heure. Je fonctionnais maintenant peu
ou prou à l'adrénaline. Je n'avais pas d'autre choix que
de filer Coombs du mieux que je pouvais.

Au bout de quelques kilomètres, la Bonneville a mis
son clignotant et pris la sortie de San Francisco sud.
Après avoir sillonné le quartier ouvrier de la ville, elle
a attaqué une rue escarpée que je savais être South Hill.
Les rues sont devenues sombres et j'ai éteint mes
phares.

La Bonneville s'est engagée dans une rue écartée,
plongée dans l'obscurité. Les maisons, attenantes, de
classe moyenne, avaient salement besoin d'être reta-
pées. Au bout de la rue, la voiture s'est arrêtée dans
l'allée d'une maison blanche, perchée sur une colline
dominant la vallée. Si le site était relativement char-
mant, la maison, elle, était en piteux état.

Coombs et son acolyte ont mis pied à terre, tout en
parlant. Ils sont entrés dans la maison. J'ai tourné dans

une allée, trois maisons plus loin. Je n'avais jamais éprouvé une sensation de solitude aussi glaciale. Simplement, il m'était impossible de lâcher Coombs, je ne pouvais pas le laisser nous échapper.

Sortant le Glock de la boîte à gants, j'en ai vérifié le chargeur. Il était plein. *Bon Dieu, Lindsay. Pas de gilet, personne en renfort, un portable inutilisable.*

Je me suis glissée le long du trottoir ténébreux en direction de la maison blanche, l'automatique au côté. Je me débrouillais bien avec mon arme, mais *assez bien pour ça?*

Plusieurs voitures et pick-up déglingués stationnaient au petit bonheur en haut de l'allée. Le rez-de-chaussée était éclairé. J'entendais des voix. *En tout cas, je suis arrivée jusqu'ici.*

Je me suis engagée dans l'allée étroite qui montait au garage. C'était une construction à deux places, séparée du bâtiment principal par un passage goudronné. Les voix sont devenues plus fortes. J'ai essayé de comprendre ce qu'elles disaient, mais j'étais trop loin. Reprenant mon souffle, je me suis rapprochée. Rasant la maison, j'ai jeté un œil par une fenêtre. Si Coombs donnait l'impression de vouloir y rester un certain temps, je pourrais alors faire venir des renforts jusqu'ici.

Six malfrats, bières et clopes à l'avenant, s'entassaient autour d'une table. Coombs était du nombre. Sur le bras de l'un des types, j'ai aperçu un tatouage qui rendait le tout clair comme de l'eau de roche.

La tête d'un lion, celle d'une chèvre, la queue d'un reptile.

Chimère tenait une réunion.

Je me suis rapprochée davantage, l'oreille tendue.

Soudain j'ai perçu le ronflement du moteur d'une autre voiture qui gravissait South Hill. Je me suis immobilisée. Collée à la maison, j'ai regagné l'espace qui séparait le bâtiment principal du garage. J'ai entendu un claquement de portière, puis des voix et des pas qui venaient dans ma direction.

14

J'ai vu deux hommes s'approcher de moi, l'un à barbe blonde et à longue queue de cheval, l'autre en gilet sans manches en jean avec de gros bras tatoués. Je n'avais aucune possibilité de repli.

Ils m'ont dévisagée.

— Bordel, z'êtes qui?

J'avais deux possibilités : soit reculer en les tenant en joue avec mon flingue, soit faire face et embarquer Coombs sur-le-champ. Ma seconde idée m'a paru la meilleure.

— Police, ai-je crié, coupant net les nouveaux arrivants dans leur élan.

Je tenais mon automatique à bras tendus.

— Criminelle de San Francisco. Les mains en l'air.

Les deux hommes ont réagi sans panique, avec mesure. Ils ont échangé un coup d'œil prudent, puis m'ont regardée à nouveau. J'étais certaine qu'ils étaient armés, ceux qui se trouvaient à l'intérieur aussi. Une idée terrifiante m'a traversé l'esprit : *Je risquais de mourir ici.*

Du bruit éclatait de partout. Deux autres types sont

arrivés de la rue. J'ai fait volte-face, braquant mon arme sur eux.

Tout à coup, les lumières de la maison se sont éteintes. L'allée a été plongée dans le noir, elle aussi. *Où était Coombs ? Qu'est-ce qu'il fabriquait en ce moment ?*

Je me suis ramassée en position de tir accroupi. Ce n'était plus Coombs le problème.

J'ai entendu bouger dans mon dos. Quelqu'un approchait à toute allure. J'ai pivoté dans cette direction – et alors, quelqu'un d'autre m'a bouché la vue. On m'a attrapée, déséquilibrée. J'ai touché terre sous le poids d'une centaine de kilos.

Puis je me suis retrouvée face à un visage que je n'avais aucune envie de voir. Un visage exécré.

— Voyez donc ce que le bon vent nous amène, a dit Frank Coombs avec un grand sourire en m'agitant un calibre .38 sous le nez. La gamine de Marty Boxer.

15

Coombs, accroupi à mes côtés, me toisait avec ce rictus hautain que j'avais déjà appris à détester. Chimère était là et bien là.

— On dirait que c'est à ton tour de pencher un peu à gauche, m'a-t-il dit.

J'avais juste assez de clairvoyance pour comprendre dans quel incroyable pétrin je m'étais fourrée. Tout ce qui pouvait tourner mal n'avait pas manqué de le faire.

— Il s'agit d'une enquête criminelle, ai-je dit aux hommes qui m'entouraient. On recherche Frank Coombs à propos de quatre meurtres, dont celui de deux flics. Vous n'avez pas envie d'être mêlés à ça.

Coombs gardait toujours le sourire.

— Économise ta salive, ces conneries n'ont aucune portée par ici. J'ai appris que tu as parlé à Weiscz. Génial comme mec, hein? C'est un ami à moi.

Je me suis redressée en position assise. Comment était-il au courant de ma visite à Pelican Bay, merde?

— On sait que je suis ici.

Soudain, le poing de Coombs est parti comme l'éclair, me cueillant à la mâchoire. J'ai senti un liquide tiède m'emplir la bouche, mon propre sang. Mon esprit cherchait à tout prix un moyen de lui échapper.

Coombs a continué à me sourire de tout son haut.

— Je vais vous faire ce que vous m'avez fait, bande de salauds. Vous prendre quelque chose de précieux. Quelque chose que vous ne pourrez jamais retrouver. Vous n'avez encore rien compris.

— J'en ai compris assez. Vous avez tué des innocents.

Coombs a éclaté de rire. Sa main rugueuse m'a caressé la joue. Le venin de son regard, la froideur de son contact ont manqué me faire vomir.

J'ai entendu le coup de feu retentir, tout près, seulement c'est Coombs qui a beuglé en s'agrippant l'épaule.

Les autres se sont dispersés. Le chaos régnait dans l'obscurité. J'étais au diapason de la confusion générale. Une nouvelle balle a sifflé dans les airs.

Un truand maigrichon, tatoué de partout, a glapi en se prenant la cuisse à deux mains. Deux détonations supplémentaires ont ébranlé le mur du garage.

— Qu'est-ce qui s'passe, bordel? a hurlé Coombs. Qui c'est qui flingue?

De nouveaux coups de feu ont éclaté. Ils provenaient de la zone d'ombre à l'extrémité de l'allée. Je me suis relevée et éloignée de la maison en courant, courbée. Personne ne m'en a empêchée.

— Par ici, a crié quelqu'un devant moi.

J'ai tricoté des jambes en direction de cette voix. Le tireur était tapi derrière la Bonneville moutarde.

— Tirons-nous, a-t-il beuglé.

Alors tout à coup, je l'ai vu, sans pouvoir en croire mes yeux.

J'ai tendu les bras et suis tombée dans ceux de mon père.

16

On a foncé loin de la maison et couvert la majeure partie du trajet jusqu'à San Francisco avant de pouvoir ouvrir la bouche. Pour finir, mon père a garé sa voiture sur le parking d'un *7-Eleven*. Je lui ai fait face, mon cœur battant encore à grands coups.

— Ça va? m'a-t-il demandé d'un ton d'une douceur inimaginable pour moi.

J'ai acquiescé, pas tout à fait sûre, faisant l'inventaire des points douloureux. *Ma mâchoire... ma nuque... mon amour-propre.*

Peu à peu, les questions que je devais lui poser ont dissipé le coaltar.

— Qu'est-ce que tu faisais là-bas? lui ai-je demandé.

— J'étais inquiet à ton sujet. Surtout depuis qu'on s'en est pris à ton amie Claire.

La pensée suivante m'a fait un choc.

— Tu m'as suivie?

Il a essuyé de son pouce un filet de sang au coin de mes lèvres.

— J'ai été flic pendant vingt ans. Je t'ai filée dès que tu as quitté ton travail ce soir. Vu?

J'avais du mal à dépasser mon incrédulité, toutefois ça n'avait pas d'importance. Puis, en dévisageant mon père, autre chose m'est venu à l'esprit. Un détail ne collait pas. J'ai revu le rictus de Coombs au-dessus de moi.

— Il savait qui j'étais.

— Bien entendu qu'il le savait. Tu l'as rencontré en face à face. Tu es chargée de l'affaire.

— Je ne parle pas de ça, ai-je dit. Il était au courant pour toi.

Le regard de mon père s'est troublé.

— Que veux-tu dire ?

— Il savait que j'étais ta fille. Il m'a appelée la gamine de Marty Boxer.

L'enseigne lumineuse d'une marque de bière clignotait dans la devanture du *7-Eleven*. Elle a éclairé le visage de mon père.

— Je te l'ai déjà dit, m'a-t-il fait. Coombs et moi, on se connaissait. Tout le monde me connaissait à l'époque.

— Ce n'est pas ce qu'il voulait dire, ai-je fait en secouant la tête. Il m'a appelée la gamine de Marty Boxer. Il s'agissait de toi.

J'ai revu en un éclair mon face-à-face du matin même avec Coombs, à l'hôtel. J'avais eu la même sensation fugitive à ce moment-là. Qu'il me connaissait. Qu'il y avait quelque chose *entre lui et moi*.

Je me suis reculée, ma voix a trahi mon stress.

— Pourquoi tu me suivais ? Je veux que tu me dises tout.

— Pour te protéger, je le jure. Afin de faire ce qu'il faut pour une fois.

— Je suis une femme-flic, papa. Je ne suis plus ton

petit Bouton d'Or. Tu me caches quelque chose. Tu es impliqué là-dedans d'une façon ou d'une autre. Si tu veux faire ce qu'il faut, pour une fois, alors c'est le moment de t'y mettre.

Mon père a penché la tête en arrière, les yeux fixés droit devant lui. Il a repris son souffle.

— Coombs m'a appelé à sa sortie de prison. Il s'était débrouillé pour me localiser dans le Sud.

— Coombs t'a appelé, *toi*? me suis-je exclamée, ouvrant de grands yeux, complètement sous le choc. Pourquoi il t'aurait appelé?

— Il m'a demandé si j'avais bien profité des vingt ans qui s'étaient écoulés pendant qu'il était à l'ombre. Si j'étais devenu quelqu'un. Il m'a dit qu'il était temps de me le faire payer.

— Te le faire payer? Et pourquoi?

À peine la question posée, la réponse m'a transpercée. J'ai fixé avec dureté mon père dans ses yeux de menteur.

— T'étais présent ce fameux soir, c'est ça? T'étais mouillé là-dedans, il y a vingt ans.

17

Mon père a détourné son regard. Je ne lui avais que trop vu cet air coupable et honteux auparavant – quand je n'étais qu'une toute petite fille.

Il s'est lancé dans des explications. *Et c'est reparti pour un tour, hein, papa?*

— On est allés à six sur la scène du crime, Lindsay. Je m'y suis retrouvé par hasard. J'remplaçais un des gars, Ed Dooley. On s'est pointés bons derniers sur les lieux. J'ai assisté à que dalle. On est arrivés une fois que tout était joué. Mais il a pas arrêté de nous bassiner, tous tant qu'on est, depuis. Je savais pas que c'était Chimère, Lindsay, a ajouté mon père. Ça, tu dois le croire. J'ai jamais entendu le nom de ce flic, Chipman, jusqu'à ce que tu m'en parles l'autre jour. Je croyais qu'il se contentait de me menacer.

— Te menacer, papa?

J'étais incrédule. Mon cœur mollissait un peu.

— Te menacer de quoi? S'il te plaît, fais que je comprenne. Je veux *vraiment* comprendre.

— Il m'a dit qu'il allait me faire découvrir ce qu'il

avait ressenti pendant toutes ces années. En se voyant tout perdre. Il m'a dit qu'il allait s'en prendre à toi.

— C'est pour ça que tu es revenu, pas vrai? ai-je soupiré. Tout ce baratin comme quoi tu voulais arranger les choses, faire amende honorable avec moi, ça n'était pas du tout ça.

— Non, a-t-il dit en secouant la tête. J'ai tellement déconné dans ma vie que je pouvais pas le laisser me prendre ce qui restait, la partie qui était bonne. C'est pour ça que je suis ici, Lindsay, je te le jure. Je ne mens pas, cette fois.

La tête me tintait. L'auteur potentiel de plusieurs meurtres était lâché dans la nature. Il y avait eu un échange de coups de feu. Je ne savais que faire de tout ça. Que faire au sujet de mon père? Que savait-il exactement? Comment m'y prendre avec Coombs dorénavant? *Avec Chimère?*

— Tu me dis la vérité, cette fois? Cette affaire, c'est une grosse affaire, c'est important. Je dois savoir la vérité. S'il te plaît, ne me mens pas, papa.

— Juré, m'a-t-il dit, le regard voilé de honte. Que vas-tu faire?

Je l'ai fusillé d'un œil noir.

— À propos de quoi? De Coombs ou bien de nous...?

— À propos de ce bordel monstre. De ce qui s'est passé ce soir.

— J'en sais rien.

J'ai dégluti avec difficulté.

— Mais il y a une chose que je sais, en revanche... si j'en ai la possibilité, je vais interpeller Coombs.

18

À dix heures, le lendemain matin, j'avais un mandat de perquisition entre les mains. Il m'autorisait l'accès à la chambre de Coombs au *William Simon*. Une demi-douzaine d'entre nous s'y sont précipités dans deux voitures.

Coombs était libre comme l'air. Il existait des motifs pour lesquels on pouvait le choper : par exemple, tentative de meurtre d'un officier de police et rébellion. J'avais lancé un avis de recherche contre lui et expédié une équipe fouiller la maison de rendez-vous d'où tout ce joli monde s'était égaillé, la veille au soir.

J'ai demandé à Jill de nous retrouver, Jacobi et moi, au *William Simon*. J'espérais contre tout espoir découvrir quelque chose dans la chambre de Coombs qui le rattacherait à l'un des meurtres. Si tel était le cas, je voulais qu'un mandat d'arrêt entre en vigueur immédiatement.

Le même réceptionniste indien nous a ouvert la chambre. Elle était mal tenue : une rangée de canettes de bière et de boissons gazeuses écrasées s'alignaient sur le rebord de la fenêtre. Le mobilier consistait en un lit à armature métallique muni d'un mince matelas et d'une commode avec des articles de toilette posés dessus, d'un bureau, d'une table et de deux chaises.

— Tu t'attendais à quoi? a ricané Jacobi. À l'*Holiday Inn*?

Plusieurs journaux jonchaient le sol, des numéros du *Chronicle* ou de l'*Examiner*. Rien ne sortait de l'ordinaire. Sur une étagère au chevet du lit, j'ai repéré un petit trophée : il représentait un tireur d'élite couché à plat ventre, visant avec un fusil, et portait la mention *Champion régional de tir à la cible aux 50 mètres* et le nom de Frank Coombs.

Ça m'a soulevé l'estomac.

Je me suis approchée du bureau. Coincés sous le téléphone, il y avait des reçus froissés et quelques numéros qui ne m'ont rien dit. J'ai trouvé un plan de San Francisco et des alentours. J'ai enlevé les tiroirs du bureau. Un vieux Pages Jaunes, des menus de restauration à emporter du voisinage, un guide de la ville périmé.

Rien...

Jill m'a regardée en hochant la tête avec une grimace.

J'ai continué à fouiller la pièce. Quelque chose devait s'y trouver. *Coombs et Chimère ne faisaient qu'un...*

J'ai remis en place un tiroir du bureau d'un coup de pied, envoyant valser une lampe. Animée de la même frustration, j'ai attrapé le matelas et l'ai arraché avec colère du lit.

— C'est ici, Jill. Quelque chose doit bien y être.

À ma grande surprise, une enveloppe Kraft glissée entre le matelas et le sommier est tombée par terre. Je l'ai ramassée et en ai répandu le contenu sur le lit de Coombs.

Ni arme ni souvenir récupéré sur les victimes... mais toute l'histoire de Chimère. Articles de journaux et de magazines, dont certains remontaient vingt-deux ans en arrière, au moment du procès. L'un d'eux, celui du magazine *Times*, le retraçait en détail. Un autre, titré LE LOBBY DE LA POLICE EXIGE L'ARRESTATION DE COOMBS, montrait la photo d'une manifestation des Agents pour la Justice sur la place de la mairie. En l'examinant de plus près, un cercle rouge, tracé par Coombs, m'a tiré l'œil : il surlignait une déclaration attribuée au porte-parole du groupe, le sergent Edward Chipman.

— *Bingo*, a fait Jacobi avec un petit sifflement.

En poursuivant, on est tombés sur des articles consacrés au procès et des copies de lettres envoyées par Coombs au POA réclamant un nouveau procès. Un exemplaire jauni du rapport d'origine de la commission d'enquête sur la bavure de Bay View. Les marges portaient de nombreuses annotations rageuses de la main de Coombs : un « *menteur* », souligné en gras, ou encore « *saleté de lâche* ». Des parenthèses à l'encre rouge entouraient le témoignage du lieutenant Earl Mercer.

Puis venaient une série d'articles actuels retraçant les meurtres les plus récents : ceux de Tasha Catchings, Davidson, Mercer... une notice du Oakland Times concernant Estelle Chipman était agrémentée de ce commentaire gribouillé : « *Un homme sans honneur déshonore tout ce qu'il touche.* »

J'ai lancé un regard à Jill. C'était loin d'être parfait ; il n'y avait rien qu'on puisse relier directement à une affaire criminelle. Mais ça suffisait à lever le doute que nous avions bien trouvé notre homme.

— Tout est là, ai-je dit. Et du moins, ça nous donne du grain à moudre pour Chipman et Mercer.

Jill y a réfléchi un peu, pinçant les lèvres, avant de m'approuver d'un signe de tête.

Je remettais le contenu de l'enveloppe en ordre tout en feuilletant vaguement les tout derniers articles, quand quelque chose m'a sauté aux yeux. J'ai serré les mâchoires.

C'était une coupure de journal décrivant la première conférence de presse après le meurtre de Tasha Catchings. La photo montrait le DG Mercer derrière plusieurs micros.

En remarquant mon changement d'expression, Jill m'a pris la coupure de presse des mains.

— *Ah! mon Dieu, Lindsay...*

À l'arrière-plan de la photo, derrière Mercer, se tenaient plusieurs personnes concernées par l'enquête. Le maire, l'inspecteur principal Ryan, Gabe Carr.

Coombs avait encerclé en rouge et en gras le visage de l'une des personnes présentes.

Le mien.

19

En fin de journée, chaque policier de la ville avait le signalement de Frank Coombs entre les mains. J'en avais fait une affaire personnelle. Tout un chacun mourait d'envie de l'interpeller.

À notre connaissance, Coombs n'avait ni possessions, ni vraies ressources et ne bénéficiait pas d'un réseau de soutien. D'après nous, il ne devait pas nous échapper longtemps.

J'ai donné rendez-vous aux filles dans le bureau de Jill après le départ de tous les autres. À mon arrivée, elles souriaient, l'air joyeux, prêtes sans doute à me féliciter. Les journaux affichaient la photo de Coombs en première page. Il avait tout l'air d'un assassin.

Je me suis affalée sur le canapé, près de Claire.

— Il y a quelque chose qui coince, a-t-elle deviné. Je crois qu'on a pas très envie d'entendre ça.

Je suis passée outre.

— Il faut que je vous parle de quelque chose.

Je leur ai alors décrit mon expédition de la veille. Dans sa vraie version. Comment ma filature de Coombs avait été risquée et irréfléchie, bien que je n'aie pas vraiment eu le choix. Comment je m'étais retrouvée piégée. Comment, à l'instant même où je désespérais de m'en sortir, mon père avait surgi à mon secours.

— Bon Dieu, Lindsay, s'est exclamée Jill avec incrédulité. S'il te plaît, tu voudrais bien essayer d'être plus prudente...

— Je sais, ai-je convenu.

Claire a secoué la tête.

— Tu m'as dit pas plus tard que l'autre jour *je ne sais pas ce que je deviendrais sans vous*, et voilà que tu prends des risques pareils. Crois-tu qu'il n'en va pas de même pour nous? Tu es comme une sœur. Je t'en prie, cesse de jouer les héroïnes.

— Les cow-boys, a précisé Jill.

— Les cow-girls, a surenchéri Cindy.

— Continuez comme ça, les filles – j'ai souri – et dans quelques secondes, vous allez lancer une campagne d'adhésion au club Lindsay.

Elles m'ont dévisagée, la mine sombre et grave. Puis une traînée d'éclats de rire s'est propagée à travers la pièce. L'idée de perdre les filles ou qu'elles me perdent moi n'a fait qu'accroître la folie de mes agissements. Et maintenant, notre hilarité.

— Dieu soit loué, Marty était là, s'est exclamée Jill.

— Ouais, ce bon vieux Marty, ai-je soupiré. Mon cher papa.

Sentant mon ambivalence, Jill s'est penchée vers moi.

— Il n'a touché personne, hein?

J'ai repris ma respiration.

— Coombs. Peut-être quelqu'un d'autre.

— Il y avait du sang sur les lieux? a demandé Claire.

— On a exploré la maison. Elle était louée à un petit

voyou qui a disparu. On a trouvé des traces de sang dans l'allée.

Elles m'ont regardée sans un mot. Puis Jill m'a dit :

— Alors qu'est-ce qui se passe, Lindsay ? Avec le service ?

J'ai secoué la tête.

— Rien. J'ai laissé mon père en dehors du coup.

— Bon Dieu, Lindsay, m'a rétorqué Jill. Ton père a peut-être abattu quelqu'un. Il a fourré son nez dans une situation à laquelle est mêlée la police et il a tiré des coups de feu.

J'ai soutenu son regard.

— Il m'a sauvé la vie, Jill. Je ne peux tout bonnement pas le livrer.

— Mais tu cours un risque énorme. Et pourquoi ? Son arme est enregistrée dans les règles. C'est ton père et il te suivait. Il t'a sauvé la vie. Je ne vois aucun délit là-dedans.

— À dire vrai – j'ai dégluti – je ne suis pas sûre à cent pour cent qu'il me suivait.

Jill m'a lancé un regard noir. Elle a fait pivoter son fauteuil plus près.

— Tu veux bien me répéter ça ?

— Je ne suis pas certaine qu'il me suivait, moi.

— Mais alors merde, qu'est-ce qu'il foutait là-bas ? a dit Cindy en hochant la tête.

J'étais le point de mire.

Bribe par bribe, je leur ai rapporté la conversation que j'avais eue avec mon père dans la voiture après la fusillade. Comment, une fois mis au pied du mur, mon père avait reconnu avoir été un témoin direct, vingt ans plus tôt à Bay View.

— Il était sur les lieux avec Coombs.

— Ah merde, a fait Jill, l'œil vide. Bon Dieu, Lindsay.

— C'était la raison de son retour, ai-je continué. Tous ces boniments édifiants sur le fait de reprendre contact avec sa petite fille. Son petit Bouton d'Or. Coombs le menaçait. Il est revenu pour lui tenir tête.

— Peut-être bien, a fait Claire, en tendant la main pour prendre la mienne, n'empêche que Coombs le menaçait tout comme toi. Il est revenu aussi pour te protéger.

Jill s'est penchée vers moi, en fronçant le sourcil.

— Lindsay, tout ça n'a peut-être rien à voir avec le fait de protéger ton père pour lui éviter d'être impliqué. Il savait peut-être que Coombs était un tueur et n'en a rien dit.

J'ai soutenu son regard.

— Ces dernières semaines, l'avoir dans ma vie à nouveau, c'était comme si, tout à coup, je pouvais mettre de côté les choses qu'il avait faites et le mal qu'il avait causé; comme si je pouvais accepter qu'il n'était qu'un homme ayant commis des erreurs mais qui aussi était drôle, dans le besoin, et semblait prendre plaisir à ma compagnie. Quand j'étais petite, je rêvais qu'une chose de ce genre se produise, que mon père revienne.

— Ne désespère pas encore de lui, m'a conseillé Claire.

Et Cindy m'a demandé :

— Si tu crois que ton père n'est pas revenu pour *toi*, Lindsay, que protège-t-il?

— J'en sais rien.

J'ai regardé autour de moi, mes yeux s'arrêtant à tour de rôle sur le visage de mes trois amies.

— C'est la grande question.

Jill s'est levée, s'est dirigée vers le bahut derrière son bureau et a soulevé le gros carton plein de dossiers posé dessus. Il portait inscrit sur le devant « Dossier 237654A. *L'État de Californie contre Francis C. Coombs* ».

— J'en sais rien, moi non plus, a-t-elle dit, en le tapotant. Mais je parierais que la réponse se trouve quelque part là-dedans.

20

À peine arrivée, le lendemain matin, Jill ouvrit le carton et se mit au boulot. Elle demanda à sa secrétaire de ne lui passer aucun appel et annula ce qui, pas plus tard que la veille, lui avait paru une réunion urgente à propos d'une autre affaire criminelle en cours.

Une tasse de café sur le bureau et la veste de son tailleur Donna Karan accrochée à son fauteuil, Jill souleva le premier dossier, pesant un bon poids. Les minutes du procès – des pages et des pages de témoignages, de requêtes et de jugements. Au final, il vaudrait mieux qu'elle ne découvre rien. Qu'en fin de compte Marty Boxer se révèle un père qui avait refait surface pour protéger sa fille. Mais le procureur en elle n'était pas convaincue.

Elle entama sa lecture en poussant un gémissement.

Le procès avait duré neuf jours. Et il fallut à Jill le reste de la matinée pour l'éplucher. Elle passa au crible les auditions d'avant procès, la sélection des jurés, l'exposé des faits.

On avait fait ressortir les antécédents de Coombs, ses nombreux blâmes, encourus pour avoir mal géré certaines situations sur le terrain, impliquant des Blacks. Coombs était connu pour ses blagues salaces et autres remarques péjoratives.

Venait ensuite une reconstitution minutieuse de la soirée en question. Coombs et son coéquipier, Stan Dragula, sont en patrouille à Bay View. Ils tombent sur un match de basket dans une cour d'école. Coombs repère Gerald Sikes. Ce dernier est un brave gosse au fond, établit l'accusation. Assiste aux cours, fait partie de l'orchestre ; une seule ombre au tableau : on l'a pris deux mois plus tôt dans une rafle, lors du ratissage de la cité à la recherche de dealers.

Jill poursuivit sa lecture.

Coombs interrompt le match et se met à se moquer de Sikes. La situation s'envenime. Deux autres voitures de patrouille arrivent sur les lieux. Sikes crie quelque chose à Coombs, puis s'enfuit. Coombs se lance à sa poursuite. Jill examina plusieurs croquis illustrant la scène. Une fois l'attroupement maîtrisé, deux autres flics se joignent à la poursuite. L'agent Tom Fallone arrive le premier sur place. *Gerald Sikes est déjà mort.*

Le procès et les notes couvraient plus de trois cents pages... trente-sept témoins. Un vrai souk. Jill regretta de ne pas avoir été procureur à l'époque. Mais ne figurait nulle part quoi que ce fût impliquant Marty Boxer.

S'il était présent, ce soir-là, on ne l'avait pas convoqué.

À midi, Jill en avait terminé avec les dépositions de témoins. Le meurtre de Sikes avait eu lieu dans un passage entre les Bâtiments A et B de la cité. Des résidents affirmaient avoir entendu l'échauffourée et les appels au secours du garçon. La simple lecture de ces dépositions donna un haut-le-cœur à Jill. Coombs était Chimère; il ne pouvait en être autrement.

Elle était épuisée, découragée. Elle avait passé la moitié de la journée à déchiffrer le dossier. Elle touchait presque à la fin quand elle nota quelque chose d'étrange.

Un homme déclarait avoir été témoin du meurtre d'une fenêtre du troisième étage. *Kenneth Charles.*

Charles était un ado lui aussi. Il avait un casier de jeune délinquant. Blessures par imprudence, possession de substances illicites. Il avait toutes les raisons de faire des embrouilles, d'après les policiers.

Et personne d'autre ne confirmait les dires de Charles.

En parcourant sa déposition, Jill attrapa la migraine. Pour finir, les élancements virèrent à de véritables coups de poignard. Elle appela sa secrétaire.

— Avril, j'ai besoin que vous me trouviez le dossier personnel d'un policier. Un vieux dossier. Datant de vingt ans.

— Donnez-moi le nom. Je m'en occupe.

— Marty Boxer, répliqua Jill.

21

Une brise glacée en provenance de la baie fendait la nuit tandis que Jill se pelotonnait sur le quai, devant le terminus du BART.

Il était six heures passées. Des hommes en uniforme bleu, coiffés encore de leurs casquettes à courte visière, émergeaient du dépôt, leur journée de boulot terminée. Jill cherchait un visage dans le groupe qui sortait. Il avait beau avoir été un délinquant juvénile avec un casier, vingt ans plus tôt, il s'était racheté une conduite. Il avait été décoré à l'armée, s'était marié et travaillait depuis vingt ans comme conducteur du BART. Il n'avait fallu à Avril que quelques heures pour le retrouver.

Un Black courtaud et costaud, en casquette de cuir noir et coupe-vent des 49*ers*, salua une poignée de ses collègues et s'avança vers elle. Il lui lança un coup d'œil méfiant.

— Au bureau, on m'a dit que vous m'attendiez ? Pourquoi ?

— Kenneth Charles ? demanda Jill.

L'homme approuva.

Jill se présenta en lui tendant sa carte. Charles ouvrit de grands yeux.

— Je vais pas faire mystère qu'il y a un bail que personne du palais de la prétendue justice ne s'est intéressé à moi.

— Pas à vous, monsieur Charles, répondit Jill, tâchant de le mettre à l'aise. Mais à quelque chose dont vous auriez pu être témoin, il y a très longtemps. Vous voyez un inconvénient à m'en parler?

Charles haussa les épaules.

— Ça vous dérange si on marche? Ma voiture est garée là-bas.

Il lui fit franchir le portail grillagé d'un parking sur le quai.

— On a déterré de vieilles affaires, lui expliqua Jill. Je suis tombée sur l'une de vos dépositions. Dans l'affaire Frank Coombs.

En entendant ce nom, Charles s'immobilisa.

— J'ai lu ce que vous avez déclaré, poursuivit Jill. Ce que vous avez dit avoir vu. J'aimerais entendre votre version.

Kenneth Charles, consterné, refusa de la tête.

— Personne n'a cru un mot de ce que j'ai dit à l'époque. On n'a pas voulu que j'aille au tribunal. On m'a traité de voyou. À quoi bon vous y intéresser aujourd'hui?

— Vous étiez un gamin avec un casier, vous aviez eu affaire à la justice à deux reprises, lui répondit Jill avec franchise.

— Tout ça est vrai, reconnut Kenneth Charles, mais j'ai vu ce que j'ai vu. De toute façon, beaucoup d'eau

est passée sous les ponts depuis. Il me reste douze ans
à tirer avant la retraite. Si j'ai bien compris, un type
s'est pris vingt ans de taule pour ce qu'il a fait ce
soir-là.

Jill le fixa droit dans les yeux.

— Je veux m'assurer que c'est le bon type qui a
purgé vingt ans de prison pour ce qui s'est passé ce
soir-là. Écoutez, on n'a pas rouvert le dossier de
l'affaire. Je ne vais arrêter personne. Mais j'aimerais la
vérité. Je vous en prie, monsieur Charles.

Ce dernier lui raconta tout : il regardait la télé en
fumant de l'herbe, il avait entendu une bagarre sous
ses fenêtres, une gueulante, puis des cris étouffés.
Quand il avait regardé dehors, il avait vu ce jeune
qu'on étranglait.

Puis, Jill toujours à l'écoute, reprit vivement son
souffle.

— Il y avait *deux* hommes en uniforme. *Deux* flics
qui plaquaient Gerald Sikes au sol, lui dit Charles.

— Pourquoi n'avez-vous rien fait ? demanda Jill.

— Vous devez voir les choses comme à l'époque. À
ce moment-là, si vous aviez un uniforme bleu, vous
étiez Dieu en personne. J'étais rien qu'un petit voyou,
d'accord ?

Jill plongea son regard dans le sien.

— Vous vous souvenez de ce second flic ?

— Je croyais qu'il n'était pas question d'arrestation.

— Non. C'est à titre personnel. Si je vous montrais
une photo, vous croyez que vous pourriez me le désigner ?

Ils reprirent leur marche et atteignirent une Toyota

flambant neuve. Jill ouvrit sa serviette, sortit la photo et la lui montra.

— C'est lui le policier que vous avez vu, monsieur Charles ?

Il examina la photo un long moment. Puis il déclara :

— Oui, c'est bien l'homme que j'ai vu.

22

J'ai passé toute la journée au palais à téléphoner aux agents de terrain ou devant un plan quadrillé de la ville, à superviser la chasse à l'homme de Frank Coombs.

On a placé sous surveillance plusieurs de ses relations connues et les endroits où l'on pensait qu'il pourrait se réfugier, y compris le domicile de Tom Keating. J'ai effectué une recherche sur la Bonneville moutarde qui avait récupéré Coombs et vérifié les numéros de téléphone trouvés sur son bureau. Chou blanc. À quatre heures, le type qui avait loué la maison à San Francisco sud s'était fait connaître – il avait bien insisté sur le fait qu'il n'avait jamais rencontré Coombs auparavant.

Ce dernier n'avait ni argent ni biens. Pas de moyen de transport connu. Le moindre flic en ville possédait son signalement, *alors, merde, où était-il passé ?*

Où était donc Chimère ? Et qu'allait-il faire maintenant ?

J'étais encore à mon bureau à sept heures et demie quand Jill est entrée. Elle n'était sortie de l'hôpital que depuis quelques jours. Elle portait un imperméable marron, une serviette Coach en bandoulière.

— Que fais-tu encore ici ? lui ai-je dit, en hochant la tête. Rentre chez toi te reposer.

— Tu as une minute ? m'a-t-elle demandé.

— Bien sûr, prends un siège. J'ai bien peur de pas avoir de bière à t'offrir.

— T'en fais pas.

En souriant, elle a ouvert sa serviette et en a sorti deux Sam Adams.

— J'ai tout ce qu'il faut.

Elle en a levé une à ma santé.

— Et puis merde, ai-je soupiré.

On n'avait aucune piste sur Coombs et il était évident, à son air, que quelque chose turlupinait Jill. J'ai pensé que Steve, déjà lancé sur un nouveau marché, l'avait laissée livrée à elle-même encore une fois.

Mais dès qu'elle a eu ouvert sa serviette, j'ai aperçu le dossier bleu personnel. Puis un nom, *Boxer, Martin C.*

— J'ai déjà dû te dire, m'a fait Jill en décapsulant sa bière et en venant s'installer en face de moi, que mon père était avocat à Highland Park.

— Une bonne centaine de fois, lui ai-je répondu en décochant un sourire.

— En fait, c'était le meilleur avocat que j'aie jamais connu. Toujours partant, jamais influencé par la couleur de peau d'un client ni par ce qu'il pouvait payer. Papa ou l'intégrité faite homme. À une époque, je l'ai vu travailler tous les soirs à la maison six mois d'affilée pour faire annuler la condamnation d'un maraîcher itinérant, faussement accusé de viol. Beaucoup de personnes à l'époque poussaient mon père à se présenter au Congrès. Je l'adorais. Et je continue.

J'ai gardé le silence, j'ai vu ses yeux devenir humides. Elle a pris une gorgée de bière.

— Ce n'est qu'en dernière année de fac que j'ai compris que ce salaud avait trompé ma mère pendant vingt ans. Mon grand honnête homme, mon héros.

J'ai souri faiblement.

— Marty m'a menti de bout en bout, c'est ça?

Jill a acquiescé, en poussant le dossier personnel écorné de mon père, ainsi qu'une déposition, sur mon bureau. La déposition était pliée, ouverte à une page surlignée de jaune.

— Tu ferais aussi bien de lire, Lindsay.

J'ai rassemblé mes forces et lu, le plus impartialement possible, le témoignage de Kenneth Charles *in extenso*. Puis je l'ai relu, déçue, la mort dans l'âme. Ensuite, j'ai eu peur. Ma première réaction a été de refuser d'y croire; la colère m'étouffait. Mais en même temps, je savais que ça devait être la vérité. Toute sa vie, mon père avait été un menteur et un dissimulateur. Il avait mené en bateau, baratiné et trompé tous ceux qui l'avaient aimé.

J'avais les yeux pleins de larmes. Je me sentais trahie à un tel point. Un pleur brûlant a roulé sur ma joue.

— Je regrette tellement, Lindsay. Crois-moi, je m'en veux de t'avoir montré ça.

Jill m'a tendu la main et je l'ai prise en la serrant fort.

Pour la première fois depuis que j'étais devenue flic, je n'avais aucune idée de ce que je devais faire. J'ai senti s'ouvrir un gouffre que rien, ressemblant de près ou de loin au devoir, à la responsabilité ou la justice, ne pourrait venir combler.

J'ai haussé les épaules, en vidant le reste de ma bière. J'ai souri à Jill.

— Alors qu'est devenu ton père? Il vit encore avec ta maman?

— Ah non, bordel de merde, m'a-t-elle dit. Elle était si dure parfois, si cool. Je l'adorais. Elle l'a fichu dehors pendant mes études de droit. Depuis, il habite un F 3 à Las Colinas.

Je me suis mise à rire, d'un rire douloureux où la déception le disputait aux larmes. Quand j'ai arrêté, j'ai gardé ce poids sur le cœur et dans la tête, toutes ces questions exigeant des réponses. Mon père avait-il été au courant, et de quoi? Qu'avait-il tu? Et pour finir, quels étaient ses liens avec Chimère?

— Merci, ai-je dit en pressant à nouveau la main de Jill. À charge de revanche, ma chérie...

— Que vas-tu faire, Lindsay?

J'ai plié ma veste sur mon bras.

— Ce que j'aurais dû faire depuis longtemps. Découvrir la vérité.

23

Mon père faisait une réussite quand je suis rentrée.

Je l'ai salué d'un geste vague, en détournant légèrement les yeux. Je me suis traînée dans la cuisine où j'ai sorti une bouteille de Black & Tan du frigo. Puis je suis revenue m'affaler dans le fauteuil en face de lui.

Mon père a levé la tête, sentant peut-être l'intensité de mon regard.

— Ah, Lindsay.

— Je réfléchissais, papa... quand tu nous as quittées...

Il a continué à tripoter le paquet de cartes.

— Pourquoi veux-tu évoquer ça, maintenant?

Je ne l'ai pas quitté des yeux.

— Tu m'as emmenée sur les quais manger une glace. Tu te rappelles pas? Moi, si. On a regardé les bacs arriver de Sausalito. Tu m'as dit quelque chose du genre : « Un de ces jours, j'en prendrai un, Bouton d'Or, et je ne reviendrai pas de sitôt. » Tu as ajouté que c'était à cause de quelque chose entre toi et maman. Et pendant un moment, je t'ai attendu. Mais pendant des années, je me suis toujours demandé *pourquoi tu avais dû t'en aller.*

Mon père remuait les lèvres comme s'il préparait sa réponse, mais il s'est finalement tu.

— Tu avais les mains sales, c'est ça ? Il n'a jamais été question de toi et de maman, ni du jeu ni de la picole. *Tu as aidé Coombs à tuer ce garçon.* Il s'est toujours agi de ça. Pourquoi t'es parti ? Pourquoi t'es revenu ? Tout ça n'avait rien à voir avec nous. Ça te concernait, toi et toi seul.

Mon père a tiqué, essayé d'accoucher d'une réponse.

— Non...

— Maman était-elle au courant ? En tout cas, si elle l'était, elle n'a jamais dévié de la version officielle : tout était la faute de ton amour du jeu et de l'alcool.

Il a posé les cartes. Ses mains tremblaient.

— Tu ne me croiras peut-être pas, Lindsay, mais j'ai toujours aimé ta mère.

J'ai fait non de la tête, j'avais envie de me lever et de frapper mon père.

— C'est impossible. Personne ne peut faire de mal à quelqu'un qu'il aime autant.

— Si, c'est possible.

Il s'est humecté les lèvres.

— Je t'ai bien fait du mal à toi.

On a observé un silence glacial quelques instants. La colère balayée pendant tant d'années refluait en moi à vitesse grand V.

— Comment tu as découvert ça ? m'a-t-il demandé.

— Quelle importance. Je l'aurais appris un jour ou l'autre.

Il a eu l'air sonné d'un boxeur qui vient de recevoir un violent uppercut.

— Ta confiance, Lindsay... c'est la meilleure chose qui me soit arrivée depuis vingt ans.

— Alors pourquoi a-t-il fallu que tu m'utilises, papa ? Tu t'es servi de moi pour retrouver Coombs. Coombs et toi avez tué ce gamin.

— Je ne l'ai pas tué, m'a affirmé mon père en secouant la tête de gauche à droite, plusieurs fois. Mais je n'ai rien fait pour l'en empêcher.

Il a poussé un soupir qu'il semblait avoir contenu pendant vingt ans. Il m'a raconté qu'il avait couru derrière Coombs et l'avait rejoint dans le passage. Coombs serrait déjà Gerald Sikes à la gorge.

— Je te répète que les choses étaient différentes à l'époque. Coombs voulait lui donner une petite leçon, lui apprendre le respect de l'uniforme. Mais il a continué à serrer. « Il a de la marchandise », m'a-t-il dit. Je lui ai crié : « Lâche-le ! » Quand j'ai compris que ça allait trop loin, je me suis jeté sur lui. Coombs m'a ri au nez. « C'est mon territoire, mon p'tit Marty. Si t'as la trouille, barre-toi d'ici vite fait. » Je savais pas que le gosse allait mourir... Quand Fallone est arrivé sur les lieux, Coombs a lâché le gamin en prétendant : « Ce petit salaud a essayé de me planter avec un couteau. » Tom était un vieux de la vieille ; il a vite saisi le topo. Il m'a dit de me tirer. Coombs a éclaté de rire en disant « Va donc... ». Personne n'a jamais divulgué mon nom.

Les larmes me piquaient les yeux. Je me sentais le cœur déchiré.

— Oh, comment as-tu pu ? Coombs, lui au moins, a assumé. Mais toi... t'as pris la fuite.

— Je sais, m'a-t-il répondu. Mais j'ai pas pris la fuite l'autre soir. J'étais là pour toi.

J'ai fermé les yeux, puis les ai rouverts.

— C'est l'heure de vérité. T'étais pas là-bas pour moi. Tu le suivais, lui. C'est pour ça que t'es revenu. Pas pour me protéger... pour te protéger. Tu es revenu pour tuer Frank Coombs.

Le visage de mon père a viré au gris cendre. Il s'est passé la main dans sa crinière blanche.

— Au début, peut-être, a-t-il admis en ravalant sa salive. Mais plus maintenant... tout a changé, Lindsay.

J'ai fait non de la tête. Des larmes coulaient sur mes joues et je les ai essuyées rageusement.

— Je sais que tu penses que tout ce qui sort de ma bouche est un mensonge. Mais c'est pas vrai. L'autre soir, quand je t'ai aidée à en réchapper, ç'a été l'instant où j'ai été le plus fier de ma vie. Tu es ma fille. Je t'aime, je t'ai toujours aimée.

J'avais les yeux encore humides et les mots qui m'ont échappé, j'aurais aimé pouvoir les ravaler.

— Je veux que tu t'en ailles. Je veux que tu plies bagage et que tu retournes là où tu as passé ces vingt dernières années, où que ce soit. Je suis flic, papa, et plus ton petit Bouton d'Or. On a déjà liquidé quatre personnes. Tu es impliqué là-dedans en quelque sorte. Et je n'ai pas la moindre idée de ce que tu sais ni de ce que tu caches.

Le visage de mon père s'est affaissé. J'ai su en voyant s'éteindre l'éclat de ses yeux à quel point je l'avais atteint.

— Je ne veux plus de toi chez moi, ai-je insisté. Va-t'en tout de suite.

Je suis restée assise, entourant Martha de mes bras, pendant qu'il passait dans la chambre d'amis. Quelques instants plus tard, il en est ressorti avec ses affaires. Il m'a paru rabougri tout à coup et si seul.

Martha a dressé les oreilles. Elle sentait que quelque chose allait de travers. Elle s'est faufilée jusqu'à lui, il lui a tapoté gentiment la tête.

— Lindsay, je sais que je t'ai donné beaucoup de raisons de m'en vouloir, mais ravise-toi. Tu dois faire attention à Coombs. Il va s'en prendre à toi. S'il te plaît, laisse-moi t'aider...

J'avais le cœur brisé. Je savais qu'à l'instant où il franchirait la porte, je ne le reverrais plus jamais.

— Je n'ai pas besoin de ton aide, ai-je dit, avant d'ajouter dans un murmure : « Au revoir, papa. »

24

Frank Coombs, appuyé à une cabine téléphonique à l'angle de la Neuvième et de Bryant, gardait les yeux rivés sur le palais de justice. Tout l'avait conduit jusqu'ici.

Sa douleur à l'épaule se diffusait dans tout le corps, comme si quelqu'un sondait les lèvres de sa plaie avec un scalpel. Depuis deux jours, il avait gardé profil bas, gagnant San Bruno où il s'était planqué. Mais sa photo s'étalait en première page de tous les journaux. Il n'avait pas d'argent. Il ne pouvait même pas revenir récupérer ses affaires.

Quatorze heures approchaient. Le soleil de l'après-midi perçait ses lunettes noires. Il y avait un attroupement sur les marches du palais. Des hommes de loi, en pleine discussion.

Coombs respira pour se calmer. *Qu'est-ce que j'ai à craindre, bordel ?* Il continuait à fixer le palais de justice. *C'est eux qui devraient avoir peur.*

Son revolver de service était glissé dans son étui sur sa hanche, grâce à ce vieux et fidèle Tom Keating. Le chargeur était plein de balles à pointes creuses. Il tendit le bras avec lequel il tirait. O.K. Il y arrivait.

Coombs se tourna vers la cabine téléphonique. Il glissa vingt-cinq cents dans la fente, composa le numéro. *Fini les deuxièmes chances. Fini de patienter. Son heure était venue. Enfin, après vingt-deux ans d'enfer.*

À la deuxième sonnerie, une voix répondit.

— Brigade criminelle.

— Passez-moi le lieutenant Boxer.

25

On avait un tuyau sur l'un des potes de prison de Coombs qui avait fui à Redwood City. J'attendais qu'on me rappelle.

Toute la matinée, j'avais fait passer l'affaire au premier plan – tandis qu'au fond de ma tête, je revivais la scène accablante avec mon père. Avais-je raison de le juger pour des faits qui s'étaient déroulés vingt ans plus tôt ? Plus important, *jusqu'où mon père était-il impliqué avec Chimère ?*

Je terminais un sandwich à mon bureau quand Karen a passé la tête à la porte.

— Appel sur la ligne une, lieutenant.

— Redwood City ? lui ai-je demandé en tendant la main vers le téléphone.

Karen m'a fait signe que non.

— Cette personne m'a dit que vous le connaissiez. Qu'il était un vieil ami de votre père.

Je me suis raidie.

— Passez-le-moi sur la quatre, ai-je dit.

C'était la ligne circulaire que le bureau se partageait.

— Déclenchez une localisation, Karen. *Immédiate-ment...*

Je me suis propulsée hors de mon fauteuil, faisant un signe pressant à Jacobi de l'autre côté de la vitre. Je lui ai montré le téléphone en levant quatre doigts.

En quelques secondes, le bureau était en état d'alerte maximum. Tout le monde savait qu'il devait s'agir de Chimère.

Il nous fallait une minute et demie pour trouver la provenance de l'appel. Une minute pour restreindre la recherche à un quartier de la ville. À condition qu'il appelle du centre-ville. Lorraine, Morelli et Chin se sont tous précipités dans mon bureau, le visage tendu par l'expectative.

J'ai décroché. Dans la salle de garde, Jacobi m'a imitée.

— Boxer à l'appareil, ai-je dit.

— Dommage qu'on ait pas eu le temps de vraiment s'amuser l'autre soir, lieutenant, m'a fait Coombs en riant. J'avais envie de vous buter. D'une façon bien à moi.

— Pourquoi appelez-vous ? lui ai-je demandé. Qu'est-ce que vous me voulez, Coombs ?

— J'ai des trucs importants à vous dire. Ça pourrait vous aider à mieux comprendre les vingt ans qui viennent de s'écouler.

— Je n'ai aucun problème là-dessus en ce qui me concerne, Coombs. Vous avez été incarcéré pour meurtre.

Il a eu un ricanement sinistre.

— Pas mes vingt ans... les vôtres.

Mon cœur n'a fait qu'un bond. J'étais en train de parler à un type qui m'avait braqué un pistolet sur la tempe. Je devais le harponner. Le faire sortir de ses gonds... n'importe quoi pour le garder en ligne, bordel.

J'ai jeté un coup d'œil à ma montre; trente-cinq secondes venaient de s'écouler.

— Où êtes-vous, Coombs?

— Toujours le baratin du service, hein, lieutenant? Je commence à perdre le respect que je vous portais. Vous êtes censée être une nana intelligente, qui remplit de fierté le p'tit Marty. Alors, dites-moi, comment se fait-il que tous ces gens soient morts et que vous n'ayez pas encore bien compris les choses?

Je le sentais qui me narguait. Bon Dieu, que je détestais cet homme!

— Quoi donc, Coombs? Qu'est-ce que je n'ai pas compris?

— Je me suis laissé dire que votre papa vous a quittée à peu près à l'époque où on m'a mis en taule, m'a-t-il répondu.

Je savais ce qu'il se préparait à me dire. Pourtant, je devais le garder en ligne. De l'autre côté de la vitre, Jacobi était à l'écoute, mais aussi ne me quittait pas des yeux.

Coombs a ricané de plus belle.

— Z'avez probablement cru que le vieux se sautait une barmaid. Ou qu'il avait laissé des ardoises salées un peu partout.

Coombs a adopté un ton de fausse commisération.

— Bon Dieu, comme ça a dû être dur quand il s'est barré et que votre maman est morte.

— Je vais me faire un plaisir de vous choper,

Coombs. Je serai là quand ils déclencheront le dernier goutte-à-goutte à San Quentin.

— Dommage, vous n'aurez pas cette chance, ma petite chérie. Mais je voulais vous dire quelque chose d'important. *Écoutez bien.* Votre paternel a laissé une dette. *À moi... j'ai la reconnaissance...* j'ai payé le prix. À sa place. À la place de tout le département de police. J'ai la reconnaissance. J'ai purgé ma peine. Mais devinez quoi, ma petite Lindsay ? Je n'étais pas tout seul.

Chaque fibre de mon corps s'est raidie. J'avais du mal à ne pas laisser exploser ma rage. J'ai jeté un coup d'œil à Jacobi. Il m'a fait oui de la tête comme pour me dire *c'est une question de secondes... occupe-le.*

— Vous voulez m'avoir, Coombs ? J'ai vu la photo dans votre chambre. Je sais ce dont vous avez envie. Je veux bien vous rencontrer n'importe où...

— Vous voulez alpaguer le tueur si fort que c'en est presque touchant. Mais désolé, je dois décliner votre proposition. J'ai un autre rendez-vous.

— Coombs, ai-je dit en lançant un regard à l'horloge, vous me voulez, moi, alors finissons-en. Vous, l'emporter sur une femme, Frank ? Je n'y crois pas.

— Je regrette, lieutenant. Merci pour cette conversation si amusante. Mais il semblerait, quoi qu'il se passe, que vous soyez juste un poil en retard. Je pense toujours que les gonzesses sont pas à leur place dans le département.

J'ai entendu un déclic.

Je suis sortie dans la salle de garde. Cappy était en ligne avec le standard. J'espérais éperdument que Coombs n'avait pas utilisé un portable. Les portables étaient plus difficiles à localiser. *Un autre rendez-vous...*

J'ignorais la nature de la menace de Coombs. C'était quoi la suite? Quoi?

— Il est toujours en ville, m'a gueulé Cappy, en s'emparant d'un stylo. Il est dans une cabine. On essaie de la situer.

L'inspecteur s'est mis à écrire, puis a relevé la tête. L'incrédulité lui déformait les traits.

— Il est dans une cabine... à l'angle de la Neuvième et de Bryant.

On s'est tous regardés. Puis tout le monde est entré en action.

Coombs appelait à un bloc d'ici.

26

J'ai fixé mon Glock et beuglé un appel à la voiture disponible la plus proche. Puis je suis sortie au pas de charge du bureau, Cappy et Jacobi sur mes talons.

À un bloc d'ici... qu'est-ce que Coombs mijotait donc ?

Sans attendre l'ascenseur, j'ai dévalé l'escalier de service aussi vite que mes jambes pouvaient me porter. Dans le hall, j'ai fendu le flot d'employés et de citoyens qui s'y trouvaient et franchi en trombe les portes de verre donnant sur Bryant Street.

La foule habituelle grouillait sur les marches à l'heure du déjeuner : avocats, garants de caution et inspecteurs. J'ai scruté la Neuvième Rue, cherchant à repérer quelqu'un qui ressemblait à Coombs.

Rien.

Cappy et Jacobi m'ont rattrapée.

— Je passe devant, a dit Cappy.

Soudain ça m'a frappée. *Un autre rendez-vous... Coombs était dans le coin, non ?* Il était au palais de justice.

— Police ! ai-je crié, en faisant des gestes à la foule sans méfiance. Plus personne ne bouge.

J'ai cherché son visage parmi ceux de la foule. Mon Glock était prêt à servir. Les badauds me regardaient en ouvrant de grands yeux sous l'effet de la surprise. Plusieurs se sont accroupis ou bien ont commencé à s'écarter.

Voici ce qui s'est passé ensuite dans mon souvenir :

Un agent en uniforme a monté les marches en se dirigeant vers moi. Je l'ai à peine remarqué ; je cherchais le visage de Coombs.

Le type en uniforme s'est détaché de la foule, le visage masqué par des lunettes noires et la visière de sa casquette. Il avait le bras tendu.

Je me suis concentrée au-delà de lui sur la rue, toujours en quête de Coombs. Puis j'ai entendu quelqu'un crier mon nom.

— Eh ! Boxer !

Tout s'est déchaîné sur le perron du palais. Jacobi, Cappy m'ont hurlé :

— *Le flingue...*

Mon regard s'est reporté en un éclair sur l'agent. À cet instant, la chose la plus étrange m'est devenue claire. *Ce bleu...* il portait un uniforme que je n'avais plus vu depuis un bail. Je l'ai mieux dévisagé et sous le choc, j'ai reconnu Coombs. Chimère. C'était avec moi qu'il avait rendez-vous.

Quelqu'un m'a fait pivoter par-derrière au moment où je levais mon Glock.

— Eh ! ai-je protesté en criant.

J'ai vu l'arme de Coombs cracher un feu orange. Deux fois. Je ne pouvais rien faire pour l'empêcher.

Puis tout a basculé dans une folie et une confusion inimaginables. Chaos. Terreur.

J'ai su que j'avais tiré avant que la douleur ne m'engourdisse le corps.

J'ai vu Coombs trébucher en avant, ses lunettes voltiger dans les airs, son arme pointée sur moi. Il a titubé, sans cesser d'avancer sur moi. Ses yeux noirs flamboyaient de haine.

Puis les abords du palais se sont transformés en stand de tir effrayant. Une cacophonie de fortes détonations a résonné... *cinq, six, sept* en succession rapide, arrivant de tous côtés. Les gens criaient, couraient se mettre à l'abri.

Du rouge vif a jailli de l'uniforme bleu de Coombs. Cappy et Jacobi tiraient sur lui. Son corps, secoué de soubresauts, a dévalé les marches à reculons. Une atroce souffrance se lisait sur ses traits. L'air était chargé de l'odeur chaude de la cordite. L'écho de chaque coup de feu me fracassait les oreilles.

Puis un calme d'une inquiétante étrangeté s'est installé. Ce silence m'a fait tressaillir.

— *Ah, mon Dieu*, me suis-je rappelé avoir dit, en me retrouvant allongée sur les marches.

Je ne savais trop si j'avais été touchée ou non.

Jacobi était penché sur moi.

— Lindsay, reste là. Ne bouge pas.

Il avait posé ses mains sur mes épaules et sa voix résonnait dans mon crâne.

J'ai acquiescé, passant mon corps en revue pour vérifier si j'étais blessée. Des cris et des gémissements retentissaient alentour, des gens couraient dans tous les sens.

En prenant appui sur le bras de Warren, je me suis

lentement remise debout. Il a tenté de me donner un ordre :

— Te lève pas, Lindsay. Je te le dirai pas deux fois.

Coombs était sur le dos, des fuites cramoisies suintaient de sa chemise bleue.

J'ai écarté Jacobi. Il fallait que je voie Coombs, que je le regarde au fond des yeux. Je l'espérais encore en vie, car quand ce monstre allait pousser son dernier soupir, je voulais qu'il le fasse la tête levée vers moi.

Quelques uniformes avaient formé un cercle protecteur autour de Coombs, ordonnant à tout un chacun de rester au large.

Coombs était encore vivant, mais respirait péniblement. Une équipe du Samu est arrivée au pas de course, deux infirmiers trimballant du matériel. L'un d'eux, une femme, a entrepris de déchirer la chemise ensanglantée de Coombs. L'autre lui a pris la tension et installé une perfusion.

Nos regards se sont croisés. Celui de Coombs était vitreux. Un méchant sourire a tordu sa bouche. Et il a tenté de me dire quelque chose.

L'infirmière faisait reculer les gens, en criant qu'il y allait de sa vie.

— Il faut que j'entende ce qu'il dit, ai-je fait à l'infirmière. Accordez-moi une minute.

— Il ne peut pas parler, m'a-t-elle répondu. Laissez-le respirer, lieutenant. Il est en train de mourir sous nos yeux !

— Il faut que j'entende, ai-je répété, avant de m'agenouiller tout près.

La chemise de l'uniforme de Coombs, déchirée, révélait une mosaïque de vilaines plaies.

Ses lèvres tremblaient. Il essayait toujours de me parler. *Que voulait-il me dire ?*

Je me suis penchée tout près, le sang de Coombs a barbouillé mon chemisier. Je m'en moquais. J'ai tendu l'oreille.

— Une dernière..., a-t-il murmuré.

Chaque respiration était pour lui le résultat d'un véritable combat. Alors c'était ainsi que ça se terminait ? Avec Coombs qui emportait ses secrets avec lui en Enfer ?

Une dernière... ? Une dernière cible, une dernière victime ? Je l'ai regardé au fond des yeux, y lisant sa haine toujours présente.

— Une dernière quoi, Coombs ? ai-je insisté.

Des bulles de sang sont sorties d'entre ses lèvres. Il a repris son souffle avec difficulté, ménageant ses ultimes forces, les bandant contre le pouvoir de sa propre mort.

— Une dernière surprise, m'a-t-il fait en souriant.

27

Chimère était mort. C'était terminé, Dieu soit loué.

Je n'avais aucune idée de ce que Coombs avait voulu me dire, mais j'ai eu envie de lui recracher ses paroles au visage. *Une dernière surprise...* Quoi qu'il en soit, Chimère n'était plus de ce monde. Il ne pouvait plus faire de mal à personne.

J'espérais que ça ne signifiait pas qu'il avait laissé une dernière victime derrière lui, avant de mourir.

— Allez, viens, lieutenant, m'a marmonné Jacobi.

Il m'a relevée avec douceur.

Soudain, mes jambes m'ont lâchée. Comme si j'avais perdu le contrôle du bas de mon corps. J'ai vu l'air alarmé de Warren.

— Tu es blessée, m'a-t-il dit, ouvrant de grands yeux.

J'ai baissé la tête vers mon flanc. Jacobi a soulevé ma veste et j'ai aperçu une estafilade rouge et humide sur mon ventre, à droite. Tout à coup, ma tête s'est mise à tourner. Et j'ai eu un accès de nausée.

— On a besoin d'aide par ici, a crié Jacobi à l'infirmière.

Cappy et lui m'ont reposée avec de grands ménagements sur le sol.

Je me suis retrouvée à regarder Coombs alors que l'infirmière qui avait arraché la chemise du mort se précipitait vers moi. *Bon Dieu, tout était si irréel.* On m'a ôté ma veste, on m'a plaqué un brassard pour me prendre la tension. C'était comme si tout ça arrivait à quelqu'un d'autre.

Mon regard demeurait fixé sur le tueur, cette ordure de Chimère. Il y avait quelque chose d'un peu étrange, quelque chose qui ne collait pas. Qu'est-ce que c'était?

Je me suis dégagée de l'emprise de Jacobi.

— Il faut que je vérifie quelque chose...

Il m'a retenue.

— Tu ne dois pas bouger, Lindsay. Une ambulance arrive.

J'ai repoussé Jacobi. Je me suis levée et dirigée vers le cadavre. L'uniforme de policier de Coombs ne lui couvrait plus ni la poitrine, ni les bras. Des blessures à vif lui criblaient le torse. Mais quelque chose manquait; quelque chose clochait complètement. Mais quoi?

— Ah, mon Dieu, Warren, ai-je chuchoté. Regarde.

— Que je regarde quoi? m'a dit Jacobi en fronçant les sourcils. Qu'est-ce qui te prend?

— Warren... il n'a pas de tatouage.

J'ai effectué mentalement un flash-back. Claire avait retrouvé des pigments du tatouage du tueur sous les ongles d'Estelle Chipman.

J'ai glissé mes mains sous les épaules de Coombs et je l'ai fait basculer légèrement. *Il n'avait rien non plus dans le dos. Aucun tatouage, nulle part.*

J'avais l'esprit en ébullition. C'était inimaginable, et pourtant, Coombs ne pouvait pas être Chimère.

Je me suis alors évanouie.

28

J'ai repris conscience dans une chambre d'hôpital ; la perfusion plantée dans mon bras m'élançait de façon gênante.

Claire se tenait penchée sur moi.

— T'es une petite veinarde, m'a-t-elle dit. J'ai parlé aux médecins. La balle t'a écorché le côté droit de l'abdomen sans s'y loger. Ce que tu as récolté, en fait, c'est la plus vilaine ecchymose de tous les temps.

— Je me suis laissé dire que les ecchymoses sont bien assorties au bleu pastel, non ? ai-je dit doucement, en esquissant un sourire.

Claire a opiné, en tapotant le pansement de son cou.

— Il paraîtrait. En tout cas, félicitations... te voilà abonnée à un travail de bureau pépère pour les semaines à venir.

— J'ai déjà un boulot de bureau, Claire, ai-je répondu.

J'ai jeté un œil inquiet sur ma chambre d'hôpital, puis je me suis redressée en position assise. La douleur a enflammé mon flanc.

— Tu as fait du bon travail, petite, m'a dit Claire en

me pressant le bras. Coombs est mort et confortablement installé en enfer, désormais. Il y a une masse de gens dehors qui ont envie de te parler. Va falloir que tu t'habitues aux accolades.

J'ai fermé les yeux en songeant à l'attention mal placée qui allait déferler sur moi. Puis, en plein coaltar, ça m'est revenu en boomerang : la découverte que j'avais faite avant de tomber dans les pommes.

Mes doigts ont agrippé Claire par le bras.

— Frank Coombs n'était pas tatoué.

Elle a hoché la tête en me rendant mon regard.

— Et alors... ?

Parler me faisait mal, alors c'est en chuchotant que j'ai prononcé ces mots :

— Le premier meurtre, Claire. Estelle Chipman... celui qui l'a tuée était tatoué. Tu me l'as dit.

— J'ai pu me tromper.

— Tu ne te trompes jamais, lui ai-je rétorqué en lui lançant un coup d'œil.

Elle s'est reculée sur son tabouret, en fronçant le sourcil.

— Je ferai l'autopsie du p'tit Frankie, lundi matin. Il se pourrait que je lui trouve un morceau de peau à forte pigmentation ou une décoloration quelque part.

J'ai grimacé un sourire.

— Une autopsie... ? Mon diagnostic, c'est qu'on l'a flingué.

— Merci, m'a fait Claire, souriant à son tour. Mais quelqu'un doit lui retirer les balles du corps pour voir si tout concorde. Il y aura une enquête.

— Ouais.

J'ai expiré d'abondance en laissant retomber ma tête

sur l'oreiller. Toute la scène – le flic qui s'avançait vers moi, moi qui reconnaissais Coombs, l'éclair de son arme – me revenait par fragments.

Claire s'est levée, a brossé de la main la jupe de son tailleur.

— Il faut que tu te reposes. Le médecin m'a dit qu'on pourrait te laisser sortir demain. Je reviendrai voir si tu sors avant midi.

Elle s'est penchée, m'a embrassée. Puis s'est dirigée vers la porte.

— Eh, Claire...

Elle s'est retournée. Je voulais lui dire combien je l'aimais, combien j'étais heureuse de l'avoir pour amie. Mais je me suis contentée de sourire et de lui dire :

— Perds pas de vue ce tatouage.

29

J'ai passé le reste de la journée à tenter de me reposer. Malheureusement, ça a été un défilé permanent de journalistes et de gradés dans ma chambre. Il s'agissait que mon mérite rejaillisse sur eux à l'heure des petites phrases. Tout un chacun voulait se faire prendre en photo avec l'héroïne sur son lit d'hôpital.

Le maire est passé, flanqué de son attaché de presse et du DG Tracchio. Ils ont improvisé une conférence de presse à l'hôpital, me tressant des louanges, citant en exemple l'excellent travail effectué par la brigade criminelle, ce même service auquel ils avaient failli retirer l'affaire.

Une fois ce cirque terminé, Cindy et Jill ont fait un saut. Jill m'a offert une rose dans un vase en verre qu'elle a placée à mon chevet.

— Tu ne resteras pas ici assez longtemps pour en mériter plus, m'a-t-elle fait avec un large sourire.

Cindy m'a tendu une cassette vidéo en paquet-cadeau. *Xena la princesse guerrière.*

Elle m'a lancé un clin d'œil.

— Elle effectue ses cascades elle-même, paraît-il. Je

me suis redressée et j'ai jeté mes bras engourdis autour d'elles.

— Me serrez pas trop fort, les ai-je prévenues en souriant.

— On te donne ce qu'il faut comme cachets? m'a demandé Jill.

— Ouais. Des Percocet. Tu devrais essayer une fois. Le risque en vaut la chandelle.

Pendant un moment, on s'est contentées de rester sans parler.

— T'as réussi, Lindsay, m'a affirmé Cindy. T'es peut-être complètement cinglée, mais personne ne peut dire que t'es pas un flic d'enfer.

— Merci.

— Va pas t'imaginer que de t'être fait tirer dessus te fera couper à mon interview en exclu. Je vais te donner un peu de temps pour te remettre. Six heures, ça te va?

— Bien, ai-je pouffé. Rapporte-moi une *enchilada* au poulet de *Chez Susie*.

— Le médecin a dit qu'on ne pouvait rester qu'une minute, a précisé Jill. On repassera plus tard.

Elles m'ont souri toutes les deux et ont battu en retraite vers la porte.

— Vous savez où me trouver, mesdames.

Vers cinq heures, Jacobi et Cappy ont jeté un coup d'œil dans la chambre.

— On se demandait où tu étais, a murmuré Jacobi, pince-sans-rire. On t'a pas vue à la réunion, cet après-midi.

Je lui ai fait un grand sourire, suis descendue du lit avec un peu de raideur.

— C'est vous les héros, les mecs. Je me suis contentée de plonger à l'écart pour me sauver la peau des fesses.

— Merde, a fait Cappy en haussant les épaules. On est juste venus vous dire que même si le maire vous recommande pour la médaille d'Honneur, on vous aimera toujours.

J'ai souri, tiré sur ma blouse d'hôpital verte et me suis lentement assise dans un fauteuil.

— Vous avez une idée de ce qui s'est passé, les mecs?

— Chimère t'a attaquée, voilà tout, m'a dit Jacobi. Il a tiré, on l'a effacé. Fin de l'histoire.

J'ai essayé de me rappeler le fil des événements.

— Qui a tiré?

— Moi, à quatre reprises, m'a répondu Jacobi. Tom Perez, de la brigade de répression des vols, était à côté de moi. Il a tiré deux fois.

J'ai regardé Cappy.

— Deux fois, a-t-il ajouté. Mais ça canardait dans tous les coins. L'IGS prend des dépositions.

— Merci, ai-je dit avec reconnaissance.

Puis j'ai changé d'expression. Je les ai dévisagés durement tous les deux.

— Non mais, ça ne vous interpelle pas quelque part? Le même type qui a buté Tasha Catchings et Davidson à une centaine de mètres, comme si c'était du gâteau, m'a seulement égratignée en me flinguant à bout portant ou quasiment?

Jacobi m'a regardée un peu perplexe.

— Qu'est-ce que tu essaies de nous dire, Lindsay?

J'ai soupiré.

— Depuis le début, on a cherché un mec tatoué, pas

vrai ? Celui qui a tué Estelle Chipman. L'homme clé de l'affaire.

Ils ont approuvé, l'œil dans le vide.

— Coombs ne l'était pas. Pas le moindre tatouage.

Jacobi a lancé un coup d'œil à Cappy, puis son regard est revenu se poser sur moi.

— Que veux-tu dire ? Que Coombs n'est pas notre homme ? Qu'on l'a rattaché à chacun des meurtres, qu'on a trouvé ces coupures de presse dans sa piaule, qu'il a essayé de te descendre non pas une, mais deux fois. Mais qu'au total ce n'était pas lui ?

Je n'étais pas d'une clarté d'esprit optimale, suite aux événements de la journée et aux médicaments. Mon objection était de la gnognotte, comparé à tout ce qui désignait Coombs sans ambages.

— Je crois que ce que je veux dire, c'est : t'as un exemple où Claire Washburn s'est trompée ?

— Non, m'a fait Jacobi. Mais j'pense pas que t'aies eu très souvent tort, toi non plus. Bon Dieu, j'en crois pas mes oreilles.

Ils m'ont dit de prendre une bonne nuit de sommeil.

— Mon sentiment viscéral, m'a fait Jacobi, en se détournant pour prendre le chemin de la porte, c'est qu'une fois l'effet des médicaments dissipé, t'auras l'occasion d'examiner tout au grand jour et de voir que tu as effectué une assez bonne opération.

Je leur ai souri.

— On l'a effectuée collectivement.

Cette nuit-là, je n'ai pas réussi à dormir. Couchée sur le dos, mon côté m'élançait ; mais je ressentais aussi le coaltar agréable dû à une poignée de Percocet. Je regardais autour de moi la chambre plongée dans la pénombre, étrange, irréelle et la vérité m'est alors apparue : j'avais beaucoup de chance d'être encore en vie.

Jacobi avait raison : c'était une bonne opération. Coombs était un assassin. Tous les faits jouaient. Et il avait essayé de me tuer au final.

J'ai fermé les yeux, tenté de me laisser aller au sommeil, mais une petite voix résonnait dans ma tête. Cette voix slalomait à travers toutes les certitudes, tout ce qui semblait plausible.

J'avais beau m'efforcer de m'endormir, la voix devenait de plus en plus forte.

Comment avait-il pu me rater ?

30

On m'a laissée sortir le lendemain matin.

Jill est venue me chercher. Elle a garé sa BMW le long du trottoir, devant l'Hôpital Général de San Francisco, pendant qu'on m'en sortait en fauteuil roulant. La presse était présente. J'ai salué du geste mes nouveaux potes, mais refusé de leur parler. Le prochain arrêt, c'était la maison, serrer Martha dans mes bras, me doucher, changer de vêtements.

Le lundi matin, j'ai pénétré dans le bureau 350 du palais, une légère raideur dans la démarche, comme si je me rendais au boulot un jour parmi d'autres : la brigade au grand complet m'a applaudie.

— À toi, la balle de match, lieutenant, m'a dit Jacobi, en me tendant la brosse.

— Ça va – je les ai congédiés de la main – attendons le complément d'enquête.

— Le complément d'enquête? Qu'est-ce que ça prouvera? a-t-il dit. À toi l'honneur.

— Lieutenant, a renchéri Cappy, le regard clair et fier, on vous les a réservés.

— Vas-y, lieutenant.

Pour la première fois peut-être depuis ma nomination par Mercer, j'ai senti que je dirigeais la crime et que tous les doutes sur ma valeur et mon grade que j'avais traînés pendant toute ma carrière n'étaient plus que les jalons d'un itinéraire accompli, à des kilomètres derrière moi.

J'ai gagné le tableau où les affaires en cours étaient répertoriées; j'ai effacé le nom de Tasha Catchings de la liste. Celui d'Art Davidson, aussi.

Mon triomphe m'emplissait d'une joie calme. J'éprouvais à la fois du soulagement et de la satisfaction.

On ne peut pas faire revenir les morts. On ne peut même pas expliquer logiquement pourquoi les choses arrivent. Tout ce qu'on peut faire, et le mieux qu'on puisse faire, c'est de laisser les vivants croire qu'ils ont l'âme en paix.

Les inspecteurs me regardaient, en faisant cercle autour de moi.

J'ai effacé le nom d'Earl Mercer sur le tableau.

31

Je n'ai fait que répondre à des appels téléphoniques pendant les heures qui ont suivi. Mais je suis surtout restée à mon bureau, à réfléchir à ma déposition. Il allait y avoir une enquête à propos de la fusillade qui s'était soldée par la mort de Coombs, comme il est d'usage chaque fois qu'un officier de police tire un coup de feu.

L'épisode restait encore totalement dans le flou pour moi. Les médecins m'avaient prévenue que tel pourrait être le cas un certain temps. C'était une façon de refouler le choc.

J'avais la vision brève de cet uniforme bleu démodé et le regard de Coombs qui m'incendiait. Son bras tendu, l'éclair orange de son arme. J'étais certaine qu'on avait crié mon nom, Cappy ou Jacobi sans doute, puis quelqu'un d'autre avait dit « *le flingue...* ».

Et mon propre Glock, se relevant au ralenti, alors que je savais que c'était un poil trop tard. Puis la fusillade – venant de toutes les directions, *pan, pan, pan, pan, pan...* J'ai fini par chasser tout ça de mon esprit et me remettre au travail.

Une heure plus tard environ, alors que je feuilletais le dossier de l'une de nos nouvelles affaires d'envergure, Claire a fait son apparition.

— Salut !

— Salut à toi, Lindsay !

Je connaissais Claire... je connaissais son air quand elle avait trouvé ce à quoi elle s'attendait et avait mis ses doutes de côté. Et je connaissais sa mine quand ce n'était pas aussi impec.

Cette fois, elle avait carrément sa mine « pas impec ».

— Tu n'as pas trouvé de tatouage, hein ? lui ai-je lancé.

Elle me l'a confirmé d'un signe de tête. Elle n'aurait pas pu avoir l'air plus troublé si elle avait découvert quelque chose incriminant Edmund ou l'un de ses fils.

Je lui ai fait signe d'entrer et de fermer la porte.

— Bon, qu'est-ce que tu as trouvé ?

Elle a haussé les épaules, sombrement.

— Je crois que j'ai découvert pourquoi Coombs a raté sa cible.

32

Claire s'est assise et a commencé à m'expliquer.

— Je procédais à une histologie de routine, dans la *substantia nigra*...

— Parle une langue compréhensible pour moi, Claire, l'ai-je coupée. Please ? Por favor ?

Elle m'a souri.

— J'ai prélevé quelques cellules à la base du cerveau. Coombs a été touché neuf fois. Huit de face, une dans le dos. Cette balle-là l'a frappé au rachis cervical. C'est la seule raison pour laquelle j'ai voulu m'en occuper d'abord. Je cherchais une cause de décès particulière.

— Alors qu'as-tu découvert ?

Son regard m'a transpercée.

— Une absence marquée de neurones... de cellules nerveuses vivantes.

Je me suis redressée, le cœur au bord des lèvres.

— Ce qui veut dire, Claire ?

— ... que Coombs souffrait de la maladie de Parkinson, Lindsay. Et pas à un stade peu avancé.

La maladie de Parkinson... la première idée qui m'est

venue, ç'a été *voilà pourquoi il a raté sa cible*. Pourquoi j'ai eu un tel coup de pot...

Puis, en voyant Claire prendre un air alarmé, j'ai compris que ce n'était pas aussi simple.

— Lindsay, quelqu'un atteint de la maladie de Parkinson au même stade que Coombs n'aurait jamais pu tirer.

Je me suis remémoré la scène de l'église de La Salle Heights... Tasha Catchings, abattue par ce tir incroyable... et Art Davidson, d'une seule balle en plein front... qui était passée par la fenêtre en provenance d'un toit voisin, distant d'une centaine de mètres au moins.

J'ai fixé Claire dans les yeux.

— Tu es sûre de ça?

Elle a acquiescé lentement.

— Je ne suis pas neurologue...

Puis, elle a ajouté avec une netteté inébranlable :

— Oui, j'en suis sûre. Je suis absolument affirmative sur ce point. La gravité de la maladie ne lui aurait jamais permis la coordination entre la main et le cerveau nécessaire pour tirer. Il en était à un stade trop avancé.

Avec une nausée qui me donnait le frisson, j'ai repassé en un éclair tout ce que l'on savait du tueur. On avait la certitude que Chimère était tatoué. Et Coombs ne l'était pas. Ensuite, il m'avait à peine écorchée sur les marches du palais, à bout portant. Et maintenant, ça, *la maladie de Parkinson...* Chimère, quel qu'il fût, était un tireur d'élite patenté. C'était irréfutable.

On s'est regardées et j'ai prononcé l'imprononçable.

— Bon Dieu, Claire, Coombs n'est pas notre homme.

— Exact, m'a-t-elle confirmé. Alors, qui est-ce, lieutenant?

33

Pendant un long moment, on est restées là, abasour-
dies, à se laisser gagner par la panique.

Les journaux, la télé, toute personne saine d'esprit en
ville fêtaient la mort de Chimère. Pas plus tard que ce
matin, j'avais effacé sur le tableau le nom de ses victimes.

— Coombs a essayé de me dire quelque chose, ai-je
révélé à Claire, en me rappelant le moment de sa mort,
« une dernière... », m'a-t-il murmuré, et quand je lui ai
demandé *une dernière quoi?* il a semblé me sourire.
« Une dernière surprise. » Il savait que Chimère était
toujours dans la nature, Claire. Il savait qu'on le découvrirait. Ce salaud s'est moqué de moi en poussant son
dernier soupir. Ça doit être quelqu'un d'autre de sa
bande. Il existe un autre fou furieux.

Claire se mordait les lèvres.

— Lindsay, crois bien que si j'avais pu aboutir à une
autre conclusion...

Je ne savais trop que faire de cette nouvelle donnée.
Tout s'emboîtait tellement bien. Bay View... Chimère.
Le dossier retrouvé dans la chambre de Coombs. Et le

fait de s'en prendre à moi. Je n'arrivais pas à croire que j'aie pu me tromper à ce point. Et puis, à nouveau, la question : *Si ce n'est pas Coombs, alors, qui ?*

Je me voyais très mal monter à l'étage troubler la fête des bureaucrates et des gradés. Mais à l'instant même où Claire et moi nous dévisagions avec incrédulité, le vrai tueur courait encore, effectuant peut-être des repérages en prévision de sa prochaine cible. Bon Dieu, *ça n'avait pas le sens commun.*

— Suis-moi, lui ai-je dit, en réprimant ma vive douleur au côté.

J'ai longé le couloir jusqu'au bureau de Charlie Clapper.

— Le retour de l'héroïne, m'a saluée le rondouillard de l'équipe de scène de crime en se levant tout sourires. Un peu bancroche, mais à part ça, t'as pas mauvaise mine.

— Charlie, ai-je dit, combien de temps pour comparer l'arme ?

— L'arme... ? a-t-il répété en haussant le sourcil.

— Celle de Coombs. Combien de temps pour établir un recoupement avec le flingue qui a tué Mercer ?

— Tu t'y prends un petit peu tard, ma belle, si tu essaies de restreindre le nombre de tes suspects. Moi, je commencerais par celui qui est allongé sur la table de Claire.

— Quand, Charlie ? ai-je insisté. Combien de temps pour un recoupement ?

— Mercredi, peut-être, m'a-t-il répondu avec un haussement d'épaules. Il nous faut examiner l'intérieur de l'arme, interpréter le...

— *Demain*, Charlie, lui ai-je intimé. Il me faut ça pour demain.

— Et merde, Lindsay, m'a-t-il dit, l'air un peu perplexe, qu'est-ce qu'il se passe ?

Je me suis tournée vers Claire, en ravalant ma bile, sensation hautement désagréable.

— Il faut qu'on annonce ça là-haut.

On a pris l'ascenseur pour monter au quatrième. J'étais tellement sidérée et submergée d'émotions contradictoires que je sentais à peine la douleur qui me tenaillait le flanc. On a déboulé dans le bureau de Tracchio, le DG par intérim. Il griffonnait à sa table de travail.

— Que venez-vous faire ici ? s'est-il écrié. Vous devriez être chez vous. Bon Dieu, lieutenant, si quelqu'un a obtenu un congé bien mérité, c'est...

Je l'ai coupé en pleine phrase. Puis je lui ai appris ce qu'avait découvert Claire. Tracchio a soudain eu l'air de quelqu'un qui vient d'avaler une huître avariée.

— Je ne marche pas, lieutenant, m'a-t-il dit. Vous avez résolu cette affaire. Le dossier est clos.

— Vous ne marchez peut-être pas, est intervenue Claire d'un ton ferme, mais je n'ai jamais été aussi sûre de moi de toute ma carrière. Il est *impossible* que Coombs ait tiré ces coups de feu.

— Mais tout ça est de la spéculation pure, lui a objecté Tracchio. Ses liens avec le meurtre de Sikes... les antécédents de Coombs avec Chimère... ses compétences de tireur. Tout ça, ce sont des faits. Établis par vous, lieutenant.

Il braquait un doigt sur moi, me renvoyant point par point à ma propre analyse.

— Il est impossible que quelqu'un d'autre puisse coller à ce profil. Je ne peux pas contester vos conclusions, docteur Washburn, mais éliminer Coombs...

— On peut comparer son ADN avec celui de l'échantillon de peau retrouvé sous les ongles d'Estelle Chipman, lui a rétorqué Claire, ce que je ne manquerai pas de faire. Mais je suis prête à parier ma réputation contre la vôtre qu'ils ne coïncident pas.

— En attendant, il nous faut rouvrir le dossier, lui ai-je dit.

— Rouvrir le dossier ? a hoqueté Tracchio. Je ne donnerai pas cet ordre.

— Si Chimère est encore en liberté, l'ai-je pressé, il pourrait bien préparer un nouveau meurtre à l'instant même. Ce dont je le soupçonne fort.

— Pas plus tard qu'hier, a lâché Tracchio, vous étiez persuadée à cent pour cent que Coombs et Chimère ne faisaient qu'un.

— C'était hier, lui ai-je répliqué. On vient de vous dire ce qui change la donne. Aujourd'hui, je suis à peu près certaine à cent pour cent que Coombs et Chimère, ça fait deux.

— Ce que vous venez de me dire n'est qu'une hypothèse médicale. Je veux une preuve tangible. Apportez-moi ce test ADN.

— Ça risque de prendre plusieurs jours, lui a spécifié Claire. Une semaine...

— Alors procédez à des recoupements balistiques, a ordonné Tracchio. Le DG Mercer a été tué par un calibre .38. Je vous garantis que Clapper vous prouvera qu'il s'agit de la même arme.

— Il s'en occupe. Mais entre-temps...

— Il n'y a pas d'*entre-temps* qui tienne, lieutenant. En ce qui me concerne, vous avez fait un boulot d'enfer. Vous avez mis votre vie en danger. Vous devriez être actuellement en congé maladie, pas en train d'essayer de démarrer une nouvelle enquête.

Claire et moi avons échangé un regard.

. Puis Tracchio s'est emparé de vagues paperasses, façon qu'ont les tenants de l'autorité de signifier qu'un entretien est terminé. *Qu'il aille se faire foutre.*

Une fois dans le couloir, j'ai lancé un coup d'œil à Claire.

— La municipalité va nous tomber sur le dos sans tarder et ce, grâce à moi. Tu ferais mieux de ne pas en douter.

— Je n'en doute absolument pas, m'a-t-elle répliqué. Qu'est-ce que tu vas faire ?

— Attendre l'analyse balistique, Claire. En priant que rien ne se produise dans l'intervalle. Je vais relancer aussi tout mon petit monde sur le coup.

34

— Est-ce bien toi, Cindy Thomas?

Aaron Winslow avait du mal à en croire ses yeux. Quand Cindy lui ouvrit la porte de son appartement, elle portait un ensemble pantalon noir, des talons aiguilles, un solitaire en sautoir. Dans son dos, il apercevait la salle à manger – bougies allumées, porcelaine, argenterie et cristal.

Cindy vint embrasser Aaron. Puis prit un léger recul. Mon Dieu, elle était fantastique. Elle était absolument radieuse, ce soir.

— Très bien, j'ai un aveu à te faire, lui dit-elle. L'ensemble Armani appartient à mon amie Jill, le procureur. Et les chaussures Ferragamo aussi. La moindre tache sur son Armani ou une éraflure de rien du tout sur ses escarpins et elle ne m'adressera plus jamais la parole.

Cindy prit Aaron par la main en souriant.

— Entre. Ne sois pas trop impressionné. Même si, moi, je le suis. Ce soir, nous fêtons la fin d'une épouvantable chasse à l'homme et d'un individu tout aussi redoutable.

Aaron s'était mis à rire.

— En tout cas, tu es très en beauté pour fêter ça.

Cindy continuait à rayonner.

— Oui. Je t'ai préparé un poulet aux amandes, une salade romaine et des pâtes à l'orge, agrémentées de petits pois à la menthe. Malheureusement, il se trouve que le poulet fait partie des trois seuls plats que je sache cuisiner.

— Ta franchise est rafraîchissante, répondit Aaron. Et à qui appartiennent le service de porcelaine et les verres en cristal ?

Cindy éclata d'un rire sonore, tout en le conduisant dans la salle à manger. Zut, elle se sentait un peu dans la peau de Bridget Jones.

— Que tu le croies ou pas, la porcelaine et le cristal sont fournis par moi en intégralité. Ma mère me fait des cadeaux pour ma corbeille de mariage depuis mes dix-huit ans. J'ai pensé que le Wedgwood et le Waterford étaient tout indiqués pour notre soirée de célébration. La bouffe est prête. Allons-y.

— Puis-je t'aider à servir ce festin ? lui demanda Aaron.

— Ce serait parfait. Comme tout le reste, ce soir.

En fait, tout l'était ; et quelques minutes plus tard, ils étaient attablés à la salle à manger avec, posés devant eux, des plats à l'aspect délicieux.

Cindy tapota son verre à vin.

— J'aimerais porter un toast, lança-t-elle.

Juste à cet instant, Aaron aperçut un reflet qui se déplaçait dans le miroir au-dessus du buffet, derrière Cindy. Son cœur se serra. Ah non, ça n'allait pas recommencer ; pas ici.

— Cindy, non! hurla-t-il.

Il se leva brusquement de sa chaise et plongea en travers de la table, tête la première. Il espérait seulement qu'il était encore temps.

Il entraîna Cindy dans sa chute, ainsi que la plupart de la porcelaine et des cristaux. Le tout se fracassa au sol à l'instant où le premier coup de feu faisait voler en éclats la fenêtre de la salle à manger. Plusieurs autres détonations se succédèrent rapidement. Un tir nourri. Chimère était ici. Et venait de les attaquer.

Cindy eut la présence d'esprit d'agripper le fil du téléphone et de faire dégringoler l'appareil de la console du couloir. Elle appuya sur le chiffre quatre de la présélection, puis sur l'ampli. Elle entendit la voix de Lindsay.

— Il est ici. À mon appartement. Il nous canarde, moi et Aaron! hurla-t-elle en direction du récepteur. Chimère est ici et il n'arrête pas de tirer!

35

Ça ne pouvait pas être en train de se passer et pourtant...
J'ai lancé un appel à tous les véhicules disponibles, puis je me suis précipitée chez Cindy. J'y suis arrivée aussi vite qu'il m'a été humainement possible de le faire. Et peut-être même un peu plus. J'ai aperçu Cindy et Aaron sur la véranda de l'entrée. Une demi-douzaine de voitures de police étaient garées tout autour de la maison. Pourtant ils étaient toujours des cibles potentielles, non ?

En courant vers Cindy, j'avais les mains crispées. Je l'ai serrée contre moi : elle tremblait encore comme une feuille. Je ne lui avais jamais vu un air si vulnérable, si effrayé et si perdu.

— Dieu merci, une voiture est arrivée au bout de deux minutes, Lindsay. Soit il a pris peur et il est parti, soit c'était déjà fait.

— Vous n'avez rien ? ai-je dit en me tournant vers Aaron.

Cindy et lui avaient leurs vêtements pleins de taches. On aurait dit qu'ils s'étaient battus avec de la nourriture. Bon sang, qu'est-ce qui s'était passé par ici ?

— Aaron m'a sauvé la vie, a murmuré Cindy.

Lui s'est contenté de secouer la tête en tenant la main de Cindy. La tendresse qui les liait m'a beaucoup touchée.

— Il est en train de déjanter, ai-je maugréé, plus à mon bénéfice qu'au leur.

Chimère, quel qu'il fût, était pris de rage. Il devenait évident qu'il voulait m'atteindre, moi ou quiconque m'était proche. Ou peut-être était-il offusqué à l'idée de savoir ensemble Aaron Winslow et Cindy ? Ça pouvait être en partie une explication. Il ne préparait plus ses coups avec le même soin, désormais ; il se montrait téméraire et paniqué, tout en demeurant aussi dangereux.

Et il était quelque part dans le paysage. Peut-être même en train de nous surveiller à l'instant même.

— Venez, rentrons, leur ai-je dit.

— Pourquoi, Lindsay ? m'a demandé Cindy. C'est dedans qu'il nous a tiré dessus. Bordel de merde, mais c'est qui, ce mec ? Qu'est-ce qu'il veut ?

— J'en sais rien, Cindy. S'il te plaît, rentre, ma chérie.

Des inspecteurs vérifiaient déjà d'où les coups de feu étaient partis. L'équipe de police scientifique cherchait à établir le calibre de l'arme. Mais moi, je le savais. Et je savais que c'était lui : *Chimère.*

Je suis encore là, nous disait-il. *Me* disait-il.

La Ford bleue de Warren Jacobi s'est arrêtée devant moi : je l'ai vu en descendre et s'empresser de me rejoindre.

— Ils vont bien, tous les deux ?

— Ouais. Ils sont retournés à l'intérieur. Bon Dieu,

Warren. Ça doit avoir quelque chose à voir avec moi. Obligatoire.

J'ai posé ma tête sur son épaule une seconde. J'avais les yeux pleins de larmes et je ne les ai pas refoulées. Elles ont coulé sur mes joues, chaudes et piquantes.

— Je vais le tuer, ce type, ai-je murmuré.

Jacobi m'a serrée encore plus fort. Ce brave vieux Warren.

On était revenus au point zéro. Je n'avais aucune idée de son identité. J'ignorais d'où reprendre les recherches.

Une Lincoln noire de fonction s'est frayé un passage dans la rue barricadée avant de venir s'arrêter en douceur, le long du trottoir. La portière s'est ouverte et le DG Tracchio, faisant grise mine, est descendu, embrassant d'un coup d'œil le lieu de la fusillade.

Son regard croisant le mien, il a ravalé sa culpabilité ; les gyrophares se reflétaient dans ses lunettes.

Je lui ai lancé un regard noir. *C'est suffisant comme preuve ?*

36

Le lendemain matin, la moitié de la crime se prenait la tête dans la salle de conférence. On a réexaminé chaque indice, chaque hypothèse qu'on avait faite. La réunion tirant à sa fin, j'ai pris Jacobi à part.

— Encore une chose, Warren. Je veux que tu vérifies une chose pour moi. Que tu t'assures que Tom Keating *est vraiment cloué dans un fauteuil de paralytique.*

À une heure de l'après-midi, il fallait que je prenne une pause. J'avais besoin d'un peu de recul. On n'y voyait plus goutte.

Il fallait que je parle avec les filles, aussi les ai-je invitées à un déjeuner sur le pouce au *Rialto*, de l'autre côté de la rue, en face du palais. Même Cindy m'a dit qu'elle viendrait. Elle a insisté.

À son arrivée au *Rialto*, on l'a embrassée toutes les trois, les larmes aux yeux. Aucune d'entre nous n'arrivait à croire que Chimère s'en soit pris à Aaron et à Cindy – et pourtant, c'est ce qu'il avait fait.

— C'est de la folie, ai-je dit tandis qu'on s'agglutinait autour de la table, en grignotant salades ou pizzas calzone. Tout concordait. Le passé de Coombs,

Chimère, la bavure de Bay View. Tout menait là. On n'a pas pu *se* tromper.

— Ce que tu dois faire en premier, m'a avertie Claire, c'est relâcher la pression. Ce qui s'est passé est affreux. Mais ne nous laissons pas submerger par nos émotions.

— Je sais, ai-je soupiré. C'est probablement le but du tueur. Bon Dieu.

Jill s'est agitée sur son siège.

— Écoute, Coombs doit être au centre de tout ça. Trop de choses se recoupent. Ce n'est peut-être pas lui qui a pressé la détente mais si quelqu'un d'autre l'avait fait à sa place? Quid de ses connards de potes de San Francisco sud?

— Il y en a deux qui manquent toujours à l'appel, ai-je dit. Mais viscéralement, la réponse est non. Ah, et puis merde, je ne sais plus. Tout le monde à la crime est en panne sèche. Coombs était un fou furieux. Bordel, qui est l'autre?

— Tu as bien vérifié tout ce que tu as trouvé dans sa chambre d'hôtel? m'a demandé Cindy, qui avait gardé un silence inhabituel jusque-là.

— Plutôt deux fois qu'une, lui ai-je répondu.

Pour la énième fois, m'a-t-il semblé, je suis revenue en pensée dans la minuscule chambre en désordre – la valise remplie des effets de prisonnier de Coombs, les coupures de presse planquées sous le matelas, les numéros sur le bureau, ses lettres...

Sauf que cette fois, quelque chose a fait tilt...

Cindy me demandait si l'on avait envisagé la possibilité que quelqu'un ait tenté de piéger Coombs, mais je ne lui ai pas répondu. J'étais ailleurs... je refouillais

mentalement cette chambre d'hôtel minable. L'alignement de canettes de bière et de mégots de cigarettes sur
le rebord, au-dessus du lit. *Il y avait quelque chose
d'autre.* Je n'y avais jamais repensé. J'ai cillé dans le
vide, tâchant de visualiser précisément la chose. Alors
j'ai distingué ce que je cherchais – et qui aurait pu
m'échapper.

— Lindsay? m'a fait Claire en penchant la tête. Tout
va bien?

— Allô, Lindsay, ici la Terre..., m'a chahutée Jill.

Cindy m'a saisie par le poignet.

— Lindsay, qu'est-ce qu'il t'arrive?

J'ai attrapé mon sac et je me suis levée.

— Il faut qu'on retourne au palais. Je crois que je
viens de comprendre quelque chose.

Les pièces à conviction sont conservées sous clé dans un entrepôt au sous-sol du palais.

Fred Karl, le planton, a eu l'air un peu contrarié en nous voyant débarquer toutes les quatre.

— Ce n'est pas le dernier salon où l'on cause, ici, a-t-il grommelé.

Il a poussé une planchette dans ma direction et appuyé sur le bouton qui déclenchait l'ouverture de la porte grillagée.

— Madame Bernhardt et vous, vous pouvez signer et entrer. Ces deux autres-là, faudra qu'elles attendent à l'extérieur.

— Alors, arrêtez-nous, Fred, ai-je dit en faisant entrer tout le monde d'un geste.

On avait rangé le contenu de la chambre d'hôtel de Coombs dans de grands bacs près du fond. J'ai conduit les filles jusque-là, j'ai accroché ma veste à un rebord et descendu quelques bacs de l'étagère portant le numéro de code de l'affaire Coombs. Je me suis mise à fourrager dedans.

— Ça te gênerait beaucoup de nous dire ce que tu

cherches? m'a demandé Jill, l'air fâché, apparemment. Et merde, qu'est-ce qui m'a échappé?

— Ça ne t'a absolument pas échappé, ai-je dit en retournant les affaires de Frank Coombs. À moi non plus. Mais ni l'une ni l'autre, on a percuté sur le moment. Regarde un peu.

Tel un ciboire d'argent, j'ai exhibé le trophée de cuivre où un tireur à plat ventre visait avec son fusil. *Champion régional de tir à la cible aux 50 mètres,* lisait-on sur la plaque. C'était ce dont je me souvenais après avoir vu une première fois cette coupe.

Mais le nom figurant au-dessus faisait toute la différence.

Frank L. Coombs..., *pas Frank C.* Francis Laurence, pas Francis Charles.

Rusty Coombs... le trophée avait été remporté par le fils de Coombs.

D'un seul coup, toutes les suppositions et les hypothèses ont changé pour moi. À cause peut-être de toute la paperasse que j'avais compulsée récemment, le prénom complet de Coombs père s'était ancré dans mon conscient.

Frank C., c'était le père, *Frank L.,* le fils.

« Mon père et moi, ça fait deux », m'avait affirmé Rusty Coombs, me suis-je rappelé. Je revoyais son visage maintenant, le personnage convaincant qu'il nous avait joué à Jacobi et à moi.

— C'est le fils, ai-je murmuré.

Jill s'est assise par terre, assommée.

— Tu es en train de me dire, Lindsay, que ces meurtres atroces sont l'œuvre du fils de Coombs? L'étudiant de Stanford?

— Mais je croyais qu'il détestait son père. Je croyais qu'ils n'étaient plus en contact, a lâché Cindy.

— Moi aussi, ai-je dit. Il a trompé son monde, pas vrai ?

On est restées là, à se dévisager dans cette pièce en sous-sol, peu éclairée. Cette nouvelle théorie tenait-elle debout ? Est-ce qu'elle résistait à l'examen ? Une nouvelle idée m'a traversée – *la fourgonnette blanche*, le véhicule lié au meurtre de Tasha Catchings... On l'avait volée à Mountain View. Palo Alto et Mountain View n'étaient qu'à quelques minutes de distance.

— Le propriétaire de la fourgonnette, leur ai-je rappelé, enseigne l'anthropologie dans un centre universitaire de cycle court. Il nous a dit qu'il s'occupait aussi d'étudiants d'autres établissements. Parfois, de certains athlètes...

Tout à coup, les choses se mettaient en place.

— Et si l'un d'eux n'était autre que Rusty Coombs ?

38

Je me suis empressée de remonter dans les étages. La première chose que j'ai faite, ça a été de passer un coup de fil au professeur Stasic du centre universitaire de Mountain View. N'obtenant que sa boîte vocale, je lui ai laissé un message le pressant de me rappeler.

J'ai entré le nom Francis L. Coombs dans la banque de données informatiques CCI. L'ancienne condamnation du père y figurait, mais rien sur le fils. Pas de casier judiciaire.

J'ai pressenti que si le gamin avait eu assez de sang-froid pour commettre ces crimes abominables, il devait être fiché quelque part. J'ai tapé le nom dans la banque de données des délinquants juvéniles. Ces archives étaient confidentielles : on ne pouvait pas les utiliser dans un tribunal mais on y avait libre accès. Au bout de quelques secondes, un dossier est apparu. *Fourni...* j'ai cligné des yeux devant l'écran.

Rusty Coombs avait eu maille à partir avec la justice au moins sept fois depuis l'âge de treize ans.

En 1992, il avait comparu devant un tribunal pour

enfants après avoir abattu le chien d'un voisin avec un fusil à plombs.

Un an plus tard, on l'avait condamné pour acte de cruauté envers un animal après qu'il eut tué une oie dans un jardin botanique.

À l'âge de quinze ans, avec l'un de ses amis, il avait été mis en examen pour dégradation de bien public, après avoir tagué des slogans antisémites sur les murs d'une synagogue.

Il avait été accusé, mais pas condamné, d'avoir balancé des bouteilles de bière dans la fenêtre d'un voisin. Le plaignant était de race noire.

Il était censé faire partie d'un gang au lycée, les Kott Street Boys, connu pour ses attaques racistes contre des Blacks, des Latinos et des Asiatiques.

J'ai lu le tout avec stupéfaction. Finalement, j'ai convoqué Jacobi dans mon bureau. Je lui ai tout déballé : les antécédents violents de Rusty Coombs, son nom sur le trophée de tir, la fourgonnette volée à Mountain View, à proximité de Palo Alto.

— Il est évident que les critères d'admission à Stanford se sont assouplis depuis que j'ai posé ma candidature, a ricané Jacobi.

— Pas de blague, Warren, s'il te plaît. Alors, qu'est-ce que tu en penses ? Je divague, hein ? Je suis folle ?

— Pas au point de ne pas devoir retourner rendre visite au gamin, a-t-il conclu.

Il y avait d'autres choses qu'on pouvait faire pour être sûrs. On pouvait attendre et voir si l'ADN de Coombs père concordait avec celui qu'on avait récolté sous les ongles d'Estelle Chipman. Mais ça prendrait du temps. Plus j'y songeais, plus l'hypothèse Rusty Coombs tenait la route.

Mon cerveau était en ébullition à présent. J'en tremblais.

— Oh, mon Dieu, Warren... *la craie blanche...*

Jacobi s'est penché en avant.

— Oui, et alors?

— La poudre blanche que Clapper a retrouvée sur deux des scènes de crime.

J'ai revu Rusty Coombs, son visage taché de rousseur, ses épaules de déménageur dans son T-shirt des Cardinals trempé de sueur. La parfaite incarnation d'un gamin doué qui avait changé radicalement de vie, pas vrai?

— Tu te souviens quand on l'a rencontré?

— Bien sûr, au gymnase, à Stanford.

— Il soulevait de la fonte. Et qu'est-ce que les haltérophiles utilisent, Warren, pour que la barre ne leur glisse pas entre les doigts?

Je me suis levée. Mon esprit se concentrait sur l'image frappante de Rusty Coombs en train de frotter ses mains puissantes et blanches, l'une contre l'autre.

— De la craie, a marmonné Jacobi.

Revenant en trottinant de son entraînement de l'après-midi, Rusty Coombs emprunta la boucle de six kilomètres qui reliait le complexe sportif au campus sud. Il décida de couvrir les deux cents derniers mètres en piquant un sprint.

Une voiture de police le dépassa, toutes sirènes hurlantes. Puis encore une autre, fonçant à toute allure.

De prime abord, la vue de ces véhicules le fit sursauter. Mais en s'apercevant qu'ils s'éloignaient, il reprit son calme. Il tricota de plus belle de ses jambes musclées.

Tout allait bien, parfaitement bien. Il était en sécurité ici à Stanford. L'un des happy few, pas vrai ?

Il reprit le fil de ses pensées que les flics avaient brutalement interrompu. S'il pouvait perdre un poil de graisse et baisser son temps dans les quarante yards d'un ou deux dixièmes supplémentaires, il pourrait se hisser peut-être jusqu'au troisième tour de sélection de la NFL. Le troisième tour signifiait un bonus garanti. Tiens-t'en au plan, se dit-il. *Les rêves avaient tendance à devenir réalité, les siens du moins.*

Rusty, suant et soufflant, atteignit Santa Ynez, à un bloc de la résidence qu'il partageait avec plusieurs autres joueurs de football. En s'engageant dans la rue, il pila brusquement de tout son corps.

Bordel... ils sont venus pour moi!

Les gyrophares illuminaient la rue. Des voitures de police... au nombre de trois, plus deux véhicules marron de la sécurité du campus, stationnaient devant chez *lui*. Un attroupement grouillait sur le trottoir. On n'autorisait pas les flics à pénétrer sur le campus pour des affaires courantes. Non, c'était plus important, *en écran large et en couleurs...*

Il comprit en un éclair nauséeux que tout était fini. Il n'aurait même pas l'occasion de buter la petite salope qui avait tué son père. Ses jambes bougeaient toujours, il faisait du jogging sur place.

Ce qui lui traversa l'esprit, ce fut *bordel, comment ont-ils pu savoir? Qui a compris? Pas Lindsay Boxer, quand même!*

Un zozo d'étudiant en short rouge flottant, sac à dos de même couleur en bandoulière, remontait la rue dans sa direction. Rusty continua de trottiner sur place.

— Eh mec, qu'est-ce qui se passe, merde?

— La police recherche quelqu'un, lui répondit le type. Ça doit être mahousse, pasque tout le monde raconte que des flics de San Francisco vont rappliquer.

— Sans déc', marmonna Rusty. De San Francisco, rien que ça?

Trop moche, songea-t-il. Il était énervé. Et navré aussi que ça doive finir. Mais il avait toujours fantasmé comment tout ça pourrait se terminer.

Il rebroussa chemin et repartit toujours en trottinant

en direction de la cour principale. Sa foulée prit de la vitesse, rapidement et puissamment.

Rusty Coombs tourna la tête au moment où une nouvelle voiture de police, sirène hurlante, le croisa, filant comme une flèche. Inutile de jouer à cache-cache plus longtemps. Les flics étaient venus en nombre.

Heureusement, il tenait la conclusion parfaite.

40

Jacobi et moi, on a foncé sur la 101 vers Palo Alto, à une moyenne de cent quarante. Les panneaux pour Burlingame, San Mateo et Menlo Park ont défilé. On était excités à la perspective de poisser cette petite ordure dans l'heure qui venait.

J'espérais qu'on pourrait prendre Rusty Combs par surprise. Peut-être au moment de sa sortie de cours. Il y avait des milliers d'étudiants sur le campus de Stanford. Il était armé, très dangereux, donc je voulais éviter si possible un affrontement.

J'avais donné rendez-vous au lieutenant Joe Kimes de la crime de Palo Alto dans le bureau du doyen des étudiants sur la cour principale. Alors qu'on approchait de Palo Alto, Kimes m'a rappelée pour me signaler qu'on ne trouvait Coombs nulle part. Il n'avait pas de cours prévus cet après-midi-là. Il n'était ni à sa résidence, ni au stade, où l'équipe de foot de Stanford avait terminé l'entraînement, environ une heure plus tôt.

— Il sait qu'on a lancé un avis de recherche contre lui ? ai-je demandé. Comment ça se passe là-bas, Joe ?

— Difficile d'adopter le profil bas par ici, m'a répondu Kimes. Il a pu repérer nos voitures.

J'ai commencé à me faire du souci. J'avais espéré coincer Coombs avant qu'il n'apprenne notre arrivée. Il aimait attirer l'attention – il voulait être une star.

— Que voulez-vous qu'on fasse ? m'a demandé Kimes.

— Que vous mettiez le commando d'intervention local en état d'alerte. Entre-temps, tâchez de me retrouver cette petite ordure, Joe. Empêchez-le de s'échapper. Au fait, Joe, ce type est extrêmement dangereux. Vous n'imaginez pas à quel point.

41

L'ascenseur monta rapidement et quand il s'ouvrit, Chimère se retrouva sur le belvédère de la Tour Hoover, culminant à plus de soixante-quinze mètres au-dessus de la cour principale de Stanford.

Il n'y avait pas âme qui vive là-haut sur le belvédère. Personne pour le déranger, personne à descendre illico. Rien que le ciel bleu uniforme, le dôme de béton, le carillon géant dont les cloches propageaient le tonnerre à travers le campus.

Rusty Coombs coupa l'alimentation de l'ascenseur, l'immobilisant, portes ouvertes.

Puis il balança sur le sol le sac en nylon noir qu'il portait et s'appuya au mur de béton, s'adossant à l'une des huit fenêtres à barreaux. Il ouvrit le sac, en retira son PSG-1 démonté, la lunette de *sniper* et deux pistolets de complément, ainsi que des chargeurs de munitions.

C'était vraiment quelque chose à couper le souffle, en fait. Le top, non? Il apercevait des montagnes au sud et à l'ouest, la découpe de San Francisco au nord. La journée était claire. Tout était calme, parfait. Le campus de Stanford s'étalait sous ses yeux. Des étudiants circulaient comme des fourmis, tout en bas. La crème de la crème.

Il s'attaqua à l'assemblage du fusil, enclencha le canon dans la crosse, fixa l'épaulière sur mesure... enfin remontée, l'arme fut entre ses mains comme un instrument de musique d'une valeur inestimable.

Un moineau vint se percher sur le carillon. Il le mit en joue et appuya sur la détente à vide. *Clic.*

Puis il vissa la lunette de *sniper* sur la crosse. Et mit d'un coup sec un chargeur de vingt balles en place.

Il s'accroupit derrière le mur de béton. Le vent soufflait en rafale avec les claquements d'une voile de bateau. Le ciel était d'un bleu turquoise magnifique. *Je vais mourir et vous savez quoi? J'en ai vraiment rien à foutre.*

Des étudiants traversaient nonchalamment les passages cloutés, se prélassaient au soleil ou lisaient sur des bancs. Qui savait...? Qui soupçonnait le danger? Il avait le choix. *Il pouvait immortaliser n'importe lequel d'entre eux.*

Rusty Coombs glissa le canon du fusil entre les barreaux de l'une des ouvertures, de deux mètres de haut, du dôme. L'œil collé à la lunette, il se mit en quête de sa première cible. Des étudiants surgirent dans son champ de vision : une jolie Japonaise, cheveux auburn et lunettes noires, se faisait des mamours avec son petit copain de race blanche sur la pelouse. Un blaireau en sweat-shirt canari chevauchait une bicyclette jaune. Il déplaça la lunette : une Black à longues tresses rasta se dirigeait vers la librairie des étudiants. Rusty sourit. Parfois, son potentiel de haine le stupéfiait lui-même. Il était assez intelligent pour savoir qu'il ne se contentait pas de les mépriser, qu'il se méprisait aussi lui-même. Qu'il méprisait son corps ripoliné, les imperfections dont lui seul était au courant, mais par-dessus tout, qu'il méprisait ses idées, ses obsessions, la façon dont fonctionnait son esprit merdique. Il se sentait si seul, depuis si longtemps, bordel. Comme en ce moment même.

Au loin, il repéra une Explorer bleue et ses gyrophares. Elle s'arrêta devant le bâtiment administratif. Cette salope cul serré de San Francisco en descendit d'un bond. Son cœur cognait à grands coups.

Elle était ici. Il aurait sa chance avec elle, après tout.

Il arrêta la lunette sur la jolie Orientale qui bécotait son petit copain sur la pelouse. Nom de Dieu, comme il les détestait, ces deux-là. Une honte pour leurs races.

Puis, se ravisant, il orienta le fusil vers la Black et ses dreadlocks, un pendentif en or en forme de cœur tressautait à son cou, pailletant de reflets ses yeux marron.

C'est dans ma nature, simplement. Il eut un rictus, recourba le doigt autour du métal froid de la détente.

Chimère repassait à l'action.

42

L'Explorer s'est arrêtée dans un crissement de pneus devant le bâtiment administratif. On en est descendus, Jacobi et moi, puis on a traversé la loggia espagnole qui donnait sur la cour principale.

On est tout de suite tombés sur Kimes, aboyant des ordres dans une radio. Avec lui se trouvait Félix Stern, doyen des étudiants, l'air sinistre.

— On n'a toujours pas retrouvé Rusty Coombs, m'a annoncé Kimes. On l'a aperçu il y a une vingtaine de minutes sur la cour. Mais il a redisparu.

— Comment ça se passe avec le commando d'intervention ? lui ai-je demandé.

— Il est en route. Vous croyez qu'on en aura besoin ? J'ai secoué la tête.

— J'espère qu'on pourra s'en passer. On n'en aura pas l'utilité si jamais Coombs se chope la frousse et se barre.

Juste à cet instant, on a entendu une fusillade. Je savais qu'aucun policier ne tirerait le premier. De plus, ça ressemblait à des coups de fusil.

— À mon avis, il est encore ici, a lâché Warren Jacobi, pince-sans-rire.

La loggia a résonné à tous les échos des cris de panique des étudiants. Puis, ils se sont mis à courir vers nous, fuyant la cour.

— Il est dans la Tour Hoover, cet enfoiré! a crié l'un d'eux. C'est dingue!

Jacobi, Kimes et moi avons rejoint la débandade des étudiants. Joe Kimes communiquait par radio.

— Coups de feu signalés! Tous les hommes et les ambulances disponibles à la Tour Hoover. Extrême prudence requise!

On a atteint la pelouse en quelques secondes. Des étudiants se dissimulaient derrière les arbres, les colonnes, les grandes vasques de fleurs, tout ce qui pouvait les abriter.

Deux d'entre eux gisaient sur le sol. L'une était une jeune Black : un rond sanglant s'élargissait sur sa poitrine. Qu'il aille au diable. Que *Chimère* aille au diable.

— Restez couchés! Demeurez où vous êtes! ai-je hurlé à travers la cour. Gardez la tête baissée, s'il vous plaît!

Un coup de feu a claqué au sommet de la tour. Suivi d'un second, puis d'un troisième. Un étudiant s'est affalé derrière un banc en lattes de bois.

— Restez couchés, s'il vous plaît! ai-je crié à nouveau. Restez couchés, bon sang!

J'ai scruté le beffroi de la tour, cherchant à distinguer une forme, une arme, tout ce qui pourrait m'indiquer la position de Rusty.

Soudain, deux nouveaux coups de feu ont retenti en provenance de la tour. Coombs était bien là-haut, plus de doute. Il nous était impossible de protéger autant de monde. Il nous avait à sa discrétion. Chimère menait toujours le bal.

J'ai agrippé Kimes par le bras.

— Comment puis-je grimper là-haut ?

— Personne ne montera sans escorte commando, m'a répliqué Kimes d'un ton sec et d'un œil glacé.

Puis il a beuglé dans sa radio.

— Tous les hommes et les ambulances disponibles sur la cour ! Un tireur isolé flingue à tout va depuis la Tour Hoover. Au moins trois blessés.

Je l'ai regardé bien en face.

— Comment on fait pour monter, Joe ? ai-je insisté. J'y vais de toute façon, alors indiquez-moi le meilleur moyen.

— Il y a un ascenseur au rez-de-chaussée, est intervenu Stern, le doyen.

J'ai tiré mon Glock de son étui et vérifié que le petit Beretta était bien fixé à ma cheville. Chimère était dans ce dôme là-haut à faire pleuvoir les balles.

Mes yeux ont repéré un bâtiment qui me procurerait une protection. Jacobi a esquissé un geste vers mon bras. Mais il savait qu'il ne m'arrêterait pas.

— Tu me laisseras pas le temps de rafler des gilets pour nous deux, hein, lieutenant ?

— Rendez-vous au sommet, Warren, ai-je fait en clignant de l'œil.

Puis je me suis élancée vers la tour, courbée à l'extrême.

Et quelque part au tréfonds de moi, je me suis demandé : *mais pourquoi je fais ça ?*

Putain, qu'il se sentait bien.

Chimère rentra le fusil et s'adossa au muret de béton. Dans un instant, l'enfer sur terre allait se déchaîner sur la cour. Des équipes commandos, des tireurs d'élite, peut-être même des hélicoptères. Il savait qu'il avait l'avantage – il s'en fichait de mourir.

Il fixa les énormes cloches du carillon. Il avait toujours bien aimé ces saletés de cloches. Quand elles sonnaient, on les entendait partout sur le campus. Il se demanda si, quand tout serait fini, quand il ne ferait plus partie du paysage, les cloches sonneraient le glas à son enterrement. Ouais, bon.

Puis il prit conscience qu'il était seul dans la Tour Hoover et qu'il venait de tuer cinq personnes. Quelle journée merdique il venait de passer – quelle vie merdique il avait menée. Sa page serait bientôt tournée, plus aucun doute là-dessus.

Il se redressa et jeta un coup d'œil par-dessus le parapet. Soudain, tout était plutôt calme, là, en bas. On avait évacué la cour. Bientôt les membres d'un commando d'intervention *high tech* se pointeraient sur les lieux, il n'aurait plus alors qu'à en dégommer le plus grand nombre. Il faudrait qu'ils les gagnent, leurs heures sups.

Mais pour le moment, ici, en haut, mec, tout était d'une beauté...

Il aperçut alors Lindsay Boxer ! Il se colla l'œil à la lunette du fusil pour s'en assurer. L'« héroïne flic » qui avait tué son père. Elle avait quitté l'abri du bâtiment administratif, et courait en zigzag, courbée en deux, en direction de la tour. Il était heureux de sa présence ici. Tout à coup, ça changeait tout. *Il avait encore le temps de mener cette affaire à bonne fin...*

Il suivit la silhouette qui fonçait en clignant doucement de l'œil gauche. Il fit tomber sa respiration à un rythme d'une lenteur quasi méditative.

Il songeait que son père avait été criblé de neuf balles.

C'est ce qui l'attendait, elle aussi.

Il aspira un bon coup et immobilisa la croix de sa visée sur son chemisier blanc.

T'es une femme morte.

44

Le silence régnait à présent sur la cour. Soit Rusty Coombs s'accordait un répit, soit il rechargeait.

Allons-y. Rien que toi et moi, mon pote.

Je me dirigeais vers le bâtiment qui me faisait face. J'éprouvais une sorte d'hystérie contrôlée. Pas bon, ça. Je savais que j'étais une cible et que Coombs junior pouvait faire un carton sur moi.

Soudain, j'ai entendu une détonation *dans mon dos*. J'ai jeté un coup d'œil et j'ai aperçu Jacobi qui canardait la tour.

Avant que Rusty puisse braquer son arme sur moi, j'ai filé sous d'épaisses branches de peuplier puis, prenant la tour à revers, je me suis retrouvée à quelques mètres de sa base.

J'ai regardé autour de moi et aperçu Jacobi avec Kimes. Il m'a fait non de la tête. Je savais que ça signifiait *s'il te plaît, Lindsay, bouge plus. Je pourrai plus te couvrir une fois que tu seras à l'intérieur de la tour.* Je lui ai fait un clin d'œil, presque pour m'excuser.

J'ai contourné le bâtiment et découvert une entrée du

côté nord. J'ai gravi le perron et me suis retrouvée dans un hall en marbre.

L'ascenseur était juste en face de moi.

J'ai appuyé sur le bouton d'appel sans discontinuer, mon arme braquée sur les portes. Elles ont refusé de s'ouvrir. Un peu futilement, j'ai balancé mon poing contre leurs battants chromés. J'ai hurlé « *Police* ». Mon cri s'est répercuté dans les couloirs. J'avais besoin que quelqu'un vienne, n'importe qui. Je n'avais aucune idée de la façon dont on gagnait le sommet de la tour.

Un vieil homme en uniforme d'agent de maintenance a émergé d'un couloir. Il a eu un mouvement de recul en apercevant mon arme.

— Police, l'ai-je apostrophé. Comment je fais pour aller là-haut ?

— On a bloqué l'ascenseur, m'a-t-il répondu. Faut prendre l'escalier auxiliaire.

— Montrez-moi où il est, s'il vous plaît. C'est une question de vie ou de mort.

Le gardien m'a fait franchir une porte, m'a escortée jusqu'au second étage, puis m'a fait longer un couloir jusqu'à un escalier plus étroit.

— Il y a treize étages à partir de là, une porte coupe-feu tout en haut. Elle s'ouvre des deux côtés.

— Attendez dans le hall et prévenez le premier qui arrivera que je suis montée, ai-je dit en m'engageant dans l'étroit escalier. C'est aussi une affaire de vie ou de mort.

— Oui, m'dame. Compris.

J'ai entamé la montée. Treize étages. Et je ne savais trop à quoi m'attendre au sommet. Mon cœur battait à toute allure et une sueur froide collait mon chemisier dans mon dos.

Treize, chiffre porte-bonheur. À chaque palier, ma respiration devenait plus difficile, mon souffle plus court. J'ai commencé à avoir très mal aux jambes, et dire que je faisais du jogging quatre fois par semaine. J'ignorais si c'était une folie de monter là-haut sans renfort. Et merde, si, je savais que c'était une folie.

J'ai enfin dépassé le douzième palier et atteint le sommet. *Bon Dieu.* Seule une porte métallique me séparait de Chimère. Mon cœur explosait dans ma poitrine.

À travers le battant, j'ai encore entendu tirer. *K-pow, k-pow, k-pow.* Il était reparti de plus belle. J'avais une peur bleue qu'on ne déplore une nouvelle victime. J'étais furieuse, exaspérée. J'avais une telle envie de le descendre. J'ai vérifié mon Glock et repris mon souffle. *Ah, bon Dieu, Lindsay... ce que tu dois faire, fais-le, et vite.*

La porte coupe-feu était munie d'un de ces lourds leviers de secours qu'il fallait abaisser pour la libérer.

Je l'ai basculé vers le bas, puis j'ai fait irruption sur le belvédère.

45

Le jaillissement du soleil m'a aveuglée. Puis des sons glaçants : *k-ping, k-ping, k-ping...* ceux des douilles éjectées du fusil qui cliquetaient sur le sol.

En me précipitant sur le belvédère, j'ai aperçu Coombs junior. Il était agenouillé devant une ouverture, son arme glissée entre les barreaux.

Tout à coup, il a pivoté vers moi.

Son fusil a craché dans ma direction. Une explosion assourdissante, des éclairs orange partout. Des tintements métalliques.

J'ai plongé loin de la porte en déchargeant mon arme à quatre reprises. J'ignorais si je l'avais touché. J'ai retenu mon souffle, m'attendant à être poignardée par la douleur *si jamais il m'avait blessée.* Il m'avait ratée.

— C'est moins facile quand l'autre riposte, lui ai-je hurlé.

J'étais tapie derrière une haute grille. Elle abritait un ensemble de sept cloches massives dont chacune semblait capable de me briser les tympans au premier coup de battant. À part ça, le belvédère se réduisait à un passage de deux mètres cinquante de large. Il contournait le carillon et comportait des ouvertures dans le mur tous les deux mètres environ, donnant sur l'extérieur.

Coombs junior était de l'autre côté – les cloches faisaient office d'abri mutuel pour chacun de nous.

Sa voix s'éleva, nasillarde, arrogante, tranquille.

— Bienvenue à Camelot, lieutenant... tous ces super cerveaux, là, en bas... et vous à présent, qui montez jusqu'ici pour me parler à *moi*.

— Je suis venue avec des amis. Et eux, ils n'ont pas envie de te parler, Rusty. Ils vont chercher à t'abattre par tous les moyens. À quoi bon mourir comme ça?

— J'en sais rien, ça me paraît un bon plan. Si vous voulez mourir ici, avec moi, bienvenue au club, m'a répondu Rusty.

J'ai scruté à travers la grille, tâchant de me faire une idée de l'endroit où se tenait Coombs junior. De l'autre côté du beffroi, je l'ai entendu fourrer un nouveau chargeur dans son fusil.

— Je suis content que ça soit vous. Je veux dire, ça tombe bien, vous croyez pas? Vous avez buté mon père, maintenant je vais vous rendre la pareille.

Sa voix a paru se déplacer, *comme s'il cherchait à m'encercler.*

Je me suis mise à bouger de mon côté, mon Glock braqué sur l'angle de l'habitacle du carillon.

— Je n'ai pas envie que tu meures ici, Rusty.

— Un peu lente à la comprenette, hein, lieutenant? Comme toujours. Je vous ai donné tout ce à quoi j'ai pu penser. Le symbole de la chimère, la fourgonnette, le 911... qu'est-ce qu'il fallait que je fasse, bordel, vous envoyer un e-mail genre *coucou, les mecs, c'est moi*? Vous en avez mis du temps à piger le truc. Ça a coûté la vie à quelques personnes de plus en attendant.

Tout à coup une fusillade en rafale a crépité contre la grille de fer, les balles ricochant avec bruit sur les cloches.

J'ai plongé à terre, la tête entre les mains.

— Ton père est mort, ai-je crié. Ça ne le fera pas revenir.

Où était-il maintenant? J'ai jeté un œil par un trou dans la grille. *Gel instantané de toutes mes facultés.*

Je faisais face à Rusty Coombs. Il me souriait, doté du même rictus suffisant et odieux que son père. J'ai aperçu le fusil passé à travers l'habitacle des cloches.

J'ai soudain vu un éclair, éprouvé un recul d'une force brutale. Puis l'impact puissant du coup de feu m'a projetée en arrière.

J'ai atterri violemment sur le dos, puis couru m'abriter tandis que Coombs junior s'est précipité sur sa lancée pour pouvoir m'abattre sans obstacle. J'ai tâtonné à la recherche de mon Glock. Bon Dieu, *mon arme... n'était plus là.*

Rusty me l'avait fait sauter des mains!

Il s'est avancé jusqu'à ce qu'il se tienne au-dessus de moi, le fusil pointé sur ma poitrine.

— Reconnaissez que je sais tirer, hein?

Le moindre lambeau d'espoir s'était évanoui. Ses yeux verts brûlaient d'un feu froid et impassible. Je haïssais ce petit salaud à un point!

— N'ajoute pas de nouveaux morts aux précédents, lui ai-je dit, la bouche complètement sèche. Ceux du commando d'intervention arrivent. Si tu me tues, cinq minutes plus tard, ce sera ton tour.

Il a haussé les épaules.

— À ce stade, ça va être chiant d'arranger ça avec l'entraîneur. Les gens comme vous – son œil était vide – n'ont pas idée de ce que c'est de perdre son père. Vous m'avez pris mon père, bande de salopards.

En voyant son doigt glisser vers la détente, j'ai compris que j'allais mourir. J'ai prié en silence en songeant *je ne veux pas mourir.*

Alors un son profond à percer les tympans s'est interposé. C'était un bruit d'une puissance semblable à celui d'un immeuble qui s'effondre. Une résonance de gong était suivie d'une autre, puis d'une autre encore. J'ai dû porter mes mains à mes oreilles pour ne pas devenir sourde.

C'était le carillon. Les cloches se mettaient en branle, leur sonorité était la plus forte que j'aie jamais entendue – de beaucoup. Toute la tour tremblait sous ce bruit de tonnerre.

Le visage de Rusty s'est déformé sous l'effet du choc et de la douleur. Il a titubé, se roulant par réflexe en boule pour se protéger.

En l'apercevant qui se recroquevillait, j'ai passé la main dans ma jambe de pantalon. J'en ai retiré le Beretta fixé à ma cheville.

Tout est arrivé si vite, comme dans un film d'action à la bande-son distordue au maximum.

Coombs junior, en me voyant faire, a mis son fusil en position de tir.

J'ai déchargé mon arme à trois reprises, ma main tressautant par saccades. *Les cloches continuaient de carillonner... encore et toujours.*

Trois geysers cramoisis ont éclaboussé le torse large de Rusty. L'impact l'expédia tout flageolant en arrière.

Le carillon, à nouveau. Chaque gong assourdissant me donnait l'impression qu'on me défonçait le crâne à coups de massue.

Coombs a fini par échouer en position assise. Il a baissé les yeux, a vu sa chair déchirée. Il a cillé, son regard est devenu vitreux, perplexe. Il a relevé son arme vers moi.

— Toi aussi, tu vas crever, espèce de salope!

J'ai pressé la détente du Beretta. Le gong du carillon retentissait toujours quand la déflagration finale l'a frappé en pleine gorge. Il a poussé un grognement sonore, les pupilles révulsées.

J'ai pris conscience que j'avais porté mes mains à mes oreilles encore une fois. La tête me faisait mal. J'ai rampé jusqu'à Rusty et écarté son fusil d'un coup de pied. Les cloches sonnaient de plus belle, une mélodie impossible pour moi à identifier, une réponse peut-être à ma prière.

Quelque chose a arrêté mon regard quand je me suis agenouillée près de Coombs junior.

— Ah, te voilà, toi, ai-je murmuré.

Une queue reptilienne, lovée, rouge et bleu, reliée au corps de chèvre que couronnait la double tête féroce et fière d'un lion et d'une chèvre. La *chimère*... l'une de mes balles avait transpercé le torse de la bête immonde. Elle paraissait bel et bien morte, elle aussi.

J'ai entendu des cris derrière moi, mais je n'ai pas bougé, toujours penchée sur Rusty. Je sentais que je devais répondre à ce qu'il m'avait dit à la toute fin. *Vous n'avez pas idée d'à quoi ça ressemble... de perdre son père...*

— Oh si, moi, je le sais, ai-je dit à ses yeux clos.

46

Cette fois, les journaux ont dit vrai. *Chimère était mort*. La série de meurtres était terminée.

Il n'y avait pas de quoi sauter au plafond devant le résultat final, du moins pas pour moi. La criminelle ne s'est pas réunie pour effacer le tableau. On n'a pas porté de toasts avec les filles. Trop de gens étaient morts. J'avais eu de la chance de ne pas être du nombre. Comme Claire et Cindy.

J'ai pris quelques jours de congé, histoire que mes blessures au côté et à la main guérissent et que les équipes de l'IGS aient l'occasion de reconstituer ce qui s'était passé lors des deux fusillades. Je suis sortie avec Martha, j'ai fait quelques longues promenades à Marina Green et Fort Mason Park, tandis que le temps virait au froid et à l'humidité.

Je me repassais surtout le film des événements de cette épouvantable affaire. C'était la deuxième fois que je devais affronter un assassin seul à seule. Pourquoi donc? Qu'est-ce que cela signifiait? Qu'est-ce que ça révélait de ma vie et à quoi rimait-elle?

Un court moment, un élément important de mon

passé m'avait été rendu, un père que je n'avais jamais vraiment connu. Puis ce cadeau m'avait été repris. Mon père avait disparu dans le trou noir d'où il avait resurgi. Je savais que je risquais de ne jamais le revoir.

Au cours de ces journées-là, si j'avais pu imaginer quoi faire d'autre de ma vie, j'aurais pu me dire *tentons le coup*. Si j'avais aimé peindre, eu le désir secret d'ouvrir une boutique ou l'entêtement nécessaire à l'écriture d'un livre... C'était si difficile de dénicher en moi ne serait-ce qu'un zeste de certitude.

Mais à la fin de la semaine, j'ai simplement repris le collier.

Tard, ce premier soir, Tracchio m'a donné un coup de fil, me demandant de monter dans son bureau. Au moment où je suis entrée, le nouveau DG s'est levé et m'a serré la main. Il m'a dit combien il était fier et j'ai failli le croire.

— Merci, ai-je fait en opinant.

J'ai même souri.

— C'est tout ce que vous aviez à me dire?

Tracchio a ôté ses lunettes. Il m'a lancé un sourire contrit.

— Non. Je vous en prie, asseyez-vous, lieutenant.

Il s'est emparé d'une chemise rouge.

— Constatations préliminaires sur le décès de Coombs. Coombs *père*.

J'y ai jeté un coup d'œil hésitant. J'ignorais si un bureaucrate de l'IGS n'avait pas découvert quelque chose de suspect.

— Il n'y a pas de quoi s'inquiéter, m'a assuré Tracchio. Tout se recoupe. C'est net et sans bavure.

J'ai acquiescé. Alors à quoi tout cela rimait-il?

— Il y a cependant un détail frappant.

Le DG, toujours debout, a pris appui sur le devant du bureau.

— Le médecin légiste a retiré neuf balles du corps de Coombs. Trois provenaient du 9 mm de Jacobi. Deux, de celui de Cappy. Une, de votre Glock. Deux de calibre .20, celles de Tom Perez de la brigade de répression des vols. Ce qui fait *huit*.

Il m'a dévisagée.

— La neuvième balle ne correspond à aucune de ces armes.

— À aucune ?

J'ai relevé la tête. Ça n'avait pas de sens. La commission d'enquête avait en sa possession les flingues de tous les flics concernés, le mien compris.

Tracchio a tendu la main vers un tiroir. Il en a sorti une pochette plastique contenant une balle aplatie, couleur ardoise, à peu de chose près de la nuance de ses yeux. Il me l'a tendue.

— Jetez-y un œil... calibre .40.

Une décharge électrique m'a traversée. *Calibre .40...*

— Le plus drôle – ses yeux me transperçaient –, c'est qu'elle correspond à *celles-ci*.

Il a exhibé une seconde pochette contenant quatre autres projectiles semblables et dans le même état.

— On les a récupérées, celles-là, à l'extérieur du garage et au pied des arbres de cette maison de San Francisco sud où vous avez suivi Coombs.

Tracchio a gardé les yeux fixés sur moi.

— Ça vous dit quelque chose ?

La mâchoire m'en tombait. Ça ne me disait rien, sauf

que... Je me suis repassé la scène sur les marches du palais.

Coombs se précipitait sur moi, le bras tendu ; cet instant figé avant que je fixe son visage. Derrière lui, ce détail dont je m'étais toujours souvenue, que je n'avais pu occulter : *une voix, celle de quelqu'un qui criait mon nom.*

Dans la cohue, il y avait eu un pan... puis Coombs qui vacillait.

Les balles ne correspondaient pas. On avait tiré sur Coombs avec une arme de poing calibre .40... l'arme de mon père.

J'ai pensé à Marty, à la promesse qu'il m'avait faite, pendant qu'il se tenait sur mon seuil pour la dernière fois.

Je ne m'enfuierai plus, Lindsay... Mon père avait tiré sur Coombs sur les marches. Il avait été là pour me défendre.

— Vous ne m'avez pas répondu, lieutenant. Est-ce que ça vous dit quelque chose ? m'a redemandé Tracchio.

Mon cœur bondissait dans ma poitrine. J'ignorais ce que savait Tracchio, mais j'étais son héroïne-flic. La neutralisation de Chimère effaçait le « par intérim » qui suivait son titre. Et, comme il l'avait dit, c'était une opération nette et sans bavure.

— Non, DG, lui ai-je répondu, ça ne me dit rien.

Tracchio m'a dévisagée, soupesant la chemise qu'il avait en main, puis en opinant, il l'a placée sous une lourde pile d'autres du même genre.

— Vous avez fait du bon travail, lieutenant. Personne n'aurait pu faire mieux.

Épilogue

Je prendrai mon envol

Quatre mois plus tard...

Par un clair après-midi de mars, on est toutes retournées à l'église de La Salle Heights.

Cinq mois après l'assaut sanglant, on avait comblé la moindre fissure dans les murs extérieurs, fraîchement repeints de blanc. L'ogive où avait resplendi le beau vitrail de l'église était tendue d'un rideau blanc pour l'événement du jour.

À l'intérieur, le gratin de la municipalité était assis, côtoyant paroissiens et familles remplis de fierté, réunis pour l'occasion. Dans les allées latérales, des caméras filmaient la cérémonie pour les infos du soir.

Le chœur, en aubes blanches, a entonné *Je prendrai mon envol* et la chapelle a paru acquérir de l'ampleur en résonnant sous la puissance triomphante des voix qui s'élevaient.

Certains assistants frappaient des mains en rythme, d'autres essuyaient leurs yeux embués de larmes.

Je me tenais au fond avec Claire, Jill et Cindy. L'émotion sacrée du moment m'a donné le frisson.

Dès que le chœur en a eu fini, Aaron Winslow est

monté en chaire, beau et fier à son habitude, en costume noir et chemise habillée. Cindy et lui étaient toujours ensemble ; on l'aimait bien toutes les trois, on *les* aimait vraiment bien tous les deux. L'assemblée a fait silence. Il a jeté un regard circulaire sur la nef bondée, puis d'une voix posée :

— Il y a quelques mois de cela, a-t-il commencé avec un sourire pacifique, un cauchemar dément est venu interrompre les jeux de nos enfants. Sous mes yeux, les balles ont profané le quartier. Ce chœur qui vient de chanter aujourd'hui pour vous a été saisi de terreur. On s'est tous posé la question *pourquoi ?* Comment était-il possible que seule la plus jeune et la plus innocente ait été frappée ?

Des « *Amen* » ont ricoché contre les poutres. Cindy m'a chuchoté à l'oreille :

— Il est bien, hein ? Le mieux de tout, c'est qu'il est sincère.

— Et la réponse, c'est..., a déclaré Winslow à l'assemblée réduite au silence, la seule réponse possible, c'est... afin qu'elle puisse montrer la voie au reste d'entre nous.

Il a scruté l'assemblée des présents.

— Nous sommes tous liés. Chacun ici, les familles qui ont éprouvé un deuil comme ceux qui sont simplement venus pour se souvenir. Noirs ou blancs, la haine nous amoindrit tous. Pourtant, d'une certaine façon, on guérit. On continue. On persévère.

À cet instant, il a fait un signe de tête à un groupe de jeunes enfants, dans leurs plus beaux atours du dimanche, qui encadraient le grand rideau blanc. Une fillette avec des tresses, âgée de dix ans à peine, a tiré sur un cordon et la toile s'est affalée à terre avec un *flap* sonore.

Une vive lumière a inondé l'église. Les têtes se sont tournées, un hoquet de surprise général a suivi. Là où autrefois des tessons de verre délimitaient un vide déchiqueté flamboyait un vitrail d'une splendeur intacte. Des acclamations se sont élevées, on applaudissait à tout rompre. Le chœur a attaqué un cantique en sourdine. C'était de toute beauté.

Écouter ces voix émouvantes a remué quelque chose en moi. J'ai jeté un regard songeur à Cindy, Claire et Jill, revivant tout ce qui s'était passé depuis la dernière fois que je m'étais tenue au même endroit, depuis l'assassinat de Tasha Catchings.

Mes yeux se sont emplis de larmes ; la main de Claire a cherché la mienne, m'a serré le bout des doigts. Cindy a noué son bras au mien.

Derrière moi, j'ai senti Jill me prendre l'épaule.

— J'avais tort, m'a-t-elle murmuré à l'oreille. De dire ce que j'ai dit quand on m'emmenait en salle d'opération. Les salauds ne sont pas gagnants. Nous, si. Suffit d'attendre la fin de la partie.

On a contemplé toutes les quatre le magnifique vitrail. Nimbé de son auréole, un Jésus en robe, bénin et doux, faisait signe à ses disciples. Quatre ou cinq de ses partisans étaient dans son sillage. L'un d'entre eux, une femme, se retournait pour attendre quelqu'un, tendant le bras...

Elle s'apprêtait à saisir par la main une fillette black.

Cette dernière ressemblait à Tasha Catchings.

Quinze jours plus tard, un vendredi soir, j'avais invité les filles à dîner. Jill nous avait dit qu'elle avait une grande nouvelle à nous annoncer.

Je revenais du marché, les bras chargés de provisions. Dans le vestibule de mon immeuble, j'ai examiné le courrier. Catalogues et factures habituels. J'allais passer outre quand j'ai remarqué une mince enveloppe blanche, nantie des flèches rouges et bleues d'une lettre par avion, du genre de celles qu'on vend dans les bureaux de poste.

Mon cœur n'a fait qu'un bond en reconnaissant l'écriture.

Le tampon postal portait *Cabo San Lucas, Mexique*.

J'ai posé mes courses, me suis assise sur les marches et j'ai déchiré l'enveloppe. J'en ai retiré une feuille de papier pliée en deux avec, à l'intérieur, une petite photo Polaroïd.

Ma merveille de fille débutait la lettre, griffonnée nerveusement.

À présent, tu dois être au courant de tout. J'ai fait une sacrée trotte pour arriver jusqu'ici, mais j'ai arrêté de fuir.

Tu as sans doute une petite idée de ce qui s'est passé ce jour-là au palais. Vous autres flics de la nouvelle école enfoncez les vieux lambins comme moi. Ce que je voulais que tu saches, c'est que je n'avais pas peur que ça soit divulgué. Je suis resté dans le coin quelques jours pour voir si l'histoire s'ébruitait. Je t'ai même appelée à l'hôpital une fois. C'était moi... Je savais que tu n'avais pas envie d'avoir de mes nouvelles, mais je voulais m'assurer que tu allais bien. Et comme de juste tu vas tout à fait bien.

Ces quelques lignes ne suffiront pas à t'exprimer combien je regrette de t'avoir déçue une nouvelle fois. J'ai eu tort sur plusieurs plans : l'un d'entre eux, c'est qu'on ne peut pas tout laisser derrière soi. Je l'ai su dès que je t'ai revue. Pourquoi m'a-t-il fallu toute une vie pour intégrer une leçon aussi simple ?

Mais j'avais raison par ailleurs. Et sur une chose plus importante que tout le reste. Personne n'est jamais fort au point de ne pas avoir besoin d'un coup de main de temps à autre... même de son père.

La lettre était signée, « *Ton bêta de papa* », puis juste en dessous « *qui t'aime pour de vrai...* ».

J'ai relu son petit mot en retenant mes larmes. Marty avait donc trouvé un endroit où plus rien ne l'atteindrait. Où personne ne le connaissait. J'ai suffoqué de tristesse en comprenant qu'il se pourrait que je ne le revoie jamais.

J'ai retourné la photo granuleuse.

On y voyait Marty... affublé d'une chemise hawaïenne ridicule, posant devant un bateau de pêche, posé sur un échafaudage ; l'embarcation mesurait dans les quatre mètres de long. Il y avait ces quelques lignes au bas du cliché : « *Nouveau départ, nouvelle vie. J'ai acheté ce bateau. Je l'ai repeint moi-même. Un jour, je te décrocherai un rêve...* »

J'ai éclaté de rire... Le con, me suis-je dit, en hochant la tête. Et merde, qu'est-ce qu'il connaît aux bateaux ? Ou à la pêche ? Le plus près de l'océan que mon père soit jamais allé, c'était quand on l'avait détaché au maintien de l'ordre sur les quais.

Puis quelque chose m'a tiré l'œil.

À l'arrière-plan de la photo, par-delà la pose altière de mon père, se détachant sur coques et mâts de la marina, sur le magnifique ciel bleu...

Je me suis efforcée de déchiffrer l'inscription sur la coque fraîchement repeinte de son esquif tout beau tout nouveau.

Un seul mot était gribouillé en lettres blanches de sa main.

Le nom du bateau : *Bouton d'Or.*

Remerciements

Je remercie tout particulièrement Holly Pera, sergent de la brigade criminelle du SFPD, ainsi que son coéquipier, le sergent Joe Toomey.

Et également Pete Ogten, inspecteur en retraite du SFPD. Sans oublier, une fois de plus, le Dr Greg Zorman de Fort Lauderdale.

Mais avant tout, cet ouvrage est dédié à Lynn et à Sue.

Composition et mise en pages réalisées
par Euronumérique

Achevé d'imprimer par Rodesa en novembre 2004
N° d'édition : 28246
Dépôt légal : novembre 2004
Imprimé en Espagne.